汽车维修业务接待
第 2 版

主　编　曾　鑫　薛明芳
副主编　胡晓晓　国树文　龚丽丽　陶莎莎
参　编　周　磊　朱巨莲　李　俊　刘劲松
　　　　卫登科　赵洪波
主　审　张红英

机 械 工 业 出 版 社

本书结合汽车维修服务企业在新的竞争格局中对维修业务接待人才的要求，充分吸取先进的服务管理理念和维修业务接待流程，结合典型品牌汽车售后服务企业的实际工作过程编写而成。本书主要内容包括：走进汽车售后服务、认识汽车维修业务接待、汽车维修客户预约、汽车维修接车与客户接待、汽车维修客户意见处理、汽车维修车辆交付及结算、汽车维修客户回访、汽车维修车辆初检、汽车维修业务派单、汽车维修及质量检验和汽车质量担保。

本书可作为高等职业院校汽车类专业的教材，也可作为汽车维修服务顾问的培训教材，以及汽车维修企业管理人员的参考用书。

本书配有电子课件、试卷及教案，凡使用本书作为教材的教师可登录机械工业出版社教育服务网（www.cmpedu.com），注册后免费下载。咨询电话：010-88379375。

图书在版编目（CIP）数据

汽车维修业务接待 / 曾鑫，薛明芳主编. -- 2版. -- 北京：机械工业出版社，2025.9. -- ISBN 978-7-111-78848-5

Ⅰ. U472.31

中国国家版本馆 CIP 数据核字第 2025MT1231 号

机械工业出版社（北京市百万庄大街22号　邮政编码100037）
策划编辑：葛晓慧　　　　　责任编辑：葛晓慧　谢熠萌
责任校对：王荣庆　陈　越　封面设计：陈　沛
责任印制：张　博
北京机工印刷厂有限公司印刷
2025年10月第2版第1次印刷
184mm×260mm・15印张・365千字
标准书号：ISBN 978-7-111-78848-5
定价：49.00元（含训练手册）

电话服务　　　　　　　　　　网络服务
客服电话：010-88361066　　　机　工　官　网：www.cmpbook.com
　　　　　010-88379833　　　机　工　官　博：weibo.com/cmp1952
　　　　　010-68326294　　　金　书　网：www.golden-book.com
封底无防伪标均为盗版　　　　机工教育服务网：www.cmpedu.com

Preface 前言

本书针对职业院校学生的学习特点，以知识的应用为目的，以工学结合为编写理念，根据汽车维修服务企业在新的竞争格局中对汽车维修业务接待人才的要求，充分吸取先进的服务管理理念和维修业务接待流程，并结合企业的实际工作过程编写而成。本书第 1 版在 2013 年出版后，深受广大读者欢迎，近年来我国汽车产业快速发展，新能源和智能网联汽车发展迅猛，互联网、数字经济赋能产业发展，汽车售后服务需求发生了较大变化，为了能及时将实际变化情况融入本书，根据第 1 版的使用和反馈情况，编写组进行了人员调整，并重新分工，对本书进行了修订。本书具有以下特色：

1) 优化结构体系，突出"新内容"。本书针对企业和毕业生关注的汽车维修业务接待中的热点和难点，增加了一个学习任务：汽车维修客户意见处理；全书通过识别汽车维修业务接待、客户沟通与接待、汽车维修车辆服务 3 个情境共 11 个任务，介绍了汽车维修服务顾问岗位需要的知识、技能和素养，具体的任务包括：走进汽车售后服务、认识汽车维修业务接待、汽车维修客户预约、汽车维修接车与客户接待、汽车维修客户意见处理、汽车维修车辆交付及结算、汽车维修客户回访、汽车维修车辆初检、汽车维修业务派单、汽车维修及质量检验和汽车质量担保。

2) 面向企业要求，突出"新规范"。本书针对企业岗位标准增加了一汽大众企业"工作手册"内容，针对具体的知识点和技能点，在书中对应部分增加"工作手册"模块，介绍企业的操作标准和标准话术。

3) 适应产业发展，增加"新技术"。针对当前新能源汽车和智能网联汽车的快速发展，本书新增了新能源汽车日常维护内容和网络服务、新媒体服务的内容。

4) 引入国赛资源，实施"新标准"。本书引入全国职业院校技能大赛（简称国赛）标准工单；转化国赛资源，实现技能规范操作标准的教学落地。

5) 配套数字资源，体现"新形态"。本书配套微课资源，可以通过扫描二维码观看；提供课程标准、教学课件、授课计划、授课教案、考试试卷、习题答案等全套资源包。

本书可作为高等职业院校汽车类专业的教材，也可作为汽车维修服务顾问的培训教材，以及汽车维修企业管理人员的参考用书。

本书由曾鑫教授和薛明芳副教授任主编，胡晓晓、国树文、龚丽丽、陶莎莎任副主编，周磊、朱巨莲、李俊、刘劲松和来自企业一线的技术专家卫登科、赵洪波参与编写。本书由张红英教授主审。

由于编者水平有限，书中不妥之处在所难免，恳请读者批评指正。

编　者

二维码索引

名称	图形	页码	名称	图形	页码
汽车维修业务接待流程		028	处理客户异议的技巧		093
客户预约的技巧		041	车辆问诊		138
环车检查		067	如何解释汽车油耗高		139
学会倾听的技巧		071	汽车三包		182

Contents 目录

前言
二维码索引
情境一　识别汽车维修业务接待 ………… 001
　任务一　走进汽车售后服务 ………… 001
　　学习目标 ………… 001
　　任务分析 ………… 001
　　相关知识 ………… 001
　　　一、汽车服务及汽车售后服务 ………… 001
　　　二、汽车售后服务的特点 ………… 002
　　　三、汽车售后服务理念 ………… 005
　　　四、汽车售后服务的主要内容 ………… 006
　　　五、汽车售后服务企业文化 ………… 010
　　　六、汽车售后服务岗位 ………… 010
　　任务工单 ………… 020
　任务二　认识汽车维修业务接待 ………… 021
　　学习目标 ………… 021
　　任务分析 ………… 021
　　相关知识 ………… 023
　　　一、汽车维修业务接待的工作内容 ………… 023
　　　二、汽车维修业务接待的作用 ………… 024
　　　三、汽车维修业务接待流程 ………… 027
　　　四、服务顾问的能力要求 ………… 029
　　　五、服务顾问的知识要求 ………… 030
　　　六、服务顾问的素质要求 ………… 032
　　　七、常见汽车维修业务接待礼仪 ………… 035
　　任务工单 ………… 040

情境二　客户沟通与接待 ………… 041
　任务一　汽车维修客户预约 ………… 041
　　学习目标 ………… 041
　　任务分析 ………… 041
　　相关知识 ………… 041
　　　一、客户预约的工作流程及要素 ………… 041
　　　二、预约登记表的填写 ………… 047
　　　三、电话礼仪 ………… 047
　　　四、售后服务能力不足分析 ………… 052

　　任务工单 ………… 054
　任务二　汽车维修接车与客户接待 ………… 055
　　学习目标 ………… 055
　　任务分析 ………… 055
　　相关知识 ………… 055
　　　一、汽车维修服务流程 ………… 055
　　　二、接车过程中的要点 ………… 057
　　　三、身体语言的使用与技巧 ………… 059
　　　四、客户接待的流程及要素 ………… 063
　　　五、客户跟踪的方法与技巧 ………… 068
　　　六、交流和沟通的方法与技巧 ………… 071
　　　七、服务顾问的职业习惯 ………… 073
　　　八、常用接待的语言与动作 ………… 077
　　任务工单 ………… 082
　任务三　汽车维修客户意见处理 ………… 085
　　学习目标 ………… 085
　　任务分析 ………… 085
　　相关知识 ………… 086
　　　一、客户意见处理的方法与技巧 ………… 086
　　　二、客户投诉的处理 ………… 088
　　　三、处理客户异议的技巧 ………… 093
　　　四、维修业务过失补救 ………… 094
　　　五、处理愤怒客户的方法与技巧 ………… 096
　　任务工单 ………… 098
　任务四　汽车维修车辆交付及结算 ………… 099
　　学习目标 ………… 099
　　任务分析 ………… 100
　　相关知识 ………… 100
　　　一、结算交车工作流程及要素 ………… 100
　　　二、结算交车服务 ………… 103
　　　三、维修内容解释 ………… 104
　　　四、维修票据服务 ………… 105
　　　五、汽车维修价格结算常用单据 ………… 111
　　任务工单 ………… 114
　任务五　汽车维修客户回访 ………… 115
　　学习目标 ………… 115

任务分析 ………………………… 115
　　相关知识 ………………………… 115
　　　一、汽车维修客户回访工作流程 … 115
　　　二、汽车维修客户回访要素 …… 115
　　　三、汽车维修客户管理 ………… 120
　　　四、汽车维修客户忠诚度的培养 … 124
　　　五、汽车维修客户开发 ………… 127
　　任务工单 ………………………… 128

情境三　汽车维修车辆服务 …… 130
任务一　汽车维修车辆初检 …… 130
　　学习目标 ………………………… 130
　　任务分析 ………………………… 130
　　相关知识 ………………………… 130
　　　一、车辆日常维护 ……………… 130
　　　二、新能源汽车日常维护 ……… 133
　　　三、车辆问诊时常见问题与解答 … 138
　　　四、常见故障的诊断方法与步骤 … 143
　　　五、常见故障分析与诊断 ……… 143
　　　六、典型案例分析与诊断 ……… 146
　　任务工单 ………………………… 150

任务二　汽车维修业务派单 …… 151
　　学习目标 ………………………… 151
　　任务分析 ………………………… 152
　　相关知识 ………………………… 152
　　　一、维修委托书（维修工单）的
　　　　 使用 …………………………… 152
　　　二、维修委托书的制订 ………… 152
　　　三、软件操作：维修委托书的制订 … 155
　　　四、维修工的协调 ……………… 163
　　任务工单 ………………………… 170

任务三　汽车维修及质量检验 … 171
　　学习目标 ………………………… 171
　　任务分析 ………………………… 171
　　相关知识 ………………………… 172
　　　一、汽车维修工作流程及要素 … 172
　　　二、追加维修项目处理 ………… 176
　　　三、车辆维修及质量检验 ……… 178
　　　四、汽车售后服务质量检查工作
　　　　 流程及要素 …………………… 178
　　　五、维修质量解释与维修延时的
　　　　 处理 …………………………… 180
　　任务工单 ………………………… 180

任务四　汽车质量担保 ………… 181
　　学习目标 ………………………… 181
　　任务分析 ………………………… 181
　　相关知识 ………………………… 181
　　　一、汽车质量担保政策 ………… 181
　　　二、典型车型汽车三包责任政策 … 185
　　　三、汽车三包索赔 ……………… 187
　　　四、汽车金融与保险服务 ……… 191
　　　五、保险车辆索赔服务 ………… 198
　　任务工单 ………………………… 199

参考文献 ……………………………… 201

情境一

识别汽车维修业务接待

任务一 走进汽车售后服务

学习目标

通过本任务的学习,应懂得汽车售后服务具有哪些特点、包含哪些内容、应具备哪些理念,汽车售后服务企业应塑造什么样的企业文化、都有哪些岗位,熟悉各岗位的职能和任职要求。通过学习和训练,学生应能够:

➢ 对汽车售后服务岗位进行分析。
➢ 对自己未来就业的职业岗位进行设计和规划。
➢ 初步掌握社会调研的方式和方法。
➢ 掌握团队协作的基本要求。

任务分析

2024 年,我国汽车产销量分别为 3128.2 万辆和 3143.6 万辆,我国汽车产销总量已经连续 16 年稳居全球第一;新能源汽车产销量分别为 1288.8 万辆和 1286.6 万辆。随着汽车保有量的急剧增加,人们对汽车服务的要求越来越高。技术更新快、服务质量要求高的汽车业,其售后服务急待跟进。实践证明,优秀的专业服务人才能给企业带来巨大的社会效益和经济效益。成熟市场汽车产业利润分配比例如图 1-1 所示。

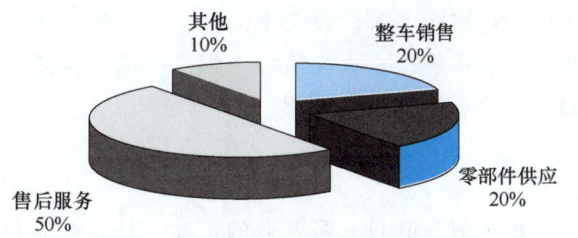

图 1-1 成熟市场汽车产业利润分配比例

即将参加工作的学生,需要对汽车售后服务有一个明晰的认识,对自己将从事的职业有一个深入的了解,使自己对即将踏上的工作岗位有充分的准备,做好自己的职业岗位设计和规划,这样才能让学习更有目标和动力。

相关知识

一、汽车服务及汽车售后服务

汽车服务包括汽车研发服务、新车销售服务和汽车售后服务。

汽车研发服务是指为研制、设计开发新的汽车产品所进行的工作。汽车研发的形式一般有整车厂自主研发、专业汽车研发机构定向提供研发设计、整车厂和零部件生产企业及专业研发机构联合研发3种。

> **中国品牌**
>
> **德国大众汽车7亿美元入股小鹏汽车**
>
> 中国汽车产业历经数十年从无到有的快速发展，已经成为全球最大的汽车生产和消费国，尤其在新能源汽车赛道上，中国汽车市场电动化、网联化、智能化和共享化的需求，正在驱动全球汽车企业转型。
>
> 2023年7月，我国智能电动汽车制造商小鹏汽车与德国大众汽车集团双方就战略技术合作签订框架协议。同时，德国大众汽车集团对小鹏汽车投资入股7亿美元。
>
> 小鹏汽车凭借自身技术优势获得德国大众汽车集团的青睐。图1-2所示为小鹏G9汽车。其高阶智能辅助驾驶系统、800V碳化硅高压平台、前后一体式铝压铸和CIB蓄电池车身一体化等技术具有领先优势。
>
>
>
> 图1-2　小鹏G9汽车

新车销售服务是指为销售新车而提供的各种服务。新车销售模式包括汽车交易市场、四位一体（4S店）、汽车大道、汽车超市、连锁经营、网络营销（电子商务）等。

广义上的汽车售后服务是指为汽车使用者提供购买后的各种服务，包括加油、洗车、维护、美容装饰、修理改装、旧车交易、保险理赔、检测检验等，还有衍生的租赁、物流运输、汽车用品、金融信贷、查勘定损、汽车认证、汽车导航、汽车俱乐部、汽车媒体、汽车文化、停车服务等。狭义上的汽车售后服务主要是指汽车维修服务企业为汽车使用者提供的维护、美容装饰、故障检修、配件供应、保险理赔和二手车交易等服务。本书主要针对狭义的汽车售后服务进行介绍。

二、汽车售后服务的特点

汽车服务既具有服务业的定义、特点和质量要求，又有制造业留下的种种痕迹，归纳其特点如下。

1. 服务的品牌化经营

品牌具有价值，可以使商品卖更好的价钱，为企业创造更大的市场。就世界市场而言，品牌产品仅占3%，但却占有了40%的市场；品牌比产品的生命更为持久，一款最新的轿车，流行期只有三四年，但是一个好的品牌却长久留存；好的品牌可以创造牢固的客户关系，形成稳定的市场。一辆新车的交易是一次性的，但是优秀的品牌会赢得客户一生的信赖，这就是品牌的价值所在。

品牌经营是一种艺术。品牌经营要求企业告别平庸，打动客户。有人认为，汽车工业是重工业中唯一涉及时尚的行业，因为汽车代表着厂家的形象，也代表着用户的形象。

品牌对经营者是一种是否有耐心的考验。品牌如同一个精美的瓷花瓶，烧制不易，价值连城,但是失手打破却是很简单的事。一个汽车公司或一家经销商,每天有成千上万个接触客户的机会,每次机会都可能对品牌形象产生重大影响。

著名汽车厂家的产品商标同时也是服务商标,如果挂出某一大公司的商标,就意味着提供的服务是经过该公司确认的,使用商标是经过该公司许可的。早期,国内消费者只认识产品商标,20世纪90年代初修改后的《中华人民共和国商标法》中增加了服务商标的保护,但是就目前而言,服务商标还没有为多数人所认识。比如有的街边修理店的橱窗上,贴满了世界著名汽车厂家的商标,这本来是一种侵权行为,但店家却认为是在帮助厂家做宣传。随着知识产权保护意识在我国不断地深入人心,随着我国市场经济模式的不断深化,品牌服务必定会在全社会生根开花。

中国品牌

蔚来汽车的"用户社区"服务

我国造车"新势力"蔚来汽车建立由产品和服务等共同构成的完整运营体系,打造以车为起点的"用户社区"。蔚来汽车的品牌理念是给用户打造愉悦的生活方式,拥有开放、未来、自由的天空,车主能够享受终生的免费质保、终生的免费车联网和终生的免费异地充电、道路救援等多项增值服务。

2. 从以修理服务为主转向以维护为主

某些厂家常常自豪有众多的维修服务网点,告诉用户车坏了可以及时修理,这是一个落后的观念:车坏了才需要修理。一些汽车厂家认为,坏了修还不是真正的服务,真正的服务是要保证用户的正常使用,通过服务给用户的车辆增加价值。厂家在产品制造上提出了"零修理"概念,售后服务的重点转向了维护。汽车维护的重要性逐渐为人们所接受,越来越多的汽车维护类产品和它们的连锁店进入市场,主要是机油类和添加剂、汽车美容等。

3. 汽车产品的电子化和信息化

随着汽车技术的发展,汽车的电子化水平越来越高。许多车型已经实现了全车几乎所有功能的计算机控制,如动力系统、制动系统、悬架系统、空调系统、转向系统、座椅系统、灯光系统、音响系统等。

车载通信系统、车联网系统、车载电子导航系统等也得到越来越多的应用,许多汽车内采用了光导纤维进行信息传输,因此汽车的维修变得越来越复杂,技师凭经验判断故障所在的时代早已经过去,现在汽车的维修首先需要专门的仪器进行检测、专用设备进行调整,汽车修理所需要的产品数据也以计算机网络、数据光盘的形式提供,不再需要大量的修理手册。汽车厂商和修理商也会提供网上咨询,帮助用户及时解决使用中的问题。

4. 维修服务资讯网络化

现代社会是高度发展的信息社会,信息网络技术已经走进了许多家庭。汽车维修技术人员也面临着汽车高技术的迅速发展,面对新车型、新结构、新材料、新功能的层出不穷,汽车维修技术人员无法将这些数以万计的维修资料、数据等全部装入大脑。可是现代维修车型复杂、装备新、技术含量高,如果没有相应的诊断数据、流程或电路图、装备图等,根本无从下手。因而维修人员的知识、技术、经验以及对资讯的全面掌握,越来越显出自身的局限性。而互联网的出现,彻底打破了资讯传递在空间上和时间上的局限,能够在同一时间内全面、快速地将各种信息传到全球的各个角落,完全解决了人脑记忆不足的问题。目前,很多品牌的车型在汽车零配件资料和维修技术资料的查询、故障检测诊断、技术培训等方面已网络化，实现了汽车维修信息综合管理、专家集体会诊、网上资料查询、网上技术培训、网上答疑等。

5. 维修管理计算机化

在4S店，配件、销售、车间等各部门之间形成一个局域网，进行联网操作。从企业内部信息的流动来看，各部门之间的信息共享，既提高了信息的利用效率，又缩短了作业环节之间的等待时间。例如在汽车售后服务中，技术部门将检验结果及时通知各有关职能部门；修理车间在此信息基础上迅速准备修理方案；配件部门在接到修理方案后及时准备所需零件；市场部门据此来指导仓储订货；企业所属配件中心及时将销售情况向有关部门通报；企业的决策部门根据职能部门的综合信息及时对各种计划进行调整、控制。这样使得企业内部的各种经营活动一目了然，克服了以往管理混乱的局面，减少了资源浪费，降低了管理成本，提高了工作效率。这种现代化的计算机管理改变了传统的管理模式，树立了一个良好的企业形象，促进了汽车维修企业的健康发展。

6. 服务企业规模化和规范化管理

汽车服务企业的规模化管理与汽车制造业不同，不是指建立大规模的汽车修理厂或汽车维护中心，而是指拥有大量的连锁、分支机构。在同一连锁系统内，应采用相同的店面设计、人员培训、管理培训，统一服务标志、统一服务标准、统一服务价格、统一管理规则、统一技术支持，实行规范化管理，采用专业物流配送，减少物资存储和资金占用，降低运营成本。在很多大中城市都建有类似的连锁经营机构，但从布局上看，连锁经营的发展空间还很大，目前4S店的数量远多于连锁经营企业。

7. 服务企业专业化经营和综合化经营

在汽车厂家提供越来越周到的售后服务的同时，汽车维修行业出现了专业化经营的趋势，如专营汽车玻璃、轮胎、润滑油、汽车美容品、音响和空调等。专业化经营的独特优势是专业技术水平高、产品规格全、相对价格比较低。与此同时，综合化（一站式）经营也有所发展。例如，加油站同时提供洗车、小修、一般维护、配件供应等服务的营销方式也已出现。

专业化的汽车服务，是通过汽车制造商在国内布置其营销网络（以4S模式为主）来进行的，主要采用各地销售商出资，汽车制造商出技术和经营要求的方法来组建，或由汽车制造商出少量资金（销售返还），再由销售商出大部分资金并按汽车制造商的要求来经营。在欧洲，汽车零配件企业通过物流配送的方式，在超市供应配件，汽车的售后市场是开放型的，4S模式受到了挑战；在我国，为维护品牌的利益和发展品牌，仍将采用4S（或3S）为主的形式由汽车制造商控制汽车的销售与前期的售后服务。

> **知识小贴士**
>
> 1. 什么是服务？
>
> 服务是指为满足客户的需要，供方与客户接触的活动和供方内部活动所产生的结果。
>
> 2. 服务是商品吗？与普通商品有什么不同？
>
> 服务本身是商品，与普通商品的不同表现在：服务是一个过程；服务提供的是无形的产品；保证服务的质量必须以预防为主；服务质量更多依靠客户来评价。

三、汽车售后服务理念

知识小贴士

服务的本质特点：服务是无形的；服务是无法预造和储存的，消费与生产同时发生；服务的失败无可挽回；服务质量的认定，全凭客户的主观感觉；服务质量因人而异，不易控制。

现代汽车售后服务企业依据服务的本质特点，设计售后服务的经营方针，确定经营目标在于发展客户、维护客户和培养客户。为达到企业的经营目标，需要售后服务工作人员具备汽车售后服务的新理念，其主要包括以下5个方面。

1. 随时为客户提供服务

客户可以在任何时候给服务企业打电话，因为他们是客户，作为服务企业，应满足客户的需要。

汽车服务企业应24h为客户提供良好的服务，设立24h服务热线，并能随时准备车辆、工具设备，派出工作人员。汽车服务企业应定期向外界发布信息，使客户能够获取企业的服务项目及联系方式；举办交车仪式，向客户介绍相关部门的工作人员，以方便客户今后来厂定期维护、修理；培养企业全体员工树立随时为客户服务的意识。因为在通常情况下，只有当客户真正需要帮助时，他们才会给售后服务企业打电话。

2. 收费绝不能高于报价

售后服务中应防止向客户收取比报价高的费用。客户在交费时，总是希望花较少的钱而获得更好的商品或更好的服务。用低报价吸引客户，而实际收费高，客户就会不满意，造成失去长期客户。汽车服务企业定价时应充分了解市场及竞争对手的价格，做到合理定价。售后服务部门估价时应合理、严谨，保证给客户的最终账单不超出报价，考虑收费项目应周全，避免事后增加收费项目。若可以，提供一些额外服务项目或给予一定的折扣。与其向客户多收一点钱，不如少收费以留住这个客户。

3. 要守信用

对客户而言，守信用比热情、微笑以及甜言蜜语更重要。与客户进行第一次交易就守信用，客户会印象深刻，容易取得客户的信任，从而为其成为终生客户打下基础。

守信用的方法：
1）提高全体员工重合同、守信用的意识。
2）企业内部应有明确的权限、职责划分。
3）无论遇到什么困难，都要想尽一切办法，兑现承诺，坚守信用。
4）万一不能遵守承诺，应事先通知客户，取得客户谅解，并积极补救。

4. 永远没有最好

"最好"意味着已经到达顶端，可以停止进步了。赢得客户满意的努力永无止境，服务企业要不断地改进服务，满足客户不断提高的需求。因此，在服务企业的经营理念中，只有更好，没有最好。不一定是已经做到最好，而可能是别人做得太差，所以服务企业永远不能安于现状，满足已取得的成绩，应不断地提出更高的要求，让客户一直满意。

汽车服务企业要定期检查自己的工作状况，不断改善服务水平。售后服务的质量是由接受服务的客户评判的，而不是由提供者宣称的。如果远离客户，那么企业制定出的政策就会缺乏对客户需求的考虑，因此，企业的售后服务需要在适当的时机对客户进行简短的调查。调查的最好时机一般是在客户付款时。让客户填一份"我们做得怎样"的表格，也可以请客户回去在方便的时候填写。对业务人员的评价应视其与客户接触的程度、了解情况的多少、改进工作的效果等来进行。

汽车服务企业还要定期将自己与竞争对手相比较，寻找可以改进之处。

5. 争取拥有忠实客户

忠实客户是企业长期稳定发展的基础，是企业的基本客户队伍。忠实客户使企业的经营成本降低，因为发展一个新客户的成本远远高于留住忠实客户的费用。忠实客户源于客户，如果提供良好的服务，便会使更多的客户成为忠实客户。汽车服务企业应经常与客户保持联系，向他们表示感谢，在他们再次购买产品或消费之前，向他们表示自己并没有忘记他们。

> 常用保持和发展忠实客户的方法：
> 1) 通过消费累计积分进行奖励，鼓励经常惠顾。
> 2) 建立一个统计分析系统，分析忠实客户的增加、流失情况，每流失一位忠实客户都要进行分析，寻找原因。
> 3) 为忠实客户建立一个特别的档案，或忠实客户会员俱乐部，以便进行跟踪服务。

知识小贴士

汽车终身服务

汽车一经使用，就需要终身服务。汽车售后服务对产品的附加值最大，对品牌价值的贡献度最大，在市场竞争中的权重也越来越大。售后服务的好坏直接影响到汽车销量和品牌形象，这种影响甚至关系到品牌的市场占有率。

和卖车相比，汽车售后服务周期长，具体事务复杂，还要面向不同要求、不同层次的客户，需要"细水长流"的终身服务。

关于汽车售后服务，消费者最关注的方面依次是服务、质量和价格，把价格放在最后，是因为汽车在使用过程中具有一定的危险性，其质量与乘员的安全息息相关，因而价格是次要考虑因素。

四、汽车售后服务的主要内容

从汽车下线到用户开始使用，再到整车报废的全过程，都是汽车后市场各环节服务所关注的范畴。所谓汽车后市场，是指汽车销售后围绕消费者在使用过程中所需的各种服务构成的市场。

汽车经销商售后服务主要是为汽车使用者提供汽车购买后的使用服务。从大的售后服务市场来说，汽车售后服务包括很多内容，但是作为一个具体的汽车售后服务企业，不可能提供百分之百的全方位售后服务，只能根据客户的需求意向，或根据整车厂的要求，或根据自己的资金、实力、能力和利润来考虑自己售后服务的范围和售后服务的盈利模式，形成具有自身特色的服务模式。

1. 二手车交易服务

科学技术的迅猛发展，新材料、新工艺、新设计理念的不断出现以及人们对时尚的无止境追求，使得具备更多功能、更安全、更经济、更舒适和更环保的车型不断推出，每款车的生命周期都在缩短，汽车的无形磨损在加快。随着人们生活水平的提高，其消费观念和消费方式的转变以及消费需求的多层次化，人们多样化的汽车消费需求必将大规模出现，这就为二手车交易提供了广阔的市场，促进了旧车市场的蓬勃发展。

美国的二手车主要有五大来源，其中占比最高的是新车交易中的以旧换新，占比为45.4%；其次为二手车交易中的置换车，占比为23.6%；拍卖的占比为19.2%。2024年美国二手车销量为1280万辆，略高于2023年；均价为28431美元，比2023年降低。

2024年我国二手车累计交易量为1961.42万辆，同比增长6.52%；交易金额为12852.05亿元，同比增长9%。整体来看，近三年全国二手车交易金额呈增长趋势。

随着中国汽车保有量的不断增加，并且新车不断推出，价格也在不断下降，二手车的交易量将会越来越大。与旧车交易相关的服务将会有很大的市场。

> **知识小贴士**
>
> **二手车平台**
>
> 二手车行业增长有三方面的驱动因素，分别是保有量高速增长、车龄在变长以及取消限迁、跨省通办等利好政策。目前国内二手车平台发展迅速，以瓜子二手车为例，它成立于2015年9月，目前有瓜子严选、全国购（及开放平台）和车速拍等业务体系，业务覆盖全国200多个城市。2021年9月，瓜子二手车宣布正式切换为新电商模式，实现二手车非标品的线上售卖。

2. 汽车维护服务

汽车具有科技含量高、技术复杂、使用环境变化大、意外损坏情况多等特点，汽车的维修费用在其使用成本中所占的比例大大高于一般商品维修费用的相应比例，这就在客观上需要一定的维修服务来恢复其损坏或失去的功能。

汽车在行驶一定里程后，还需要进行许多维护工作，如定期检查、调整、紧固各系统和部件，更换润滑油、清洁等，以确保车辆上各系统和部件在高速运行时的安全性、可靠性、稳定性，切实保证乘员的安全。汽车售后服务的一个趋势是从售后的修理转向汽车的定期维护，注重对用户的技术培训和技术咨询。曾经有业内权威人士指出：谁能先抓住汽车时代引发的汽车维护、维修商机，谁就能先掘到中国汽车时代蕴藏的最大金矿。

有人曾形容连锁快修是售后市场最厉害的"杀手"。快修店正在向日益庞大的私家车主人群灌输"<u>汽车在养不在修</u>"的服务理念，以培育自己的市场。由这种理念培育的市场在国外已相当成熟。近年来，发达国家的特约维修站数量正在下降，而快修店的数量却迅猛增加，特别是随着欧盟改革汽车销售业管理办法的出台，这种趋势有增无减。

3. 汽车配件供应服务

汽车配件，简称汽配，是指构成汽车制造、修理、维护服务中各个产品的集合品类。在传统的汽车产业体系中，零部件的分销体系分为原始设备制造商（OEM）市场和独立后市场（IAM）两大类。OEM市场中配件供应商为整车厂提供原装配件，IAM中配件供应商不通过整车厂原装或 4S 店渠道销售配件，而是自己建立独立的销售渠道，在市场上分销配件。

（1）传统参与者　传统汽车经销商和第三方服务提供商分别以原厂服务和非原厂服务占据汽车后市场大半江山，传统汽车经销商提供高品质、可信赖的原厂配件，并提供从快修维护到综合维修的全方位服务；传统第三方服务提供商以连锁化和标准化为发展趋势。代表企业有中升集团、华胜汽修、配件生产商米其林等。

（2）保险公司参与者　保险公司本身就是汽车后市场最大的买单方，每年的保险理赔额均有数百亿元，由于保险公司本身自带流量分配优势，且有着成熟的分布在全国的理赔员及业务网络，可为本身业务的推广省下巨额的成本。2016 年末，中国平安财产保险股份有限公司联合车件儿平台加速汽车后市场布局与发展步伐，打造以车主服务为中心的三维立体后市场生态圈。2017 年末，中国人民保险集团股份有限公司宣布成立邦邦汽服公司，以汽配为切入点，踏足互联网汽车后服务市场，打造企业对企业（B2B）汽配电商平台"驾安配"，以此链接车主、保险公司、维修企业、配件供应商等各方资源。

（3）互联网巨头参与者　2015 年 4 月，国美控股投巨资打造汽车后市场互联网平台。国美车服云平台致力为配件生产、配件销售、汽车维修、金融保险、仓储物流、车辆交易、汽车服务等相关企业提供一体化整合服务，并致力于搭建汽车配件数据基础信息化，优化整合汽车零部件行业数据基础格式。2017 年 11 月 30 日，京东将其车后 B2B 部门提升到战略层面的高度，收购了淘汽档口后，打造国内首个汽车后市场全产业链一体化平台。2018 年 8 月 23 日，阿里联手金固股份旗下汽车养护平台汽车超人、汽配供应链服务商康众汽配，共同成立汽车后市场新公司。新公司名为"新康众"，对外统一品牌为"天猫车站"。2011 年成立的途虎养车主营轮胎、机油、汽车维护、汽车美容、车品等，为客户提供线上预约+线下安装的养车方式。截至 2023 年上半年，其旗舰应用程序"途虎养车"和线上界面拥有超过一亿名注册用户。其 12 个月内的交易用户数超 1800 万。该平台目前是中国汽车服务供应商聚集的最大车主社区。

4. 汽车美容装饰服务

随着汽车的普及和人民生活水平的提高，汽车内装饰、外装饰、汽车防盗、内饰件、维护品、车载通信用品甚至汽车改装业务的需求量迅速增多。

有人说"汽车是重工业产品中最具艺术性的产品，它的造型、内饰、颜色等无不反映了设计者、生产者、消费者的意念、品位、爱好等个性特征和对美的理解和追求"。许多消费者在购买汽车后，都要花费不少的金钱来按照自己的喜好对车辆进行美容改装或购买汽车饰品进行装饰。

现代的汽车美容装饰大体上可分为车身美容、内饰美容、漆面处理、汽车防护及汽车通信及娱乐用品几大部分。专业的汽车用品服务在我国的发展，以 20 世纪 80 年代初期太阳膜、座椅套的出现为萌芽，在 20 世纪 90 年代初期进口防盗报警器、车载 CD 机开始进入国内，这被业内视为汽车用品服务业的第一次突变。从 1995 年开始的两年间，以真皮座椅、防爆遮阳膜的兴起为标志，掀起了第二轮的汽车美容装饰热潮。汽车通信用品包括装饰收音机、车载电话、全球定位系统（GPS）、车载计算机、车上网络等。汽车娱乐用品装饰包括音响系统、CD 系统、电视接收系统、DVD 系统、电子游戏系统。汽车通信娱乐系统的营业额可能超过汽车本身，因为一套高档娱乐系统的价值可能会超过汽车本身的价值，而人们驾车里程越多就越需要休闲。

5. 汽车金融服务

汽车金融服务包括汽车分期付款、消费信贷、汽车保险、汽车融资租赁、汽车评估等。

目前，汽车金融公司的车贷经营业务已经成为汽车制造集团的重要利润来源。汽车金融公司的核心业务是购车贷款，这一业务侧重于为汽车特许经销商出售的汽车提供服务。公司向汽车经销商提供他们所需的资金，用以维持一定的汽车库存，并且提供给零售客户多种多样的购车贷款方式，方便客户购买或租赁各类新、旧汽车。

针对个人汽车贷款，汽车金融公司的操作一般包括4个流程：确认潜在客户，进行新客户审批，对已有客户进行管理和针对产生的坏账进行催收。与传统的银行汽车贷款业务相比，汽车金融公司的汽车贷款有许多优势，最主要的就是它的专业化。汽车金融公司作为附属于汽车制造企业的专业化服务公司，可以通过汽车制造商和经销商的市场营销网络，与客户进行接触和沟通，提供量体裁衣式的专业化服务。汽车产品非常复杂，售前、售中、售后都需要专业的服务，如产品咨询、签订购车合同、办理登记手续、零部件供应、维修、保修、索赔、新车抵押等，汽车金融公司可以克服银行等金融机构由于不熟悉这些业务而产生的种种缺陷。汽车金融公司的服务最初是推动母公司汽车销售的一种手段，但经过近百年的发展，汽车金融公司的业务早已不仅仅局限于提供车贷服务，现在的汽车金融公司业务广泛。例如，汽车金融公司其他主要业务还包括保险、抵押融资和公司对公司的借贷等。汽车金融服务已成为汽车公司的重要利润支柱。

有关汽车生产、销售、消费等方面的融资、信贷服务已经相当普及和发达，随着有关制度规则的建立完善，行业将获得更大的发展空间，银行、企业、消费者一定会达到共赢的局面。

6. 汽车俱乐部服务

汽车俱乐部包括品牌汽车俱乐部、车迷俱乐部、越野俱乐部、维修俱乐部、救援俱乐部等。汽车俱乐部聚集了来自不同地区、有相同爱好的车迷朋友，俱乐部为他们相互学习、交流技艺、互相帮助提供了一个平台，大大地丰富了会员个人的生活阅历。近年来，我国国内的汽车俱乐部已经形成了遍地开花的发展态势。大家在不经意间忽然发现身边的人都拥有了汽车，汽车逐渐成为人们之间交流的载体。虽然不同的人购买了不同的车，但对于某一车型、某一品牌来说却拥有了一批同样选择的车主。有人说"车如其人"，也许就是因为这一点，拥有同一车型、同一爱好的人们就自然而然地凝聚成了一个又一个的汽车俱乐部，车主之间的关系通过俱乐部变得更加亲近。可以说，汽车俱乐部是现代社会人们的又一个聚集方式。而这些俱乐部的存在，将为与汽车有关的各种服务带来商机。

7. 汽车文化生活服务

汽车文化服务主要涉及汽车模型、汽车体育、汽车文艺、汽车知识、汽车报刊、汽车书籍、汽车影视等方面的内容，为车迷、汽车业内人士及其他关注汽车产业发展的人们提供精神上的服务。当前，普通大众、新闻媒体、赛车队、生产厂家在各个不同方面表现出对汽车文化事业前所未有的关注，中国的汽车消费开始真正从实物型消费转向文化型消费，逐渐崛起的汽车文化理念还带动了国内一大批相关行业的发展。

汽车生活主要是为汽车车主提供汽车郊游、汽车交友、汽车野营等生活服务。汽车服务不再仅仅局限于为消费者提供方便，而是在传统意义上加入快乐消费、安全消费和文化消费等内容。车主买的不仅仅是交通工具，而是一种可以无限延伸的生活，让汽车成为公司、家庭之外的新的工作与生活场所。

> **知识小贴士**
>
> **客户服务的价值**
>
> 94%的客户会因为没有得到良好的服务而向他人寻求帮助。
>
> 89%的客户会因为没有平息委屈、解决困难而不再回来。
>
> 一个烦恼的客户会向平均9个人诉说他的不满意。
>
> 如果你以积极的态度解决了客户的抱怨，75%的客户会再回来寻求你的帮助。
>
> 如果你当场解决了客户的抱怨，95%的客户会再次向你寻求帮助。
>
> 吸引一个新客户所要花费的成本是留住一个老客户的6倍。
>
> 对服务不满意的客户中有67%的人不会提出抱怨。

五、汽车售后服务企业文化

企业文化是一种以人的管理为中心，以全面提高人的整体素质为基本途径，以培育企业价值观、企业精神为核心内容，以塑造企业形象为基本手段，以提高企业效益为根本目的的管理理论和管理方式。用一句话简单地概括：企业文化是企业和企业员工的共同价值观和行为模式。

当我们静心思考那些成功的企业为什么能够在激烈的市场竞争中实现长久发展时，就会感受到，这些成功的企业都有鲜明的企业文化做支撑。越是持续卓越的企业，越具有强而有力的企业文化。企业文化是企业的灵魂，每一个企业都应该塑造具有自己特色的企业文化。

汽车售后服务企业一方面继承和发扬整车品牌的企业文化，另一方面演绎和塑造自身的企业文化，将两者更好地结合起来，使之交相辉映，是汽车售后服务企业持续发展的动力和源泉。

六、汽车售后服务岗位

汽车售后服务岗位所在部门一般分为综合管理部（行政部）、财务部、保险理赔部、服务部、索赔备件部等部门，具体部门设置根据企业实际情况会有所差异。例如，有的企业将索赔备件部门划归服务部管理，规模小的企业将保险理赔部并入服务部管理等。

1. 各部门主要职能

汽车售后服务企业各部门主要职责见表1-1。

表1-1 汽车售后服务企业各部门主要职责一览表

部门	主要职责
综合管理部 （行政部）	1）负责销售服务店各项规章制度的建设及公文档案管理 2）负责销售服务店公章管理、接待工作,处理与相关外联单位的公共事务 3）负责销售服务店人力资源管理,承担招聘、薪资、培训、社保等相关事务 4）负责后勤保障工作,包括办公环境、通信设施、办公用车、膳食、保安等事务的日常管理 5）负责日常办公用品及设备的采购、发放和管理

情境一　识别汽车维修业务接待

（续）

部门	主要职责
财务部	1) 建立健全公司各项会计基础工作 2) 完成日常的报销、记账、结账工作 3) 对公司的流动资金、库存商品、固定资产、低值易耗品等有价物质建立完整的账目并按规定审校清查 4) 按期编制会计月报、季报、年报并做相应的分析报告 5) 及时纳税，购买增值税收政策发票，办理税务登记年审，协调好税务方面的工作 6) 做好财务部的编制、执行、控制和考评工作 7) 协助制订相应的销售激励政策，及时反馈各品牌汽车所需各种信息、报表
保险理赔部	1) 负责为客户代办车辆保险服务 2) 负责为客户出险车辆提供定损及理赔服务 3) 负责与保险公司建立良好的业务关系，办理与保险公司的结算手续 4) 按照公司要求完成理赔业务的数据统计
服务部	1) 根据各品牌汽车公司下达的年度目标，制订销售服务店年度服务工作目标和工作计划并实施 2) 负责各品牌汽车公司的售后服务工作，包括车辆的维护、保修和修理 3) 执行各品牌汽车公司各类服务标准规范、政策 4) 建立、完善客户档案，定期回访用户，做好用户终身服务 5) 处理客户投诉，协助客户满意度调查 6) 配合索赔备件部、销售部做好备件购销、新车准备工作 7) 及时反馈各品牌汽车公司所需的各种信息、报表
索赔备件部	1) 根据各品牌汽车公司下达的年度目标，制订销售服务店年度备件工作目标和工作计划并实施 2) 负责销售服务店的各品牌汽车备件的计划、采购、销售 3) 负责销售服务店的各品牌汽车三包索赔申请、填报、旧件返回工作 4) 执行各品牌汽车公司索赔、备件管理标准、规范、政策 5) 完善备件销售网点，不断提高备件销售量 6) 搞好备件市场调查，全面了解社会备件市场的经营状况 7) 及时反馈各品牌汽车公司所需的各种信息报表

2. 主要部门岗位分布情况

汽车售后服务企业主要部门岗位分布见表 1-2。

表 1-2　汽车售后服务企业主要部门岗位分布表

综合管理部	财务部	索赔备件部	服务部
综合管理部经理	财务部经理	索赔备件部经理	服务部经理
人事管理专员	会计	理赔主管	前台主管
行政管理专员	出纳	索赔员	服务顾问
客户服务代表	收款员	保险理赔员	车间主管
信息管理员		配件主管	质检员
		配件计划员	机电维修工
		仓库管理员	钣金维修工
			油漆维修工
			美容装潢工
			洗车工
			工具管理员

011

3. 各岗位职责

汽车售后服务企业各部门经理岗位职责见表1-3。

表1-3 汽车售后服务企业各部门经理岗位职责一览表

岗位名称	岗位职责
服务部经理	1)负责销售服务店辖区的售后服务全面工作,组织开展各种服务营销及指导辖区二级网点服务工作 2)负责执行各品牌汽车公司各类服务标准、规范和政策 3)根据公司下达的年度目标,制订销售服务店年度服务工作目标和工作计划 4)负责签发各类报送各品牌汽车公司的服务文件、资料 5)负责处理客户投诉,解决服务过程中与用户发生的纠纷 6)负责监督、检查、指导下属服务工作;协调车间维修与销售、索赔备件部门的工作 7)负责外出救援、预约服务、走访用户等工作的管理 8)参与重大维修项目的评审
索赔备件部经理	1)负责销售服务店的各品牌汽车备件销售的全面工作 2)负责执行各品牌汽车索赔、备件管理标准、规范、政策 3)根据公司下达的年度目标,制订销售服务店年度备件工作目标和工作计划 4)负责配合各品牌汽车公司规范备件市场,打假及打击商标侵权行为 5)负责审批索赔申请、三包旧件返回、备件文件、订单和报表 6)负责签发各类报送各品牌汽车公司的索赔、备件文件、订单和报表
财务部经理	1)制订公司各项财务制度 2)制订本部门岗位职责并进行检查考核 3)负责公司财产资金的核算、审查、清点、汇总工作 4)定期分析、总结公司财务指标状况,提出改进措施 5)负责与主管单位进行有关会计工作的协调及账目的校对结算 6)根据公司经营目标,制订部门工作目标及季、月工作计划并组织实施
行政部经理	1)负责公司人员的招聘、录用、培训 2)负责公司各种会议的筹备、组织及接待工作 3)制订公司规章制度、岗位职责并执行考核 4)对公司固定资产进行管理 5)对公司后勤及安全事务进行管理 6)负责公司印章的管理
保险理赔部经理	1)负责事故车维修中心的整体运营,协调保险理赔过程中出现的问题 2)负责本部门经营指标的制订落实 3)负责本部门的人员调动、岗位设置及培训计划的开展 4)负责与保险公司等外部单位联系 5)协助财务人员确认理赔款项是否到账

汽车售后服务企业各部门主要岗位职责见表1-4。

表1-4 汽车售后服务企业各部门主要岗位职责一览表

岗位名称	岗位职责
前台主管	1)负责每天车辆维修日报工作 2)分析车辆到期未来厂原因 3)负责每天车辆进厂后突发事件解决工作 4)负责监督接车员接车单据传递工作

（续）

岗位名称	岗位职责
前台主管	5）负责与各部门协调工作 6）负责维修前台信息反馈与原因分析工作 7）负责前台巡视工作 8）负责服务信息保密工作
服务顾问	1）负责用户的接待、引导及咨询 2）负责与用户交接车辆 3）负责用户问题的处理工作
车间主管	1）负责维修任务的落实及跟踪 2）负责整车修复后质量检验
质检员	1）负责维修车辆出厂质量检验工作，配合车间主任工作，保障维修质量 2）车辆准时出厂，配合前台接待工作，快捷、妥当地为客户处理问题
维修工	负责按要求完成车辆维修作业
美容装潢工	1）完成装潢主管派给的汽车美容、装潢、翻新等工作 2）做好每辆车的施工纪录 3）完成工作区域5S管理的任务
洗车工	负责商品车、公司自用车及完成维修作业车辆的保洁工作
索赔员	1）负责索赔申请、三包旧件返回、索赔结算单据追踪 2）负责执行各品牌汽车索赔管理标准、规范、政策
保险理赔员	1）负责对保险理赔车辆进行报价、手续检查及追踪工作 2）负责事故车旧件回收整理、上交保险公司工作 3）对月度账目进行汇总统计
配件主管	1）负责汽车配件销售管理业务工作 2）进行成本核算，提供部门销售业绩的统计、查询、管理工作 3）负责整理相关销售订单 4）负责外部收支、往来账核对等账目处理工作 5）负责外部的日常接待工作
配件计划员	负责制订各品牌汽车备件采购、滞销配件调整计划
仓库管理员	负责配件的入库、出库、仓储管理等工作

4. 各岗位任职要求

汽车售后服务企业各部门主要岗位任职要求见表1-5。

表1-5 汽车售后服务企业各部门主要岗位任职要求一览表

岗位名称	任职条件
服务部经理	1）具有汽车类专业大专以上学历 2）熟练运用计算机，持C本以上驾照 3）两年以上汽车4S店的管理工作经验，或3年以上汽车4S店的销售经理和服务经理工作经验，熟悉专卖店的全面运营及管理工作 4）对汽车4S专营店的商业模式有所了解，有志在汽车服务行业发展 5）精通商业运营、人力资源、财务、客户服务等管理运作 6）具备极强的领导才能和组织开拓能力，商务谈判与计划执行能力强，有敏锐的商业触觉、出色的人际沟通和社会活动能力 7）组织、协调和管理能力强，业务开拓能力优秀 8）有强烈的事业心和工作热情，在困难、挫折面前坚韧不拔，能承受个人成长与事业上升过程中的工作压力与业绩压力

（续）

岗位名称	任职条件
索赔备件部经理	1）具有大学专科以上学历 2）有3年以上汽车索赔备件管理工作经验 3）熟悉计算机基本操作,并熟练运用汽车备件管理软件
财务部经理	1）具有大学本科以上学历 2）具有3年以上相关经验,能熟练运用财务软件 3）有一定的组织能力及领导能力
行政部经理	1）具有大学本科及以上学历,行政工商管理、计算机等相关专业毕业 2）具有3年以上相关工作经验,有一定的文字能力、较强的社交能力,能熟练运用办公软件 3）应变能力强,能承受较强的工作压力 4）工作细致,有责任心 5）组织协调和沟通能力强 6）有亲和力,熟悉人力资源管理工作 7）熟悉国家劳动法规,熟悉行政后勤事务 8）有汽车销售4S店行政事务工作经历和持驾照者优先
保险理赔部经理	1）有4S店两年以上汽车售后服务经验 2）对汽车维修及配件有一定的了解,熟悉车辆保险理赔流程及相关政策 3）熟练操作计算机 4）良好的沟通、协调能力,责任心强,有一定抗压能力
前台主管	1）汽车相关专业大专以上学历 2）有3年以上4S店汽车售后前台的接车维修咨询工作经验 3）熟悉当地汽车维护服务动态 4）有良好端正的服务理念,协调沟通能力强,有亲和力 5）形象好,口才佳,有驾照,能熟练驾驶
服务顾问	1）专科以上学历,汽车专业或机械机电相关专业,英语要求读写流利 2）服务意识强,有较强的沟通技巧 3）能承受工作压力,善于协作,有团队意识,心态好,以"以客户为导向"为工作宗旨 4）有相关品牌汽车售后服务工作实践经验者优先录用 5）持有驾驶证,至少1年的驾龄
车间主管	1）汽车相关专业大专以上学历 2）从事汽车维修工作5年以上,其中从事维修车间管理工作1年以上 3）能熟练操作计算机,语言表达能力强,善于沟通且能对维修技工进行相关的技术培训 4）具有良好的职业素养和带团队的能力
质检员	1）汽车相关专业大专以上学历 2）有很高的维修专业水平,具有相关认证证书 3）从事本岗位工作五年以上,年龄25周岁以上 4）热爱汽车修理行业,具有高度的责任心,能够及时、准确地发现问题 5）能够及时地更新知识,很好地掌握本单位主修车型的技术要点 6）有较强的客户服务意识和企业的荣誉感 7）对售后环节能够提出合理化建议
维修工	1）具有良好的职业道德,团队协作意识较强,身体健康 2）具有高中或以上文化水平,从事汽车维修工作3年以上 3）具有相当于本专业国家汽车修理工职业标准中级工及以上资格 4）有较强的理论知识和实际操作能力 5）具备学习新的专业技术知识的能力

(续)

岗位名称	任职条件
美容装潢工	1）具有汽车美容、装潢、翻新业务知识 2）有 1 年以上工作经验 3）熟悉汽车贴膜、电器设备的安装、检修等工作 4）能熟练使用各种专用工具
洗车工	身体健康,工作细心负责,能吃苦耐劳
索赔员	1）了解汽车索赔流程,有汽车索赔工作经验者优先考虑 2）工作细致认真、耐心,善于沟通,有较强的责任心
保险理赔员	1）有 1 年以上的保险行业经验,熟悉保险政策,有很强的执行力 2）有驾照 3）有丰富的车辆保险事务处理的工作经验 4）善于沟通及人际交往,熟悉车辆服务流程 5）爱岗敬业,有责任心
配件主管	1）具有大学专科以上学历 2）具有 3 年以上汽车备件采购及管理工作经验,有很强的协调沟通能力 3）能熟练运用汽车维修管理软件 4）熟悉配件市场价格体系及供货渠道 5）能适应快节奏的工作模式,有汽车 4S 店工作经验者优先考虑
配件计划员	1）有 1 年以上销售汽车配件工作经验 2）有 2 年以上驾龄 3）熟悉各种品牌汽车配件 4）具有一定的管理经验
仓库管理员	1）有 1 年以上仓库管理相关工作经验 2）工作细致认真、耐心,有较强的责任心 3）能对各类物资进、出、存的情况准确登记,分类归档 4）熟悉贵重物品、易燃、易爆物品的存放,能做好防范工作

5. 上汽通用汽车有限公司（SGM）特约售后服务中心售后服务人员岗位结构体系

SGM 特约售后服务中心必须依照本管理文件要求组织特约售后服务中心机构,并在特约售后服务中心站长的领导下开展工作。

1）SGM 特约售后服务中心组织机构如图 1-3 所示。以下设置充分考虑到精简高效的原则,各单位可在此基础上,结合本单位的实际情况自行决定,但需报 SGM 批准并备案。

2）SGM 特约售后服务中心专职岗位人员任职资格。特约售后服务中心的专职岗位人员由建站单位选拔和推荐德才兼备的人员担任,专职岗位人员必须填写任职资格登记表并送 SGM 市场营销部备案。

> 应填报专职岗位人员任职资格登记表的主要岗位有：站长、服务经理、配件经理、索赔员、业务接待员、配件计划/订购员、配件销售员、配件收发员、会计/结算员、车间主管、计算机系统管理员、维修人员、质检/试车员、车间设备管理员、服务质量跟踪员。

关键岗位人员必须经 SGM 专门的业务培训考核合格后才可上岗。

专职岗位工作人员岗位变动应征得 SGM 同意,新的人员调任专职岗位任职必须先经

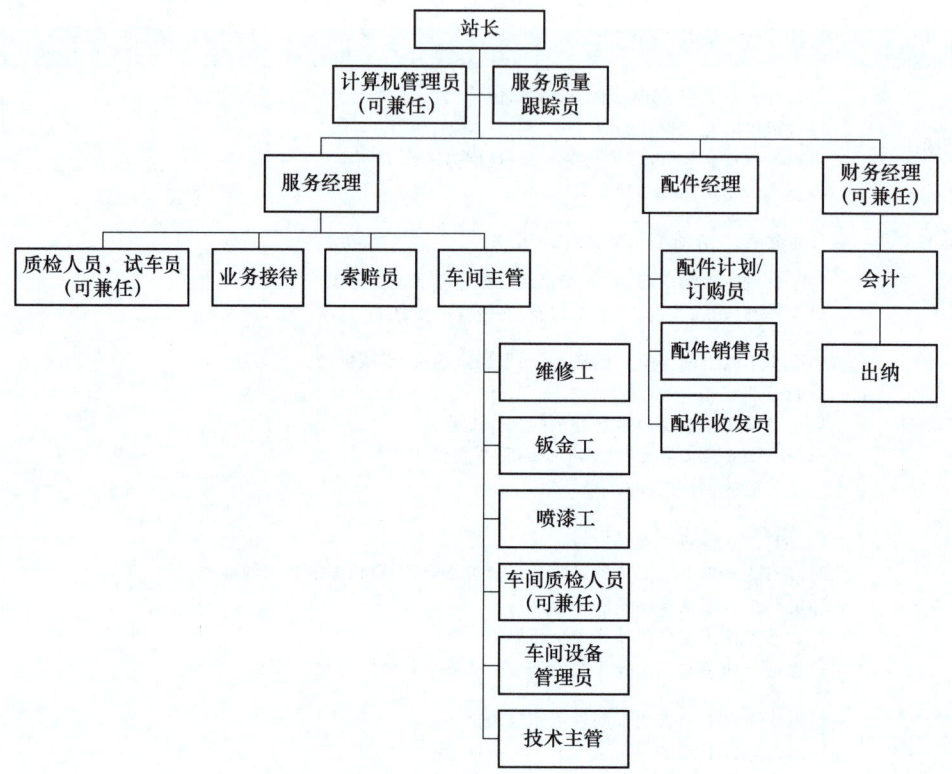

图 1-3 SGM 特约售后服务中心组织机构

SGM 认可后才能上岗。

在特约售后服务中心工作期间因工作失误而影响 SGM 在客户中的形象者，特约售后服务中心应对其立即进行相应处理，并报 SGM 备案。

3）SGM 特约售后服务中心专职岗位人员任职条件及工作职责见表 1-6。

表 1-6 SGM 特约售后服务中心专职岗位人员任职条件及工作职责

人员	任职条件	工作职责
站长	1）具有相当于大专以上的学历，有 3 年以上汽车维修站管理经验 2）具有丰富的管理经验、组织协调能力，有开拓和创新的精神 3）会熟练使用计算机进行管理	1）主管特约售后服务中心的各项业务 2）严格按照 SGM 特约售后服务中心管理文件要求制订相应的特约售后服务中心工作章程 3）作为特约售后服务中心与 SGM 之间的联络人来宣贯并实现 SGM "实现客户热忱" 的宗旨 4）审核签发 SGM 市场营销部售后服务科的相关报表和文件 5）负责接待客户投诉
服务经理	1）具有相当于大专以上的学历 2）有 3 年以上汽车修理方面的经验 3）具有很强的管理经验、组织协调能力和指挥能力 4）会熟练使用计算机进行管理	1）监督、指导业务接待、索赔和维修车间的具体工作 2）参与疑难故障的诊断 3）主持重大质量事故的处理 4）对业务人员和维修人员进行考核

情境一 识别汽车维修业务接待

（续）

人员	任职条件	工作职责
配件经理	1) 具有相当于大专以上的学历 2) 有3年以上的汽配供销管理经验,熟悉目前汽配市场行情 3) 有较强的组织能力和协调能力 4) 会熟练使用计算机对配件进行管理	1) 组织督促配件工作人员做好售后服务中心的配件管理工作 2) 根据SGM的要求和市场的需求合理调整库存,将库存周转率控制在合理的范围以内,加快资金周转,减少滞销品种 3) 根据上汽通用汽车有限公司关于保证金设置的要求,确保在上汽通用汽车有限公司账户中有充足的保证金余额 4) 对售后服务中心工作人员进行配件业务的培训 5) 协调好配件部门和其他业务部门的关系,确保维修业务的正常开展 6) 及时向SGM配件部门传递汽配市场信息和本站业务信息 7) 审核签发向SGM市场营销部售后服务科订购配件的有关文件 8) 审核签发向上汽通用汽车有限公司售后服务科提供月度报表文件
索赔员	1) 具有高中以上学历 2) 具有3年以上的轿车实际修理经验,有很强的对车辆故障及维修配件进行检查和判断的能力 3) 坚持原则,能严格按SGM索赔条例及程序处理索赔	1) 熟悉SGM质量担保工作业务知识 2) 认真检查索赔车辆,做出质量鉴定 3) 按照SGM索赔条例办理索赔申请及相应索赔事务 4) 主动收集、反馈有关车辆使用质量、技术方面的信息 5) 积极向客户宣传SGM索赔条例
配件收发员	1) 中专以上学历,有3年以上汽配工作经验 2) 熟悉汽车配件,能使用计算机进行操作 3) 工作踏实,责任心强	1) 负责配件的仓储收发管理及库存盘点 2) 及时向配件计划员通报配件库存情况 3) 及时向配件计划员通报新列配件损坏情况,并按SGM要求组织破损件的回运
会计/结算员	1) 经专业培训并取得"会计证" 2) 有3年以上的会计、结算工作经验 3) 为人诚实,作风正派	1) 售后服务中心业务结算 2) 会计报表制订和年度会计总结等
车间主管	1) 具备相当于大专以上的学历 2) 3年以上轿车实际修理经验,具有对车辆故障进行检查和判断的能力 3) 有安全生产、环境保护方面的工作经验 4) 有一定的管理能力和较强的组织协调能力	1) 车间维修人员的工作安排 2) 维修车间的现场技术指导 3) 维修车间的安全生产和环境保护 4) 负责同SGM售后服务科联系,以得到技术援助
计算机系统管理员	1) 具有大专以上学历 2) 熟悉计算机网络系统及运作	1) 负责售后服务中心计算机系统正常运作及日常维护 2) 做好售后服务中心网络操作人员的工作指导
维修人员	1) 具备技术等级证书 2) 有3年以上的轿车实际修理经验,具备对车辆故障进行检查和判断的能力	1) 车辆修理、维护 2) 做好车辆维修后的后续整理工作 3) 严格遵守SGM标准维修程序 4) 熟悉SGM质量担保工作业务知识,认真检查索赔车辆,发现问题及时反馈给有关人员
质检/试车员	1) 经交通主管部门专业培训、考核并取得质量检验员证 2) 经正规驾驶培训,取得中级以上驾驶员技术等级证书	维修车辆的质量检验及反馈,保证维修质量

(续)

人员	任职条件	工作职责
车间设备管理员	1）具备高中以上学历 2）有 3 年以上轿车维修设备管理工作经验	1）特约售后服务中心车辆维修设备的修理、维护及添加 2）及时向 SGM 售后服务科设备专员汇报本中心设备方面的信息 3）负责本中心车辆维修设备维护方面的培训
服务质量跟踪员	1）具备中专以上学历 2）有 3 年以上汽车修理方面的工作经验，很强的与人沟通的能力	服务质量跟踪及协调

注：以上人员经 SGM 售后服务科认可、考核合格后才能上岗。

知识小贴士

汽车售后服务部门主要职能与售后服务岗位

1. 奥迪 4S 店售后服务部门主要职能

奥迪 4S 店售后服务部门主要职能如下。

1）制订盈利目标，完成公司分派的任务。

2）建立一套完整的客户服务工作流程。

3）持续培养员工的服务技能和服务态度。

4）修理、维护车辆并快速解决客户问题。

5）为客户提供维修质量担保及三包索赔服务。

6）加强节能降耗工作，控制库存降低成本。

7）对客户车辆维护问题提出规划和建议。

8）主动探访客户意见并主动做出服务改进。

2. 奥迪 4S 店售后服务岗位

奥迪 4S 店售后服务岗位如图 1-4 所示。

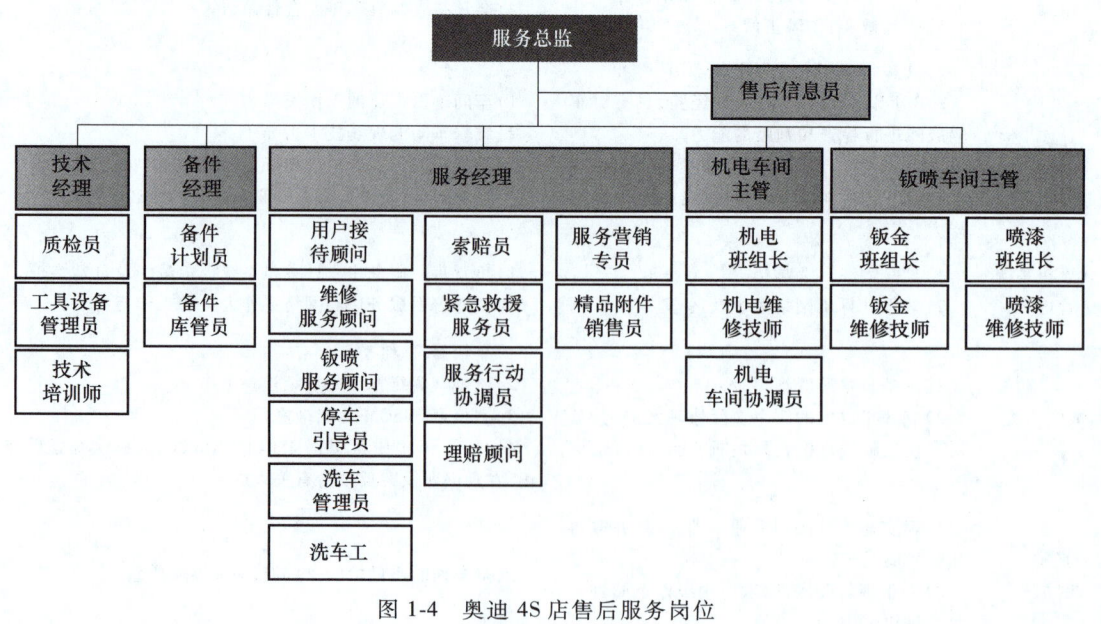

图 1-4　奥迪 4S 店售后服务岗位

3. 服务总监的岗位职责

服务总监的岗位职责：制订售后战略规划并组织落实；贯彻落实相关标准、流程和项目；拓展售后市场；维护和拓展对外业务合作关系；开发与管理用户，提升用户满意度；汇报经营和管理工作；负责与其他部门的协调工作；建设团队和培养人员；负责事故协调和结果控制；监督和控制售后服务部门财务状况。

4. 服务经理的岗位职责

服务经理的岗位职责：服务前台日常工作管理；服务流程及质量管理；服务营销管理；大客户管理；完成服务总监委派的其他临时性工作。

5. 备件经理的岗位职责

备件经理的岗位职责：协助服务总监制订并落实部门工作计划；审核备件计划并制订相关标准；统筹管理备件库房；负责紧急件与进口件订货管理；促进备件/附件销售；团队管理；完成服务总监委派的其他临时性工作。

6. 技术经理的岗位职责

技术经理的岗位职责：提升售后维修能力，解决重大技术问题；负责技术把关；更新自身技术，组织开展对员工的技术培训；跟踪并反馈车辆安全等相关信息；管理专用工具；收集和整理技术相关资料；完成服务总监委派的其他临时性工作。

7. 机电车间主管的岗位职责

机电车间主管的岗位职责：促进用户满意度和维修质量提升；车间管理；环境与生产安全；人员管理；组织协调相关资源完成外出救援工作；完成上级主管委派的其他临时性工作；配合汽车厂家及上级主管支持车间改造、升级工作。

8. 钣喷车间主管的岗位职责

钣喷车间主管的岗位职责：促进用户满意度和维修质量提升；车间管理；环境与生产安全；人员管理；组织协调相关资源完成外出救援工作；协助钣喷服务顾问与保险公司建立良好的工作联系；完成上级主管委派的其他临时性工作。

9. 索赔员的岗位职责

索赔员的岗位职责：诊断索赔及相关投诉问题，提升用户满意度；办理索赔手续；管理损伤件；负责经销商内部索赔业务培训；参与处理用户抱怨与投诉；对索赔业务进行月度总结；负责其他与索赔款相关的费用申报；完成服务经理委派的其他临时性工作。

10. 服务顾问的岗位职责

服务顾问的岗位职责：负责接车前的准备工作；完成接车和制单；负责维修过程中沟通协调工作；交车前检查；完成交车和结账工作；管理用户信息并维护客户关系，提升用户满意度；支持市场开发活动。

11. 理赔顾问的岗位职责

理赔顾问的岗位职责：负责与保险公司联系，处理保险理赔事宜；负责车辆诊断、定损工作的准备和落实；负责用户索赔资料的收集；提升服务满意度，负责服务满意度改善和年度目标达成；负责保险服务业务的推销；负责解决一般用户投诉；配合解决重大客户投诉；负责保险用户档案的建立、维护和管理；负责保险理赔维修数据的统计分析并提供改进建议。

12. 机电技师的岗位职责

　　机电技师的岗位职责：维修准备；执行日常维修工作；协助内部质检；配合执行紧急抢修任务；保管与维护设备及工具；保持工作环境与生产安全；完成上级主管委派的其他临时性工作。

13. 钣金技师的岗位职责

　　钣金技师的岗位职责：维修准备；执行日常维修工作；协助内部质检；保管与维护设备及工具；保持工作环境与生产安全；完成上级主管委派的其他临时性工作。

14. 喷漆技师的岗位职责

　　喷漆技师的岗位职责：维修准备；执行日常维修工作；协助内部质检；保管与维护设备及工具；保持工作环境与生产安全；完成上级主管委派的其他临时性工作。

任务工单

（一）任务实施的环境

汽车维修4S企业。

（二）任务实施的步骤

1）对汽车维修4S企业进行调研。

2）对相关岗位进行分析，写出分析报告。

3）制订自己的职业岗位规划。

（三）技能训练及相关实践知识

技能训练

【训练任务】　通过对汽车维修4S企业进行调研，对售后服务相关岗位进行分析并写出分析报告；结合自身特点制订自己的职业岗位规划。

【训练建议】　团队实施调研，个人独立完成分析报告。

【评价建议】　可用如下技能训练评价表对学生的操作技能进行评价。

汽车售后服务岗位分析及职业岗位规划技能训练评价表

学生姓名			
团队名称			
团队成员			
测评日期		测评地点	
测评内容	1. 汽车售后服务岗位分析报告 2. 职业岗位规划书 3. 成果展示及介绍		

情境一　识别汽车维修业务接待

（续）

	内　　容	分值/分	自　评	互　评	师　评
考评标准	汽车售后服务岗位分析报告	30			
	调研企业反馈评价	20			
	职业岗位规划书	20			
	职业岗位规划可行性	10			
	成果展示及介绍	20			
	合　　计	100			
最终得分（自评 30%＋互评 30%＋师评 40%）					

说明：测评满分为 100 分，60～74 分为及格，75～84 分为良好，85 分以上为优秀。60 分以下的学生，需重新进行知识学习、任务训练，直到任务完成达到合格为止

任务二　认识汽车维修业务接待

学习目标

通过本任务的学习，应知道汽车维修业务接待岗位具体的工作内容，作为汽车维修业务接待人员应具备的能力、知识和素质要求，熟悉汽车维修业务接待的基本礼仪。通过学习和训练，学生应能够：
➤ 正确认识汽车维修业务接待岗位的作用。
➤ 对汽车维修业务接待人员的工作能力进行评价。
➤ 初步掌握汽车维修业务接待的基本礼仪。

任务分析

现代汽车维修企业为做好售后服务工作，大多设立了汽车维修业务接待岗位，许多企业将从事该岗位的员工称为维修顾问或服务顾问（S/A），充分体现了汽车维修企业经营管理的规范化程度。

汽车维修业务接待可带动协调各个管理环节，有利于提高工作效率；可作为企业与客户之间的桥梁，协调双方利益，增加双方的信任度，从而维护好客户关系，提高企业的经济效益和社会效益。

知识小贴士

汽车维修企业维修顾问（S/A）岗位招聘要求（传统汽车售后服务企业）
所属部门：售后服务部　上级：前台主管　下级：无　职业发展方向：前台主管
1. 岗位职责
1）负责业务接待工作：接车、维修过程把控、维修质量检查、交车等。
2）负责客户管理工作：客户信息收集录入、添加微信维护客户关系、预约安排、车辆维修档案建立及管理、维修指导等。

021

3）负责产值转化工作：根据车辆点检及外观检查情况，有针对性地做好关联业务的转化，提升单车产值。

4）负责日常销售工作：车险、洗车美容套餐卡、维护套餐卡、自营及合作单位产品等的销售工作，并做好销售反馈，以便门店管理层及时调整销售政策及优化产品。

5）负责客户回访及客诉处理工作。

6）完成上级领导交办的其他工作任务。

2. 任职资格

1）大专以上学历（汽车专业），特别优秀的中专汽车专业需具备两年以上汽车维修经验。

2）有1年以上4S店售后服务顾问岗位经验者优先，有服务行业工作经验者优先。

3）熟悉常见汽车故障判断和保修条例规定，保险事故理赔等方面业务熟练。

4）能够熟练地操作计算机，熟悉办公软件的运用。

5）具有较强的沟通能力和客户服务意识。

6）持有汽车驾照，能熟练驾驶汽车者优先。

蔚来顾问（用户关系）岗位2024年校园招聘要求（造车新势力企业）

1. 岗位职责

1）负责用户全生命周期运营，对用户体验负最终责任，不断提升用户满意度。

2）以用户为导向，通过跨团队协作，及时响应用户需求，保障用车体验；包括用车问题解答，推动车辆售后、能源服务中用户个性化需求的解决。

3）结合蔚来生活方式类活动、产品、线上线下触点，充分深挖自身所长，结合用户画像，引导用户与蔚来社区深入接触，不断提升用户黏性及活跃度。

4）组织引导用户积极参与蔚来社区发展的活动，确保用户涟漪场景的体验。

5）服务用户完成延续类购买，包括车辆增购/复购，服务包续包/续保等场景。

2. 你将收获

1）加入新星训练营，了解蔚来的商业模式，深刻理解价值观，加快角色转变。

2）干货满满的公开课和技能培训，快速融入职场，成为最闪亮的"NIOer"。

3）趣味社区活动，集群特色培养，在岗培训和行业分享，让你快速成长。

3. 职位要求

1）统招本科及以上学历应届生。

2）对蔚来品牌文化及用户运营模式具有极高的热情，热衷于用户互动交流并与用户共同成长。

3）具备较强的沟通能力及良好的服务意识，善于团队协作。

4）有销售或用户服务实习经历，具备一定的有汽车相关产品/售后知识尤佳。

5）有想法，会玩，懂生活，具备用户运营/社群运营能力者优先。

6）性格开朗，思维活跃，有较强的学习能力，具备一定的个人才艺能够组织用户活动者尤佳。

7）本岗位将邀请您提前参与带薪实习体验，快人一步，融入蔚来！

相关知识

一、汽车维修业务接待的工作内容

汽车维修业务接待岗位（服务顾问）具体的工作内容包括以下10个方面。

1. 工作环境

1）灯箱清洁完好，各种指示牌指示明确。
2）停车场有醒目标志，且畅通无阻。
3）停车场清洁，无烟头、痰迹、积水杂物。
4）业务区整齐、清洁、各种标示明确。
5）用户休息区清洁、电视、茶几、报架等设施整齐。
6）洗手间无异味，有卫生纸、香皂。

2. 工作准备

1）服务顾问应提前10min到岗。
2）业务工作台面清洁、不摆放与工作无关的物品。
3）提前启动计算机，确保系统运行。
4）按当日修理量，备好脚垫、驾驶座套、转向盘套、毛巾棉纱。

3. 仪容仪表

1）统一着装，衣着整齐干净。
2）左胸前佩戴统一醒目的工作胸卡。
3）在工作岗位上应面带微笑、精神饱满。

4. 接待用户

1）应主动迎接客户、主动使用规定的文明用语、礼貌待客，用户等候时间不超2min。
2）对第一次来访客户应主动自我介绍，态度热情友好。
3）真诚待客，不得以任何理由推诿、搪塞客户。
4）确认客户姓名、所修车种、车型或拜访目的。
5）请客户阐述故障现象，确保完全理解客户意图。
6）归纳要点，简短、明确地重复客户的要求。
7）对客户的要求作出答复。
8）业务电话响3声必须保证通话。

5. 约定时间

1）应掌握维修时间与工作动态。
2）应掌握配件库动态情况。
3）向客户提出合理的约定时间，若客户对约定时间有异议，应根据客户要求另定时间。
4）应开展电话预约登记服务。

6. 诊断故障

1）接修前应与客户一起对车辆外观、附件、车内物品进行检查，将检查结果记录在进厂检验单上，并请客户配合，对于车内的贵重物品应提醒客户带走或妥善保管，手续清楚。

2）修理前，必须正确描述故障现象，不允许漏项。

3）修理工可协助判断故障，但无权决定项目。修理过程中发现潜在的故障时，应主动告知客户，按客户要求维修。

7. 达成协议

1）仔细记录客户姓名、地址、电话及客户车辆使用情况，维修历史，确保记录正确。

2）确定完工时间和旧料处理方法，并让客户知晓。

3）确定结算付款方式。

4）将客户的具体修理要求仔细记录在任务委托书上，并让客户审阅，签字认可。

5）达成协议后，铺好垫套，送往车间。

8. 费用结算

1）仔细核算结算清单，保证所有清单附在委托书上。

2）使用法定的修理工时定额，并明码核价，向客户提供组成工时的详细清单。

3）应保证最终结算与报价相一致，误差不超过10%。

9. 交付车辆

1）交车之前把车辆清洗干净。

2）由原接车业务员交付车辆，不耽误客户取车时间。

3）修理中换下的零件应让客户过目。

4）应详细向客户解释发票所列项目，如实介绍修理过程，使客户放心。

10. 跟踪服务

1）应及时建立客户档案。

2）掌握跟踪服务的进展情况，及时进行信息反馈。

3）有效解决跟踪服务中出现的问题。若客户申诉超出业务员权限，应及时向上汇报，避免事态扩大。

二、汽车维修业务接待的作用

客户来维修车辆，首先迈进的就是业务接待大厅，第一个接触的就是服务顾问。业务接待大厅的环境，尤其是服务顾问的服务水平和素质，决定着客户是否信任这家企业，决定着客户是否在这家企业维修自己的车辆，也决定着客户是否能成为这家企业的回头客。服务顾问对维修业务有着至关重要的作用，具体表现在以下5个方面。

1. 代表企业的形象

服务顾问是企业的"窗口"，代表着企业的形象。一个企业一般都由几种不同的特征组成知觉识别体系，是公众对企业感觉的综合形象。汽车维修企业的特征主要是由企业精神、企业效率、企业信誉和经营环境等组成。良好的企业特征会使公众对企业产生深刻的认同感和信任感，进而转化为巨大的经济效益。客户接受服务时，通常把服务顾问服务质量的高低作为衡量企业形象好坏的标准。在客户印象中，服务顾问的语言、举止、待人接物、服务水平等，就是企业的形象。

作为一个汽车维修企业，有和没有服务顾问大不一样。一个合格的服务顾问，能迅速使客户决定在这里修车。如果修车质量又好，客户会更加满意，不但会成为企业的回头客，还会带来不少新客户。

> 合格的服务顾问会给客户留下好的印象：
> 1）这个汽车维修企业很规范、够档次。
> 2）服务态度好，有亲近感。
> 3）解答修车、保险、索赔等有关问题都很专业。
> 4）在这里修理车很放心。

2. 影响企业的收益

从企业本身来说，设置服务顾问要通盘考虑，并非随意设置，服务顾问要精心挑选并经过严格地培训，要把业务接待会同业务、检验、维修、配件、销售、收银等管理环节协调起来，有分工有合作，步调一致地完成企业的经营目标。这样的服务顾问将给企业带来生机，带来效益。

> 服务顾问对企业收益的影响通过4个方面体现：
> 1）设立服务顾问是服务行业实现现代化管理的重要步骤，服务顾问的设立，充分体现了汽车维修企业的经营管理日趋完善。
> 2）服务顾问带动与协调各个管理环节，明确了职责，提高了工作效率，使各部门步调一致地完成企业的经营总目标。
> 3）服务顾问协调了客户利益与厂家利益使之基本一致，增加了双方的信任感。
> 4）服务顾问维护了客户关系，提高了企业的经济效益和社会效益。

3. 反映企业技术管理整体素质

服务顾问水平是企业技术、服务、管理水平的集中体现。企业整体素质的高低，无论是有关技术的还是管理的，都可以从服务顾问身上反映出来。服务顾问在接车、估价等过程中所表现出的解决问题和处理问题的能力，体现了企业技术水平的高低；服务顾问从接车到交车的全过程中所表现出的工作条理性和周密性，体现了企业服务水平和管理水平的高低。

4. 沟通维修企业与车主之间的桥梁

在客户的信任下，随着服务顾问专业能力不断加强，其所扮演的角色就是如何建议客户做最好的维修项目，以保障长期的车辆使用。

再者服务顾问需掌握汽车维修企业的工作流程及工作进度，其目的是为确认客户的车辆维修进度，了解能否在客户认知的时间内顺利完成，或者是提早告知客户车辆的状况，使客户能有心理准备。

最后，服务顾问还必须站在客户的立场，为客户检查爱车，使客户从进厂到交车能接受完整的服务，以达成客户满意，从而提高客户满意度。

5. 承接客户和后方维修服务的纽带作用

服务顾问的工作包含着2个层面，既是直接面对客户的前方服务工作，也是支援前方工作的后方服务工作。服务顾问的工作具有两面性，缺一不可，相得益彰，单方面即便是很出色也不能达到整体的效果。

汽车售后服务企业需要服务顾问能针对客户的要求，快速而准确地提供超过其预想值的优质服务。

将上述两种工作进行周密、有效的统一管理，关系到能否实现优质服务，最大限度地提高客户满意度并使之提升为客户感动。丰田汽车公司将汽车维修业务接待岗位在汽车售后服务中的位置定位在直接面对客户的前方服务工作，起到承接客户和后方维修服务的纽带作用，如图1-5所示。

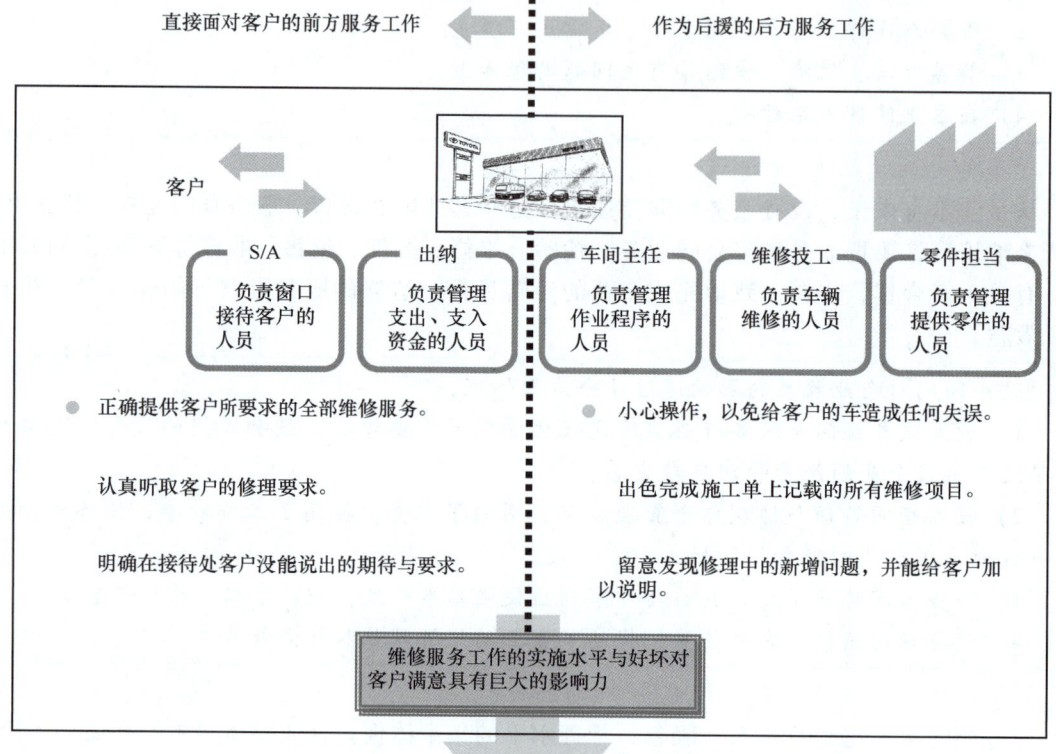

图1-5 汽车维修业务接待岗位在汽车售后服务中的位置

知识小贴士

客户满意是指客户在接受服务或购买产品后的体验感，以及这种体验与其心理预期相比较所产生的满意或失望程度。满意度是客户满足情况的反馈，是对产品（服务）本身或性能可感知的评价，是在产品（服务）基础上形成的愉悦或失望的感觉状态，包括低于或者超过满足感的状态，是一种心理体验。

不同的企业会推出不同的产品/服务，不同的产品交付过程和服务过程，会存在不同的服务质量差距。具体来说，服务质量的差距主要表现在4个方面（见图1-6）。

1)"客户期望的产品（服务）"与"公司对客户期望的感知"之间的差距。这个差距的一部分是客户差距，即客户期望的产品（服务）与感知的产品（服务）之间的差距。

2)"客户导向的产品(服务)设计和标准"与"公司对客户期望的感知"之间的差距。一般来说,企业在分析了客户的产品(服务)期望之后,就设计出高出这一期望的产品。

3)"产品(服务)"与"客户导向的产品(服务)设计和标准"之间的差距。产品(服务)设计出来,但是从设计到成形的过程中还会存在一些差距。

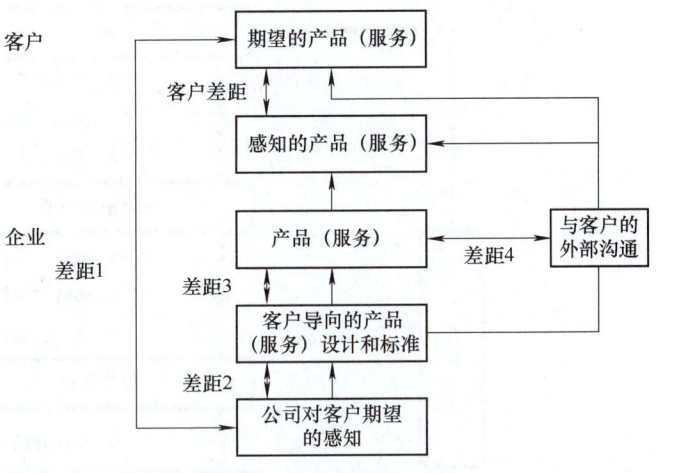

图 1-6　服务质量的差距

4)"与客户的外部沟通"与"产品(服务)"之间的差距。产品(服务)已经完全成形,但是如果与客户沟通将其交付给客户,依然会存在一些差距。不同的销售人员,差距出现的大小可能就不一致。

客户满意度是一个变动的目标,能够使一个客户满意的产品(服务),未必会使另外一个客户满意,能使得客户在一种情况下满意的产品(服务),在另一种情况下未必能使其满意。客户满意与汽车维修企业收益关系如图 1-7 所示。

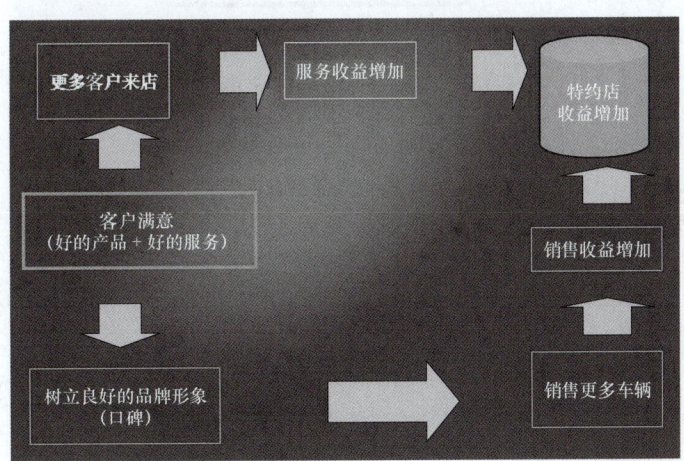

图 1-7　客户满意与汽车维修企业收益关系

三、汽车维修业务接待流程

下面以丰田汽车公司汽车维修业务接待流程为例,带领大家走进汽车维修业务接待岗位。丰田汽车公司规定的汽车维修业务接待工作的标准流程如图 1-8 所示,在汽车维修业务接待中,丰田汽车公司规定的单证样表的使用情况见表 1-7。

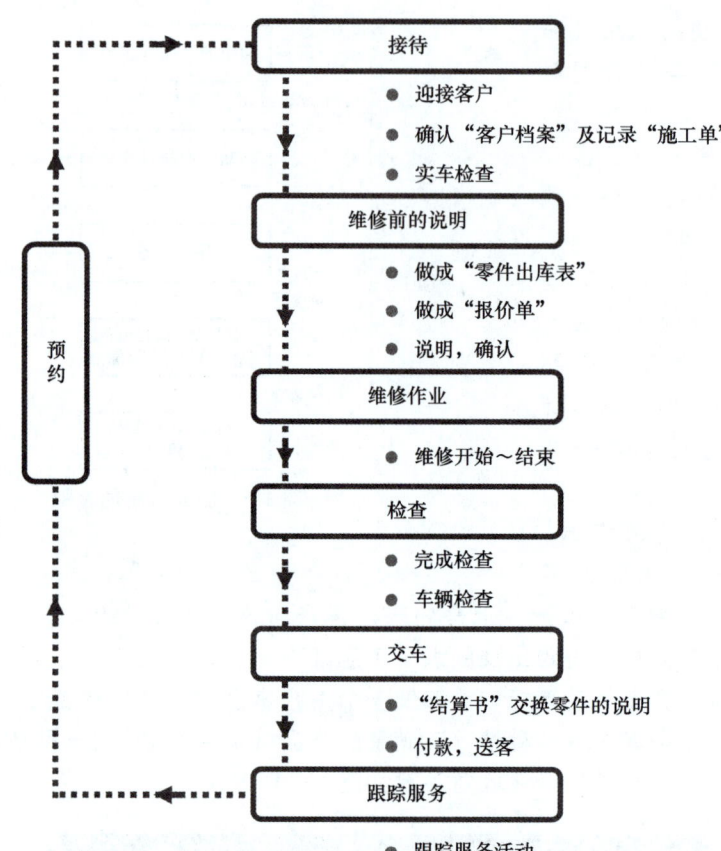

汽车维修业
务接待流程

图1-8　丰田汽车公司规定的汽车
维修业务接待工作的标准流程

> **知识小贴士**
>
> **服务流程的作用**
>
> 1）保证服务的无差化，使新员工、不同的经销商等用户都能得到标准的服务过程。
>
> 2）规范管理体系，例如收入与岗位对应、收入与工作内容对应，依据规章制度管理。
>
> 3）提高工作效率，避免重复性劳动，减少客户等待时间等。

表1-7　维修业务接待中单证样表的使用情况

单证名称	适用场合	管理的信息
客户档案	接待时	管理客户车辆情况及维修经历
施工单（R/O）	接待时 修理前进行说明时 进行维修时 检查时 交车时	记录维修操作的一系列相关内容是最重要的表单

(续)

单证名称	适用场合	管理的信息
实车检查核对表	接待时 交车时	记录实车检查时的情况
零件出库表	维修前说明时 维修操作时 检查时 交车时	零件出库时的必备表单
进度管理板	修理作业时 检查时	表示维修作业的进展状况，为维修作业的效率化和及时对应客户提供方便
报价单	维修前说明时 维修作业时（有追加时）	帮助客户理解维修作业的内容及费用
结算书	交车时	记录此次维修作业的最终费用
收据	交车时	客户支付费用后提出的表单
交流沟通表	跟踪服务时 预约时	记录有关预约状况，维修状况以及全部有关客户情况

四、服务顾问的能力要求

服务顾问应能做到以下几点：
1）具备严肃、认真的工作态度和良好的服务意识。
2）能够引导和受理客户的车辆维修服务预约。
3）具备良好的沟通及人际交往能力，能够完成维修车辆用户的登记和接待工作。
4）能够完成用户车辆的初步故障诊断工作，能够与用户达成维修协议（任务委托书）。
5）能做好车辆维修后的电话服务跟踪，并做好收集信息和反馈工作。
6）具备良好的组织协调能力，能够向维修技师传达用户的想法，描述车辆的故障形态，分配维修工作任务。
7）能圆满完成面向客户的交车工作，并向客户解释维修的相关内容，使客户满意。
8）能够完成用户档案的建立、完善等工作。
9）能够正确处理投诉客户的抱怨意见，达成使客户满意的处理意见。

知识小贴士

服务顾问行为规范

服务顾问行为规范主要是指对服务顾问上班工作时，神态行为、动作的规定，包括神态与动作的内容、环境条件和要求等，具体见表1-8。

表1-8　服务顾问行为规范

序号	动作内容	动作环境	动作要求
1	主动热情、面带微笑、快步走上迎接客户，主动与客户打招呼、点头致意	客户开车进入客户停车场时	主动、热情、礼貌得体，让客户有宾至如归之感

（续）

序号	动作内容	动作环境	动作要求
2	走在客人的左前方,用手指引前进方向,然后与客人同时进入接待厅	当客户进入客厅准备洽谈业务时	动作简洁熟练、指示明确,让客户感到受到尊重
3	接待员立即起身招呼致意,并迎客户或引导客户到客座休息或引导客户到服务台直接洽谈业务	当客户进入接待厅时	热情主动、动作迅速,善于把握客户意愿,作正确引导
4	要有条有理,用简洁的语言向客户作介绍,同时要注意客户反应,客户仍有疑问时要耐心地再介绍1次,直至其满意	向客户介绍业务程序时	语调平和,态度和蔼、用语专业熟练
5	要以简洁迅速的动作,拿出结算资料,呈交客户过目,发现客户有疑问神态,应立即作出相应的解释	当客户要求结算时;接车时	单据要完整,解释要清楚,业务员要事前熟悉客户相关资料
6	业务员要迅速拿雨伞跑步赶上客户,为客户打伞,把客户送到无雨处	雨天见到客户从车场到接待厅,或从接待厅到车场时	热情、主动、动作熟练
7	要尽快送上一杯茶水,以手示意请客户喝茶休息	当客户落座,准备洽谈业务时,或休息候车时	热情、礼貌
8	态度要沉稳,要细心、耐心倾听客户反映情况,客户不善表达或滔滔不绝时,要善于把握时机,自然引导话题,使谈话效率提高,不得随意打断客户发言	与客户洽谈业务时;听取意见时	诚恳、耐心、有修养、机智
9	要保持冷静,先等待,仔细听客户讲话的要旨,然后劝说客户休息一下,问客户是否愿意听一下解释。如果愿意,则抓住时机,针对要害婉转陈述理由、原因,但不能直接批评客户,如不愿意,则继续等待	遇到客户有点挑剔,甚至无理取闹时	态度上能容忍、大度、冷静、机智,要抓住时机,不要正面交锋,要坚持"客户永远是对的"这一观念,不允许与客户发生丝毫争执或争吵
10	首先要以欢迎姿态把客户让入接待厅,细心冷静听取投诉,能当时解决的应尽量解决,不能解决的,要给明确答复的期限,不得含糊	当客户来厂投诉时	欢迎环节不可马虎,听意见要细心,答复的内容要符合规定、要合理、要客户满意,承诺答复日期要谨慎,同时也要坚定
11	业务员应主动送客户上车出厂,或送至门口致意:"感谢光临,欢迎再来!"或握手道别	当客户接车离厂时;当客户来访(业务)后离厂时;当客户投诉离厂时	热情、友好、诚恳、要坚持一贯友好的企业形象

五、服务顾问的知识要求

1. 汽车结构与原理知识

汽车结构与原理知识主要包括汽车的总体构造、汽车分类及结构特点;汽车行驶的原理;发动机的结构、工作过程及工作原理;手动变速器的结构、工作过程及工作原理;离合器的结构、工作过程及工作原理;电控自动变速器的结构、工作过程及工作原理;无级变速器(CVT)的结构、工作过程及工作原理;安全气囊的结构、工作过程及工作原理;中央门锁和防盗装置的结构、工作过程及工作原理；防抱死制动系统（ABS）的结构、工作过程及工作原理；制动系统的结构、工作过程及工作原理；转向系统的结构、工作过程及工作原理；汽车空调系统的结构、工作过程及工作原理；汽车常见电气系统的结构、工作过程及工作原理；新能源汽车常见系统的结构、工作原理等。

2. 常见汽车故障知识

常见汽车故障知识包括常见汽车故障现象及产生的原因；引起汽车故障的因素及诊断方法；常见汽车故障诊断的原理；汽车技术状况发生变化的现象及产生原因；汽车故障检测与诊断仪器及设备的使用方法及数据分析等。

3. 汽车零配件知识

汽车零配件知识包括汽车配件的分类；汽车配件储存方法与技巧；汽车配件合理的科学管理；汽车配件耗损规律；汽车配件质量鉴别方法；假冒配件的鉴别方法；汽车配件的修复与更换原则等。

4. 汽车维护与修理知识

汽车维护与修理知识包括车辆功能操作及驾驶操纵性能；汽车维护过程及实施工艺；汽车维修的主要工种及特点；汽车维修设备的分类；汽车维修专用设备的使用方法及注意事项；汽车维修工艺；汽车维修过程及质量管理等。

5. 汽车维修服务收费知识

汽车维修服务收费知识包括维修工时定额与工时费的标准与规定；汽车维修收费计算方法；汽车维修中的几项重要统计指标；服务站管理系统（DMS）等。

6. 保险车辆维修及理赔知识

保险车辆维修及理赔知识包括机动车辆保险基本知识；保险条款中的负责条款；保险车辆维修和理赔基本流程；新车保修及索赔等。

7. 汽车质量担保知识

汽车质量担保知识包括新车保修的相关概念及政策；保修原则和质量担保期；新车保修维修和索赔流程；旧件回收；保修费用结算等。

知识小贴士

服务顾问语言规范

业务人员上班期间一言一行，代表企业的形象，为规范业务人员用语、提高沟通效率，需要对服务顾问语言进行规范。它是服务顾问工作过程中说话用语内容、形式、语调语气的规定，具体内容见表1-9。

表1-9 服务顾问语言规范

序号	工作用语	用语环境	语态
1	早上好！欢迎光临我们公司	上午9点以前，第一次与客户见面	亲切、自然、热情
2	您好！欢迎光临我们公司	上午9点以后，第一次与客户见面	亲切、自然、热情
3	××先生（女士），请稍候	工作忙，不能及时与客户商洽时	诚恳、歉意

（续）

序号	工作用语	用语环境	语 态
4	××先生（女士），对不起，让您久等了	客人等候之后，重新洽谈开始时	诚恳、歉意
5	您好！××先生（女士）有关您车的事，想和您商量一下	有业务方面的事需找客户商量时	诚恳、歉意
6	您好！先生（女士）请问怎么称呼您	与新客户见面时	热诚、谦恭、礼貌、主动
7	您好！先生（女士），我能为您帮忙吗	看到客户需要帮助，或不熟悉厂情况时	主动、礼貌
8	您好！××先生（女士），对不起（不好意思），能否把您的车移动一点	发现客户的车有点阻塞交通时	礼貌、歉意、商量口吻
9	××先生（女士），您的车出厂以后，希望能与我们联系，有事请打热线电话，您会得到满意答复的	客户开车（竣工后）离厂时	热情、礼貌、自然得体
10	××先生（女士），感谢光临！欢迎再来！再见	客户开车（竣工后）离厂时	亲切、礼貌、热情
11	××先生（女士），请勿忘记下一次维护时间，谢谢光临，祝您顺风（一路走好），再见	客户开车（竣工后）离厂时	亲切、礼貌、热情
12	××先生（女士）请对我们工作多指教，我们会立即改正错误的	当客户对工作有意见或当工作人员征求客户工作意见时	诚恳、虚心
13	××先生（女士），您提出的要求我们会在明天答复您的	当客户提出业务方面要求不能当时答复时	诚恳、友好
14	××先生（女士），您的意见很宝贵，我们会从中吸取教训的，感谢您的指教	客户提出意见时	虚心、大度、友好、诚恳
15	您好！××汽车维修维护中心	电话开头语	亲切、热诚
16	××先生（女士），感谢您的咨询，欢迎再联系	回答客户电话咨询之后	热情主动
17	××先生（女士），您对我的答复是否满意？如有不足的地方，请指教，谢谢！	对客户咨询提出答复以后，征求服务意见时	主动、谦虚、诚恳
18	××先生（女士），感谢您的信任！您提出的问题（反映的情况）我们一定认真处理，并尽快给您一个答复，谢谢您的信任	当客户对服务工作提出意见或申诉时	诚恳、歉意
19	××先生（女士），感谢您的厚爱，我们会更加努力工作的，努力做更好的服务	当客户对服务提出表扬或表示感谢时	谦虚、稳重
20	××经理、班长、××师傅	上班时间一律以职务称呼、普通工作人员以人名相称	严肃、认真，不得用绰号戏称

六、服务顾问的素质要求

1. 担任服务顾问应具备的条件

（1）品格素质要求　担任服务顾问应具备的品格素质包括

1）忍耐与宽容。

2）不轻易承诺，说了就要做到。

3）勇于承担责任。

4）拥有博爱之心，真诚对待每一个人。
5）谦虚。
6）强烈的集体荣誉感。
（2）技能素质要求　担任服务顾问应具备的技能素质包括
1）良好的语言表达能力。
2）丰富的行业知识及经验。
3）熟练的专业技能。
4）优雅的形体语言表达技巧。
5）思维敏捷，具备对客户心理活动的洞察力。
6）具备良好的人际关系沟通能力。
7）具备专业的客户服务电话接听技巧。
8）良好的倾听能力。
（3）综合素质要求　担任服务顾问应具备的综合素质包括
1）"客户至上"的服务观念。
2）工作的独立处理能力。
3）各种问题的分析解决能力。
4）人际关系的协调能力。

2. 服务顾问的基本素质要求

（1）文化素质　随着汽车工业的迅猛发展和人民生活水平的提高，汽车保有量迅速增长，汽车维修业出现多层次、多形式、各种经营成分并存的局面，规范汽车维修市场是形势发展的需要。同时，汽车技术的快速更新，对汽车维修企业的从业人员提出了更高的要求。要成为一名合格的服务顾问，最好具有大专以上文化程度。

（2）业务素质　作为服务顾问，对其业务能力的具体要求：一是要熟悉国家和汽车维修行业管理有关价格、保险、理赔等方面的法律、法规和政策；二是要对汽车维修专业知识有全面的了解，如汽车的类型及特征、汽车构造及基本原理、汽车材料及零配件知识、汽车维修工艺流程、常见故障及检测设备的主要用途、各工种工艺特点及成本构成等，并具有一定的维修技能及经验；三是具有初步财务知识，懂得汽车维修收费结算流程；四是要适应企业现代化管理的要求，会开车，能熟练操作计算机，运用相关软件进行本专业的辅助管理工作；五是要有关怀客户的技巧。

（3）思想素质　服务顾问的工作岗位直接面对修车客户，是企业对外的窗口，其思想素质的高低直接影响到企业形象，关系企业的业务发展，因此要求服务顾问应具备高度的工作责任感和事业心，具有良好的职业道德、爱岗敬业、廉洁奉公、团结协作、讲究信誉等。

3. 服务顾问职业道德素质要求

服务顾问职业道德规范是在汽车维修职业道德的指导下，结合业务接待的工作特性形成的，是指服务顾问进行汽车维修业务接待工作过程中必须遵循的道德标准和行为准则。

服务顾问职业道德规范可归纳为真诚待客、服务周到、收费合理、保证质量。

（1）真诚待客　真诚待客是指服务顾问以主动、热情、耐心的态度对待客户，做到认真聆听客户的述说，耐心回答客户提出的问题，设身处地地理解客户的期望与要求，最大限度地与客户达成共识。

客户到企业来，无论是要修车、选购零配件还是咨询有关事宜，归纳起来无非有两个要求：一是对物质的要求，希望能得到满意的商品；二是对精神的要求，希望他（她）的到来能被重视，能得到热情的接待。如果服务顾问真的是按"真诚待客"的要求接待了客户，那对客户的欢迎、尊重和关注，都会打动客户，服务顾问的谈吐举止及服务热情会给客户留下既深刻又美好的印象。客户精神上得到满足和对服务顾问的好感，以及内心感到服务顾问可亲可信，还会延伸到客户对这家企业产生好感与信任。真诚待客做得好，也给客户在下一步与企业要进行的经营活动开了个好头。

对待新客户是这样，对待老客户更要维护好已形成的良好关系，不要因为已经熟识了而怠慢了客户。服务顾问出色的工作，虽已给老客户留下了良好印象，但客户仍在随时地考察服务顾问及企业。如果服务顾问待客户变得冷淡了、不以为然了，客户会马上做出反应，从思想上，认为服务顾问对待他们的态度前后不一致，进而认为对他们是虚伪的、不诚实的，是在利用他们；从行动上，他们会向另一些客户宣传不利于企业形象的言论。因此，做好真诚待客，无论是新客户还是老客户，都同等对待，做到前后一致、亲疏一致，是非常重要的。

（2）服务周到　服务周到是指在修前、修中和修后向客户提供全方位的优质服务。

修前服务内容：
1）认真倾听客户对汽车故障的描述。
2）迅速诊断汽车故障。
3）对维修内容、估算费用和竣工时间进行详细说明，并使客户认可。
4）向客户提供有关汽车维护等的一些小建议和其他有关信息。

修中服务内容：
1）修理项目要合理，避免重复收费和无故增加不必要的修理项目。
2）需要增加维修项目时，要耐心、详细地向客户说明，同时要征得客户同意。
3）随时了解生产部门施工进度，督促生产部门按时完工。若发现不能按时完工，要及早通知客户，说明因由，取得客户的谅解。
4）结算前，要向客户详细说明维修内容、维修费用的组成，并获得客户认可。
5）交车时，要简要介绍修车过程中的一些特殊情况、汽车现在的状况及使用当中应注意的问题等。

修后服务内容：
1）建立健全汽车维修技术档案。
2）回访。回访客户时要诚恳，对客户提出的所有问题要认真调查。对企业的问题要承担，对一些疑问要耐心解释，必要时要勇于承担责任，不可推诿和敷衍，对客户的表扬和建议要表示感谢。
3）处理好质量投诉。处理客户投诉时，切勿当着客户的面责怪技师或是当着技师的面责怪客户。
4）做好电话跟踪服务。

（3）收费合理　收费合理是指汽车维修企业在承接汽车维修业务时，要做到价格公道，付出多少劳务，就收取多少费用，严格按照交通行政管理部门制订的汽车维修工时定额和收费标准核定企业的维修价格。不乱报工时，不高估冒算，不"小题大做"（小修当大修），更不能采取不正当的经营手段招揽业务。这种行为，不仅不符合公平交易、公平竞争的道德原则，损害了国家、集体的利益，而且败坏了行业风气乃至社会风气。对这种行业不正之风，服务顾问都应该自觉抵制。

收费合理还体现在严格按照工作单上登记的维护、修理项目内容进行收费，不能为了达到多收费的目的擅自改变修理范围和内容，更不能偷工减料，以次充好。这种行为，既有悖于汽车维修职业道德的要求，也是一种自毁信誉、自砸招牌的短期行为。

（4）保证质量　保证质量主要是指保证修车的质量。具体来说，修车过程中各工序要严格按照技术要求和操作规程进行生产；使用的原材料及零配件的规格、性能符合规定的标准；按规定的程序严格进行检验与测试；使汽车故障完全排除，丧失的功能得以恢复；使车辆的使用寿命得以延长等。

汽车维修质量是修车客户最关心的问题。若修车质量好，客户会满意，其他存在的一些小争议、小问题会变得无所谓了。常常是刚才客户还为一些小问题在喋喋不休，当看到他的爱车修得很好时，高兴得其他事都不介意了。由此可见，保证质量是保证客户利益之必需，也是保证企业继续在市场竞争中取得优势之必需。

知识小贴士

东风雪铁龙公司对服务顾问的服务素养要求见表1-10。

表1-10　东风雪铁龙公司对服务顾问的服务素养要求

序号	不合适的服务素养	需要达到的服务素养
1	很难控制自己的情绪	多数情况下能控制自己的情绪
2	别人对我不好，我当然不高兴	高兴地面对对我冷淡的人
3	我很难与人相处	喜欢大多数人并乐意与人相处
4	每个人要自力更生	愿意为别人服务
5	我没犯错误就不该道歉	即使没错也不介意道歉
6	宁愿用书面形式沟通	对自己的沟通能力感到自豪
7	为什么要记住他们的名字和脸	善于记住用户的名字
8	我就是严肃的人	微笑是自然流露的
9	清洁和打扮并不重要	注意打扮、保持清洁
10	全在自己的大脑里不用记录	随时记录用户的问题

七、常见汽车维修业务接待礼仪

具有良好职业道德修养的业务接待员，需有较好的气质、风度和仪表，给人以较好的职业形象。做到这些必须认真从自身做起，在职业活动中严格按照职业礼仪的要求规范自己的行为，成为标准的业务接待员。

1. 礼仪

礼是表示敬意的通称，是表示尊敬的语言或动作；仪是表示准则、表率、仪式、风度等。通常讲的"礼仪",是"礼"和"仪"两个字的合成词。

礼仪可定义为是人类社会生活中在语言行为方面的一种约定俗成的符合礼的精神,是要求每一个社会成员共同遵守的准则和规范。如果通俗一些,礼仪可定义为是人们在长期的生活实践中,在语言行为方面由于风俗习惯而形成的为大家共同遵守的准则。

2. 礼仪的基本原则和作用

礼仪是人类社会发展到一定历史阶段的必然产物,现代礼仪是现代社会文明的具体体现。在讲究礼仪时,还需要提高对现代礼仪的理论认识,只有在思想上认清现代礼仪的基本原则和作用等理论问题,才能自觉地、正确地把握礼仪。

(1) 礼仪的基本原则 礼仪的基本原则主要有遵守社会道德、顾全大局、相互尊重、真诚守信和注重仪表5项基本原则。

1) 遵守社会道德。道德是人们共同生活及其行为的准则和规范。社会道德是调整人与人之间、个人与社会之间、组织与公众之间利益关系的准则和规范。

社会道德是礼仪的基础,礼仪是社会道德的外在表现形式。离开社会道德,礼仪就不能存在。因此,遵守社会道德是礼仪最重要的原则之一。

2) 顾全大局。顾全大局是礼仪的一个重要原则。顾全大局包括局部利益服从整体利益,眼前利益服从长远利益,个人利益服从国家利益。

顾全大局的礼仪风范是与良好的道德修养及博大的胸怀相关联的。一个有着顾全大局雅量的人往往能取得交际的成功,要做到这一点,就需要把握好以下几个方面:一是严于律己,尤其是当个人利益与集体利益、国家利益发生冲突时,要舍"小我"取"大我";二是要"求大同、存小异",对一些非原则性问题不要斤斤计较,患得患失;三是有理也让三分,不要得理不让人。

3) 相互尊重。相互尊重,是互相的,不是单向的。每个人都有自尊心,都希望得到别人的尊重,而要得到他人的尊重,首先要尊重别人,只有这样才能赢得他人的尊重。如果只强调自我尊严,忽略他人的存在,就很难得到他人的尊重。强调自我尊严是一种自私自利、不懂礼仪常识的表现。

相互尊重有利于营造一个讲究礼仪、实施礼仪的良好氛围,有利于职业活动、社会活动及各种人际交往活动的展开。

4) 真诚守信。真诚守信是指感情真实诚恳、言行一致、遵守诺言。真诚是建立良好人际关系的基础,是一个人外在行为与内在道德修养的有机统一。待人真诚的人会很快得到别人的信任。

守信是指言必信、行必果,不失信于人。一个守信的人,在与他人交往中能做到前后一致、言行一致、表里如一。遵从真诚守信的原则,必将促进礼仪交际正常地、健康地、长期地、稳定地发展。

5) 注重仪表。仪表是指礼仪的外在表现形式,人们的内在道德修养要依靠完美的外在形式表现出来。也就是说,只有内在美与外在美的和谐统一,才能做到尽善尽美。

服务顾问仪表如图1-9所示。

仪表包括人的容貌、服饰、行为举止等方面。注重仪表还体现着对他人的尊重。如果不修边幅、举止粗俗、言语不当,都会令人生厌。不过,注重仪表应适度、恰到好处,不能过分追求外在美,而忽略了内在美的修养。

（2）礼仪的作用　礼仪的作用主要包括协调、教育和创效等。

1）协调作用。礼仪所表达的意义主要是尊重，尊重可以使对方在心理需要上感到满足，产生好感与信任。人们在交往时按礼仪规范去做，有助于加强交往双方相互尊重、坦诚相待的良好关系，缓解或避免某些不必要的情感对立与障碍。

职业礼仪是社会生活尤其是职业生活中的润滑剂和调节器，是协调交际关系的纽带和桥梁。人与人之间、服务顾问与客户之间的相互理解、信任、关心和友谊会营造良好的社会气氛，使每个人健康的、合理的心理需要得到不同程度的满足，从而产生乐观、融洽的情绪，对生活，对事业更加热爱、更加追求，使经营环境保持着一种稳定、和谐的秩序。服务顾问通过完备的礼仪，可以沟通与各种类型客户的感情。当服务顾问与客户发生了不快、误会或摩擦时，通过一句礼貌用语、一个礼节形式，矛盾都会得到化解，重新获得彼此的理解和尊重。对于新客户，只要礼仪周全，也会得到他们的信任和好感。反之，即便是老客户，如果与他们进行非礼仪交往，也会使关系变得疏远与冷淡。可见，礼仪的协调作用是很大的。

图1-9　服务顾问的仪表

2）教育作用。礼仪是一种高尚的、美好的行为方式，它可以净化人的心灵，陶冶人的情操，提高人的品行。在礼仪实践中通过评价、劝阻、示范等教育形式，可以纠正人们不正确的行为习惯，倡导人们按礼仪规范的要求去协调人际关系，维护社会的正常生活。遵守礼仪的人，客观上还起着榜样作用，无声地影响着周围的人。

一个人如果处处遵守礼仪，就会使自己心胸开阔、谦虚诚恳、遵守纪律、乐于助人。在礼仪形式的熏陶下，人们将在耳濡目染之中接受教育、提高修养、匡正缺点，成为道德高尚的人。

3）创效作用。一个经济实体在市场竞争中，主要是人才质量与服务质量的竞争。经济实体的生存与发展、市场与客源、声誉与效益，靠的是向客户提供全方位的优质服务，而优质服务主要由职业礼仪体现出来。当客户在接待过程中处处受到尊重并享受到热情周到的服务时，会使客户在感官上、精神上产生自尊感、信任感和留恋感，他就会认为接待他的人是值得信赖的人，他就会认为这家企业是他选择的最理想的企业。由此可见，员工良好的职业形象和企业良好的社会形象，会吸引更多的客户，会在激烈的市场竞争中得以生存和发展，会给企业带来丰厚的经济效益和社会效益。

3. 对业务接待员的仪表、仪容、仪姿的礼仪要求

（1）仪表端庄、整洁　具体要求如下：

1）按季节统一着装，整齐、清洁、得体、大方。

2）衬衫平整干净，领子与袖口不污秽。

3）穿西服应佩戴领带，并注意西服与领带颜色相配。领带不得肮脏、破损或歪斜松弛。

4）胸卡佩戴在左胸位置，卡面整洁、清晰。

5）穿西服可以不扣纽扣。如果扣，正确的扣法是只扣上边1粒，下边则不扣。

6) 胸部口袋只是装饰，不能装东西，如遇隆重场合，仅可装作为胸饰的小花等。其他口袋也不可装许多东西，如果外观鼓起，会很不雅观。

7) 穿深色皮鞋，保持清洁，不穿破损、带钉和异形的鞋。

8) 工作期间不宜穿大衣或过分臃肿的服装。

9) 女性业务接待员服装淡雅得体，不得过分华丽。

（2）仪容洁净、自然、不过分修饰　具体要求如下：

1) 头发要经常清洗，保持清洁，发型普通，不染彩发。男性服务顾问不留长发，女性业务接待员不留披肩发。

2) 面部清洁。男性业务接待员应不留胡须，并经常剃须；女性服务顾问要化淡妆，不能浓妆艳抹，不用香味浓烈的香水。

3) 指甲不能太长，并经常注意修剪。女性服务顾问不留长指甲，不做美甲、不涂有色指甲油。

4) 口腔保持清洁，上班前不喝酒、不吃有异味食品。

（3）仪态包括站、坐、行　具体要求是：

1) 站姿时，上身挺拔，收腹，双目平视，双臂自然，不耸肩。男性服务顾问站立双脚可齐肩宽分开，双臂自然下垂或交叉背后；女性服务顾问双脚后跟并拢，脚尖分开约45°，亦可用小丁字步，即一脚稍微向前，脚跟靠在另一脚内侧。双手在体前交叉互握。

2) 坐姿时，上身挺拔、端正、收腹，坐椅子2/3，双目平视。男性服务顾问双腿可齐肩宽分开；女性服务顾问双腿并拢。不得把腿向前或向后伸，更不可跷"二郎腿"。需移动座椅位置时，应先把座椅移动后放好，然后再坐。

3) 行姿时，头正：双目平视，收颌，表情自然平和。肩平：两肩平稳，双臂自然在体侧摆动。躯挺：上身挺直，收腹立腰，重心稍前倾。目光：目光自然，不可左顾右盼。行进：步幅适当，步速平稳，不得忽快忽慢、低头驼背、摇头晃肩或双臂大幅甩动。

引导步是用于走在前边给客人带路的步态。引导时，要尽可能走在客人左侧前方，整个身体半转向客人方向，保持两步的距离。遇到上下楼梯、拐弯、进门时，要伸左手示意，并提示请客人上楼、进门等。

与客人告别时，应当先后退两三步，再转身离去，退步时脚轻擦地面，步幅要小，先转身后转头。

4. 接待客户的礼仪要求

（1）基本举止规范

1) 握手时，主动热情向客户伸手，表达诚意，但对女性客户不可主动先伸手，更不可双手握。

2) 对客户在任何情况下保持微笑。

3) 主动与客户打招呼，目光注视客户。

4) 与客户保持约1m的安全距离。

5) 先介绍主人，后介绍客人。

6) 指点方向时，紧闭五指，指示方向，不可只伸1根或两根手指。

7) 引路时，在客人的左侧为其示意前进方向。

8) 送客时，在客人的右侧为其示意前进方向。

9）交换名片时，双手接客户名片，仔细收好，不可随意放在桌上；递送名片要双手送出，同时自报姓名。

（2）业务接待员的礼仪要求

1）客户来到，应面带微笑，主动热情问候招呼："女士（先生），您好，我能为您做些什么？"，务必使客户感到你是乐于助人的。

2）对待客户应一视同仁，依次接待，认真问询，做到办理前1个，接待第2个，招呼后1个。在办理前1个时要对第2个说："谢谢您的光临，请稍等"，招呼后1个时要说："对不起，让您久等了"，使所有客户感到不受冷落。

3）接待客户时，应双目平视对方脸部三角区，专心倾听，以示尊重和诚意。

对有急事而来意表达不清的客户，应劝其先安定情绪后再说。可说："请您慢慢讲，我在仔细听"。对长话慢讲、语无伦次的客户，应耐心、仔细听清其要求后再回答。对口音重、说话难懂的客户，一定要弄清其所讲的内容与要求，不能凭主观推测和理解，更不能敷衍了事将客户拒之门外。

4）答复客户的问询，要做到百问不厌，有问必答，用词用语得当，简明扼要，不能说"也许、可能、好像是、大概是"之类模棱两可或是含混不清的话。

对一些难以回答的问题，不要不懂装懂，随意回答，也不能草率地说"我不知道"，更不能不耐烦地说"你问我，我问谁"等。应该实事求是地说："抱歉，这个问题现在无法解答，让我了解清楚后再告诉您，请您留下联系电话"。

5）客户较多时，应先问先答，急问快答，不先接待熟悉的客户，而是依次接待，注意客情，避免急慢，使不同的客户都能得到应有的接待和满意的答复。

6）在验看客户的证件资料时，要注意使用礼貌用语，验看完后要及时交还，并表示谢意，说："××女士（先生），让您久等了，请您收好，谢谢"。

7）对有意见的客户，要面带微笑，以真诚的态度认真倾听，不得与客户争辩或反驳，而要真诚地表示歉意，妥善处理。对个别有意为难、过分挑剔的客户，应坚持以诚相待、注意服务态度，要热情、耐心、周到，要晓之以理，动之以情。

8）及时做好客户资料的存档工作，以便查阅检索和对客户进行有针对性的服务。

9）坚持售后服务电话跟踪，及时与客户电话跟踪询问，以体现对他们的尊重。

（3）接听电话时的礼仪要求

1）接打电话时，要坐端正，不要嚼口香糖、吃东西或喝水，否则客户会感觉到你是在敷衍了事。

2）接打电话前，要准备好笔和记事本，以便通话时记下要点。

3）电话来时，听到铃声，至少在第2声铃响前取下话筒。通话时先问候，并自报公司、部门。对方讲述时，要留心听，并记下要点。未听清时，及时告诉对方。结束时，礼貌道别，待对方挂断电话，自己再放下话筒。

4）在接打电话时，语音要亲切、自然，吐字较慢而又清楚，接听电话时要认真专心倾听，问答时要简明扼要。

5）工作期间不在电话中聊天，不打私人电话。

6）客户来电话查询时，应热情帮助解决问题。如果不能马上回答，应与来电话的客户讲明等候时间，以免对方久等而引起误会。

任务工单

(一) 任务实施的环境
汽车实训中心维修业务接待前台。

(二) 任务实施的步骤
1) 以小组为单位,各小组成员分别承担客户、服务顾问、维修技工、财务结算人员等角色。
2) 设计多种对话场景进行演练。
3) 小组成员对相关角色的各种礼仪进行评价。
4) 总结分析并演示正确的礼仪规范。

(三) 技能训练及相关实践知识

汽车维修业务接待礼仪训练

【训练任务】 礼仪训练。

【训练建议】 团队实施并提交分析报告,团队成员协作完成。

【评价建议】 可用如下技能训练评价表对学生的操作技能进行评价。

汽车维修业务接待礼仪训练评价表

学生姓名					
团队名称					
团队成员					
测评日期		测评地点			
测评内容					
考评标准	内容	分值/分	自评	互评	师评
	对话场景的设计及演练	30			
	各角色扮演情况	20			
	小组内评价成效	20			
	总结分析报告	10			
	成果展示及介绍	20			
	合计	100			
最终得分(自评30%+互评30%+师评40%)					
说明:测评满分为100分,60~74分为及格,75~84分为良好,85分以上为优秀。60分以下的学生,需重新进行知识学习、任务训练,直到任务完成达到合格为止					

情境二 客户沟通与接待

任务一 汽车维修客户预约

学习目标

通过本任务的学习,应懂得汽车维修客户预约的方法和流程,掌握与客户沟通交流和沟通的方法,熟练掌握与客户电话沟通的技巧,具备从事汽车维修车辆预约、与客户顺利电话沟通等工作的能力。通过学习与训练,学生应能够:

- 熟练地完成维修车辆的客户预约工作。
- 与车辆维修客户进行良好的预约沟通并达成共识。
- 用正确的语言和动作与客户进行电话交流并能使客户满意。

任务分析

近年来,我国汽车保有量不断增加,各汽车维修服务企业都一直在倡导客户预约维护。因为,预约可以提前安排好工位、机修技师、维护接待、配件准备等,以便提高工作效率,让客户能够以最短的时间享受车辆维修维护服务。

相关知识

一、客户预约的工作流程及要素

建议客户在对车辆进行例行维护和修理之前,先向 4S 店电话预约或通过手机 APP、小程序进行在线预约,从而享受省时、省心的汽车维护和修理过程。预约既能让客户避免等待之苦,又可以让 4S 店根据实际情况分流高峰期,使一天中的维护流程相对均衡,从而提高服务质量和客户满意度,更能缩短维护工时和客户的等待时间。

客户预约的技巧

客户预约的工作流程包括维护提醒、预约准备、客户沟通、预约确认等。

> **知识小贴士**
>
> **预约的定义**
>
> 预约,是指与客户预先沟通,了解服务需求,确定服务内容,最终达成服务约定的过程。
>
> **预约分为主动预约和被动预约两种方式:**
>
> 主动预约,是指服务顾问主动提醒客户来店进行的预约服务。
>
> 被动预约,是指客户自主联系经销商进行的预约服务。

1. 维护提醒

服务顾问可通过使用客户管理卡和计算机中存储的客户档案信息，在合适的时间向客户提供按期维护提醒服务。

> 维护提醒的步骤：
> 1）通过客户管理卡和计算机中存储的客户档案，根据客户车辆上次维护日期和行驶里程，计算出下次按期维护日期。
> 2）在客户下次入厂维护日期前 13 日，通过计算机中存储的客户档案，确认需要致电提醒的车辆维护的客户。
> 3）使用客户管理卡，在客户车辆下次维护日前 13 日通过发送短信、微信等形式对客户进行提醒。
> 4）在客户收到微信或短信之后，在客户入厂日前 11 日，提醒客户下次入厂维护。

电话联络前，服务顾问需确认客户车辆之前的维修维护的记录；及时电话联络客户，提醒客户，车辆下次该进行维护的日期及维护内容；询问客户最新的行驶里程并输入系统；记录客户其他特殊需求。假如客户有到店维护的需求，服务顾问需对客户进行临时预约：确认客户车辆的到店时间，确认到店维护内容及客户的其他需求。一汽大众汽车预约的环节及要点见表 2-1。

表 2-1 一汽大众汽车预约的环节及要点

环节	预约前准备		客户沟通			预约确认		
环节要点	分类筛选客户	沟通前准备	联系客户（主动预约）	接听来电（被动预约）	沟通服务需求	确定服务内容	复述内容并提醒	致谢并告别
执行责任人	客服专员（服务）	客服专员（服务）	客服专员（服务）	客服专员（服务）	客服专员（服务）	客服专员（服务）	客服专员（服务）	客服专员（服务）
工具/表格	DSCRM 系统	1. 耳机 2. DSCRM 系统 3. 带一汽大众统一预约彩铃的预约专线呼入电话 4. 预约专线呼出电话	1. 耳机 2. DSCRM 系统 3. 预约专线呼出电话	1. 耳机 2. DSCRM 系统 3. 带一汽大众统一预约彩铃的预约专线呼入电话	1. 耳机 2. DSCRM 系统 3. 带一汽大众统一预约彩铃的预约专线呼入电话 4. 预约专线呼出电话	1. 耳机 2. DSCRM 系统 3. 带一汽大众统一预约彩铃的预约专线呼入电话 4. 预约专线呼出电话	1. 耳机 2. DSCRM 系统 3. 带一汽大众统一预约彩铃的预约专线呼入电话 4. 预约专线呼出电话 5. 预约登记表 6. 定期维护套餐报价表格	

工作手册

一汽大众联系客户（主动预约）操作标准

将耳机佩戴好以后，服务顾问需端正坐姿、面带微笑、清嗓润喉，然后拨打客户电话。

电话接通后，服务顾问首先以柔和的语音、亲切的语气问候客户，然后做自我介绍，最后确认客户身份。

如果接听者是客户本人，服务顾问应询问客户是否方便继续通话，待客户同意后，开始沟通服务需求。

如果接听者不是客户本人，服务顾问应先向接听者询问客户本人信息，获取客户信息后，随即在 DSCRM 系统中更新。

如果接听者无法提供客户本人的信息，则在 DSCRM 系统中标注，以便客户本人下次来店时核实更新。

如果电话无人接听，服务顾问需更换日期和时间再次拨打；如果拨打 3 次以上仍无人接听，则通过短信提醒客户相关预约项目，并留下预约电话。

如果客户不方便通话，服务顾问应先致歉，然后询问客户下次方便的通话时间，确定下次通话后，向客户致谢告别。

随即，将客户约定的下次通话时间录入 DSCRM 系统中，以便下次预约使用。同时，通过短信提醒客户：您的爱车需要维护，并留下预约电话。

一汽大众接听来电（被动预约）操作标准

如果客户使用预约专线呼入电话进行预约，服务顾问在座席电话 3 声铃响内接听电话，对客户的来电首先表示感谢，然后询问客户的需求并仔细倾听、做好记录。

如果客户致电经销商其他员工（如服务顾问等）提出预约需求，该员工对客户的来电表示感谢后，记录客户的联系方式及客户期望的通话时间，然后告知客户会有服务顾问主动与他联系，安排预约。向客户致谢道别后，该员工应立即将此来电信息通知服务顾问，并叮嘱他尽快与客户联系，安排预约。

1. 注意事项

服务顾问应在预约专线呼入电话 3 声铃响内接听；应在 10min 内回复客户的预约短信；应在 30min 内回复客户的预约邮件。

2. 建议

在经销商接待能力充足的前提下，为提高客户满意度，原则上不拒绝当天到店的预约要求。但是，需同时提醒客户正常预约的时间是 1 天以上。

一汽大众汽车 4S 店预约操作流程如图 2-1 所示。

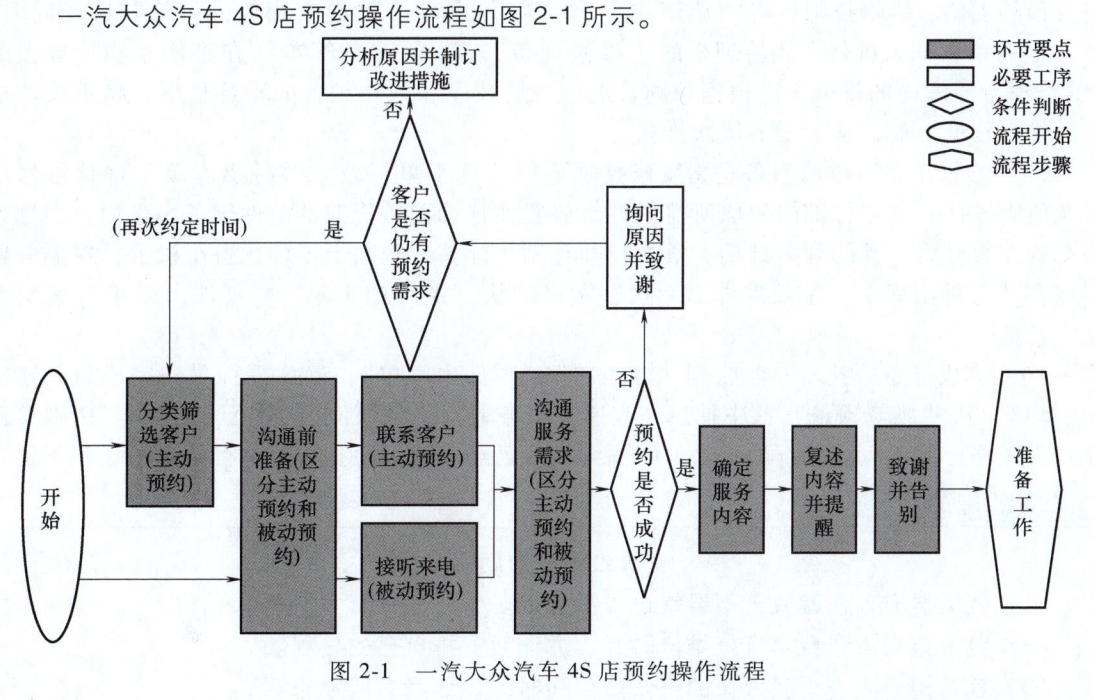

图 2-1　一汽大众汽车 4S 店预约操作流程

2. 预约准备

（1）二次致电　二次致电是针对在第一次致电提醒客户车辆到店维护时，还没有作出决定是否到店的客户，进行第二次致电；再次提醒客户车辆进行下一次按期维护的日期，同时向客户确认是否有预约到店的意向。假如客户有到店意向，服务顾问应立即进行临时预约，确认客户到店时间，确认客户到店维护内容及客户的其他需求。

> 二次致电的注意事项：
> 1）假如在第一次致电客户时，客户明确表示不需要进行下一次到店或预约，则不需要进行第二次致电。
> 2）第二次致电的日期应保证在零件备货期前进行，以保证零件部门有充足的时间进行零件准备。当预约所需的零件需要订货时，服务顾问应及时协商调整预约时间，保证能在客户预约的到店日前将零件准备好。

（2）预约准备　预约准备是针对达成临时预约的客户，需要进行的准备工作。

> 预约准备的内容：
> 1）制作、打印"施工单""估算单"和"零件出库单"。
> 2）确认零件库存。当零件库存不足时，则需要进行零件订货。
> 3）向零件部门确认零件到货时间。若不能在客户预约入厂日到货，则需向客户重新预约时间。

（3）零件准备　零件准备是指服务顾问将"施工单""估算单""零件出库单"递交技术总监，进行零件准备。

（4）移交技师　移交技师是指客户服务人员根据"施工单"，确认客户车辆预约入厂日期及预约工位、维修技师，将"施工单"和"零件出库单"递交相应的维修技师；同时，将"估算单"插入维修车辆治理板的"维修预备"槽中。"估算单"在维修车辆治理板的"维修预备"槽中的排列，应根据预约日期的先后顺序和预约预备的紧急程度，将重要性最高的排列在最上面，从上至下依次排列。

（5）维修预备　维修预备是指维修技师根据"施工单"及"零件出库单"确认维修项目及所需零件；向零件部门领取所需零件，放置在预约预备货架的零件预备小筐内；根据预约车辆车牌号码、预约到店日期、负责技师等制作标签，张贴于零件预备小筐上；根据领取零件在"零件出库单"上就零件出库状态做出确认，将"施工单""零件出库单"递交至技术总监。

（6）完成准备　技术总监收到"施工单""零件出库单"，确认零件预备完成后，连同"估算单"从"维修预备"槽中抽出一起递交服务顾问，告知预约准备已经完成。技术总监在当天工作开始时，应检查确认之前的预约准备已经完成，检查需要进行预备的代步车辆。

知识小贴士

预约客户的期望
1）我需要有人提醒我，不要错过维护周期。
2）我希望有人帮我预订好维修时间，方便我安排自己的日程。
3）我希望有人告诉我大概的维修费用和时间，让我有所准备。

4）我想到店维修不用排队等候。

5）如果进店就有预留的工位，那就太好了。

6）我喜欢预约到熟悉的服务顾问。

……

3. 客户沟通

1）接听预约来电。询问客户需求。

2）查询相应服务工位空闲时间段情况，与客户沟通确认预约服务时间。

3）登记客户车辆信息，逐项确认车辆使用信息；录入登记预约系统。

4）与客户友好告别。

5）发送预约提醒短信。

对于不接受预约客户，提醒客户考虑下次预约时间和处理方式，记录客户意见。

工作手册

一汽大众预约操作标准

1. 主动预约操作标准

在进行维护类项目的预约沟通中，根据客户车辆行驶里程数及维护的不同情况，服务顾问应以不同的方式应对。

1）维护里程数未到期时，服务顾问需在 DSCRM 系统中更新客户车辆行驶里程信息，推荐客户下次来店的日期，随后向客户致谢并告别。

2）维护里程数即将到期时，服务顾问需建议客户尽快来店进行维护，并安排预约。

3）维护里程数已过期时，服务顾问应该告知客户车辆超过的里程数，并提醒客户车辆超过维护期限带来的不利后果，建议客户尽快接受预约。

4）客户车辆已在其他店做过维护时，服务顾问需要了解客户已经在何时何地做过维护，询问原因及客户的满意度，同时建议客户下次维护来本店进行，然后，致谢告别。最后，将此信息记录在 DSCRM 系统中。

在预约过程中，服务顾问如果无法解释客户提出的车辆故障的疑问，则需做好详细记录并邀请客户来店进行检测。

客户如果不愿意接受本次预约，服务顾问需询问其原因。如果客户考虑下次预约，则与客户确定下次约定的日期，同时录入 DSCRM 系统中，以便下次联系客户，安排预约。服务顾问应在电话联系后通过短信提醒客户，并留下预约电话。

对于完全没有接受预约意愿的客户，服务顾问致谢后，做好相关的记录，并汇报给客户管理经理。服务顾问在电话联系后通过短信提醒客户，并留下预约电话。

2. 被动预约操作标准

如果客户致电预约专线呼入电话，服务顾问在接听来电后，应根据客户来电需求的类别进行如下应对：

1）定期维护的情况，服务顾问应按正常预约的程序进行预约安排。

2）故障报修，分两种情况应对：第 1 种，客户车辆可以继续行驶，服务顾问需安慰客户，邀请客户将车移至本店进行检测、诊断、维修；第 2 种，客户车辆不能继续行驶（如车辆故障灯因不明原因报警），服务顾问需先了解客户的姓名及联系方式，然后安慰客户，并告知客户救援人员会前来救援，同时，将客户联系方式告知救援团队，通知他们立即与客户联系。

3）事故报修的情况，服务顾问应在接到报修电话后，询问客户姓名及联系方式，安慰客户，并告知他保险理赔员会立即前来，同时，将客户联系方式告知保险理赔员，通知他立即与客户进行联系。

4. 预约确认

（1）确认零件准备　　收到技术总监递交的"施工单""估算单""零件出库单"后，服务顾问应根据零件出库单的库存，确认零件是否已准备齐全。

（2）预约准备确认　　服务顾问将已经打印好的预约车辆的维修单据分别用透明文件夹分单收集，将已经做好预约准备的文件夹按不同预约到店日进行分类存放。在客户预约到店日之前2日，服务顾问应对所有预约准备好的文件夹进行核对确认。服务顾问可通过客户管理卡和计算机客户档案中的预约到店前2日的预约情况，与已完成预约准备的文件夹进行核对。如果有未收回的预约车辆单据，说明还有车辆预约准备未完成，这时应向技术总监确认能否按时完成准备。

（3）客户预约确认　　确认预约准备完成后，服务顾问应在预约到店日前2日对已临时预约的客户再次致电，进行预约确认。当客户能按预约时间到店时，确认正式预约。当客户要求更改预约时间时，应进行重新预约。假如客户要求重新预约的时间不能铺排，服务顾问应向客户提供能够预约的时间。服务顾问在进行客户预约确认时，应注意：尽可能将预约放在空闲时间，避免太多约见挤在上午的繁忙时段及傍晚；留20%的车间容量应付简易修理、紧急修理，前一天遗留下来的修理及不可预见的延误；将预约隔开（如时间间隔15min），防止重叠；与安全有关的、返修客户及投诉客户的预约应予以优先安排；当订货零件不能在预约入厂日到货时，应及时通知客户，建议客户更改预约时间。

工作手册

一汽大众预约确认操作标准

服务顾问与客户确认预约时，应主动推荐2个可用的预约时间供客户选择。如果客户不接受推荐的预约时间，则尽量与客户协商，争取将预约时间安排在非接待高峰时间。如果客户仍不接受，则根据客户的时间需求，选择可用的时间。

服务顾问主动询问客户有无需要指定的服务顾问。如果有，尽量满足客户需求并作相应安排；如果没有，服务顾问为其安排服务顾问。

服务顾问向客户预估预约项目的时间和费用；对于暂不能确定的项目费用和所需时间，服务顾问应详细记录，并告知客户，邀请他将车辆移至本店，待服务顾问或维修技师诊断后，确定最后的费用和时间。

与客户沟通的同时，服务顾问应将确认的预约项目、时间和费用等相关信息录入DSCRM系统。

【注意事项】

在选择2个时间推荐给客户时，应优先选择经销商服务低谷时间。

应对客户有关费用以及维修时间的问题，服务顾问在做出了估时估价以后，必须向客户提示：最终的费用和维修时间以车辆到店后服务顾问或维修技师的诊断结果为准。

情境二　客户沟通与接待

二、预约登记表的填写

大多数汽车销售服务公司都有自己专用的预约登记表，服务顾问需要在用户允许的情况下，准确、详细地填写好登记表。某汽车销售服务公司汽车维修预约登记表见表2-2。

表 2-2　某汽车销售服务公司汽车维修预约登记表

业务接待：_____　　　　　　　　　　　　　　　　　　　___年___月___日

顾客基本情况			
顾客姓名：		联系电话：	
车型：		里程数：	
车牌号码：		上次进站日期：	
预约情况			
预约进站时间	年　月　日　时　分	预约交车时间	年　月　日　时　分
预约内容			
客户描述：			
故障初步诊断：			
所需配件（零件号）、工时：			
维修费用估价：			
客户其他需求：			
预约上门取车时间	年　月　日　时　分		
预约上门交车时间	年　月　日　时　分		
取车人/交车人签名：		客户或交接人签名：	
备注：			

三、电话礼仪

1. 电话礼仪的形成

在现代社会中，电话已成为人们彼此联系和互通信息的重要工具。由于电话具有传递信息迅速、使用方便、失真度小和效率高等优点，人们的许多交际活动都是借助电话来完成的。

为了使电话成为有效的与人们打交道的工具，就有必要对使用电话的人规定一系列的规则，这就是电话礼仪。

如果服务顾问能遵照电话礼仪的要求接听电话，客户通过电话交谈，就能留下"这位服务顾问如此高素质，肯定这家公司的服务也是一流"的印象。

2. 电话礼仪的 5 项基本要素

电话礼仪的 5 项基本要素包括接听电话、让打电话的人等候、接转电话、记录留言和结束通话。

（1）接听电话　如何接听电话决定了整个电话沟通的结果，因此应按照电话礼仪的程序，按照合适的顺序说得体的话，给人留下积极的第一印象，并且可以传递直接信息。其基本规则如下：

1）在铃响 3 声之内拿起电话。铃响 3 声之内拿起电话是人们能够接受的标准。第 3 声之后，客户的耐心就会减退，甚至会对企业产生怀疑。

> 无人接听电话，意味着许多令人不快的事情，客户有可能作出以下猜测：
> ①你们公司管理制度松散，办公室连一个人都没有，也没人管。
> ②你们公司人手不足，没有办事人员。
> ③你们公司人员素质差，听见电话响，就是不去接。
> ④你们公司停业了。

2）问候来电者。服务顾问接听电话时应以问候作为开始，因为这样可以立即向客户表明自己的友好和坦诚。拿起电话应该先说"您好""早上好""下午好"等问候语。

类似"嗨"这一类的词语也是问候语，但是很多客户并不喜欢这一类问候语，因此在问候客户时避免使用它，因为它过于随便。

3）自报姓名。这一基本的礼貌行为会让来电者知道他已经同所要找的人、部门或公司联系上了。向来电者自报姓名能够节省双方大量的时间，及时、顺畅地进入通话主题。

> 向客户自报姓名的 3 种情况：
> ①接听本人或本公司的直线电话。这种情况下，来电者已知道他所要联系的公司名称，所以服务顾问只需说出自己的姓名即可。
> ②给公司打来的电话。服务顾问和总机接线员经常会接听这样的电话，在这种情况下，只自报公司名称而不是自己的姓名。
> ③接听一个部门的电话。通常只说出自己部门名称，然后报出自己的姓名就足够了；如果是外部打进来的电话，需要先报出公司名称，然后自报部门和自己姓名。

4）询问客户是否需要帮助。说一句"我能为您做些什么？"能表明自己和公司准备帮助客户，满足他们的需求。对本公司其他部门打来的电话时，也应说"我能为您做些什么？"

5）把上述规则组合起来使用。

> 接听电话时可采用的 3 种方式：
> ①直线电话："早上好，我是××，有什么需要帮忙的吗？"
> ②给公司打来的电话："您好，这里是××汽车服务公司，我能为您做些什么？"
> ③接听一个部门的电话："下午好，这里是维修业务前台，我是××，我能为您做些什么？"

情境二　客户沟通与接待

(2) 让打电话的人等候　客户最不愿意遇到的事就是打电话的时候，让其等候，但这种事很难避免，需要服务顾问运用关于让客户等候的礼仪妥善处理。

1) 询问客户是否可以等候。服务顾问每次在让客户等候之前，必须先征得客户的同意，如果只是简单地对客户说"请您稍等一会儿"是不可以的。因为那样只是告诉客户稍等一会儿，而不是征得他的同意，然后等待他的答复。应该这样说："您是否可以等我一会儿？"然后等待他的答复。

2) 等待客户的答复。如果条件允许，服务顾问可以等待客户的答复。一般来说，客户都会说"好吧""可以"来答复。如果当时时间很紧，服务顾问只说了"您是否可以等我一会儿？"还没有等到客户的答复，他就"咔嗒"把电话挂了，这时客户会感到很震惊，以致一时无法对服务顾问作出答复。

3) 告诉客户让他们等候的原因。经验证明，如果有礼貌地告诉客户必须等候的原因，大多数客户都是能够接受"等待"的，使他们等待就会变得很容易，但一定要为客户提供中肯可信的信息。

> 服务顾问可为客户提供以下中肯可信的信息：
> ①"要等一会儿才能回答您的问题，因为我需要和经理商量一下。"
> ②"我需要几分钟在计算机中查到那份文件。"
> ③"我需要一两分钟的时间同其他部门核实一下。"

应使客户了解到服务顾问所提供的理由是中肯可信的信息，而不是以劣质的服务为借口。服务顾问在回答客户时必须将理由说得中肯可信、简明扼要，避免使用"不清楚""可能是""这不是我们部门的事"等。

比如说，想象一下你接到了一位客户的电话，这位客户催问他的车何时修好，何时能取。一种提供信息的答复是："您稍等一会儿好吗？我给维修车间打个电话。"而作为借口的答复是："我不清楚您的车修得怎样了，我知道这段时间车间里的在修车比较多，您的车修好还是没修好很难说。"

4) 提供时间信息。提供时间信息对客户能起到平静安心的作用。需要提供时间信息的具体程度，取决于服务顾问认为客户需要等候的时间长度，如果需要他们等候的时间很长，就要认真地估计一下时间。

> 不同长短等候时间的不同答复：
> ①短暂的等候时间（最多60s）。如果你知道让客户等候的时间会很短，在等候之前，你可以很随便地说："请等一下，马上就好。"
> ②很长的等候时间（1~3min）。这段时间对于客户来说，是没有料到会有较长时间的等候。这种情况下，较好的办法是不告诉客户需要等候的确切时间，而且要重新核实一下客户是否愿意等候，如："我需要两三分钟的时间同我们经理一起解决这个问题，您是愿意稍等一会儿呢，还是您希望我一会儿给您回电话呢？"
> ③漫长的等候（3min以上）。在客户还需要等很久才能真正得到所想要的答复时，最好的办法是在客户对你发泄怒气之前，在等待期间告诉他，当一有消息及时给他回电话，应该每隔30min通知他你在处理他的问题的进展程度。

5) 对客户的等候表示感谢。当回到这条线路上时，服务顾问对客户说"谢谢您"是一

049

种很好的方式，这一行为算是圆满地让客户完成了这次等候，而且感谢了客户的理解和耐心。

工作手册

当你正在与经理商谈着一些重要事情，这时电话响了，你马上拿起电话，问候了来电者，然后有礼貌地说："我正在和经理商谈事情，很快就要谈完，您可以稍等一会儿吗？"你等待着客户的答复。当客户表示同意后，你接着说："谢谢。"在1min之内，你又回到这条线路上对客户说："谢谢您的等候，我能为您做些什么？"

（3）接转电话　客户打电话找的是这个部门，而电话却接到了另外一个部门，或是打电话所找的部门并不主管客户询问的事情，这就需要为客户接转电话。

客户在电话中被转来转去，会产生很多误解，他们会认为服务顾问在有意推脱，不关心他们的要求等。这就需要服务顾问学会处理接转电话的一些方法。

1）向客户解释接转电话的原因以及转给何人。电话接转前，客户会担心"我要被转到哪里去？""接转后，谁来接待我？"所以服务顾问应告诉客户他的电话要被转给什么人及为什么。这样，客户对接转电话原因及转给谁就都清楚了。

2）询问客户是否介意把他的电话接转到他处。在接转电话时，服务顾问一定要询问客户是否介意。有时，客户不希望把电话接转到他处，只想留个口信。

服务顾问接转电话时，几种情况的应对：
①在接转前，首先要询问客户是否介意，如果不介意就进行接转。
②有时电话被接转好几次，应该每次都询问客户是否介意。
③客户不希望接转，只想留个口信，那你就照办好了，并保证把口信送达。

3）在挂电话之前，要确定转过去的电话有人接听。被转过去的电话无人接听会使来电人恼火。为避免这种情况的发生，服务顾问应该不挂断电话直到有人拿起电话接听，确实做到使客户与可以帮助他的人取得联系。

4）要把来电人的姓名和事由告诉即将接听电话的人。一旦等到转过去的电话接通，并有人接听，服务顾问就应该简要地告诉接听人客户的姓名和事由，然后再让接听人与客户通话。此时客户的心情应该非常好，他会感到被很好地接待，也会有一种被公司重视的感觉。

工作手册

赵芬是××汽车服务公司的服务顾问，她主要负责维修前台业务接待。她的电话响了，一位客户打来电话询问日产汽车配件的事。赵芬向这位客户解释她不负责配件，对客户说："对不起，这里是业务接待室，您应该与配件部的李波谈这件事，您愿意让我给您转给他吗？"

这位客户同意了。赵芬说："好的，我现在就给您转过去。"

当李波拿起电话，赵芬说："李波，我这边线路有一位王彭先生，他询问日产车配件的事。"

李波与客户的线路接通了，李波开始接听客户的电话。

这次接转电话的工作完成了，于是赵芬切断了这边的线路。

（4）记录留言　记录留言应注意以下几点。

1）从积极的方面解释自己的同事不在的原因。客户不希望听到在解释他试图联系的人不在的原因时提到一些令人讨厌的细节，同时，你的同事也不希望同完全不相识的人在电话中谈论自己的私生活。作为服务顾问，你要运用那些既能传达留言，而又不透露太多私人信息的一些说法。

> 应该避免在电话中提起的信息举例：
> ①"刘林现在还没来。"这种回答暗示刘林迟到了。
> ②"我不知道刘林到哪儿去了。"这种回答是说刘林是一个不受纪律约束的人，无法了解他的行踪。
> ③"刘林有点急事，现在不在这儿。"这种回答表明刘林去干私事去了。
> ④"刘林请了病假。"这种回答，会使客户问刘林一些私人问题。
> 能以积极的方面解释自己的同事不在的原因举例：
> ①"刘林现在没在"。
> ②"刘林刚从办公室走开"。
> ③"刘林现在不在办公室"。
> ④"刘林正在开会"。

2）在询问来电人的姓名之前，先要告诉他要找的人在不在。在告诉客户他要找的人在不在之前，如果先问客户的姓名，然后再告诉客户他要找的人不在，这种做法会使客户感觉到要找的人在，而故意不接电话。

工 作 手 册

> 一位客户打来电话要找经理，你这样告诉他："我们经理不在办公室，他现在在会议室开会，请问您是哪位？"。

3）说出自己的同事回来的大概时间。若有可能，服务顾问要告诉客户要找的人回来的大概时间，这样做可以使客户重新安排下次再打电话的时间，还会让客户拥有自己掌握主动权的感觉。

4）记下所有重要的信息并附上有关文件。有些公司的服务顾问缺乏团队精神，在回答客户要找的人不在时极不负责任："您要找的人不在"，然后就结束了通话。

作为服务顾问，应该是在告诉客户你的同事不在后，主动为客户记下留言或询问客户是否其他人可以帮忙。如果客户说明打来电话的原因之后，你能够帮助他，那么你就要尽力地去帮他。如果你知道其他人可以帮助他，你就把他的电话转过去。如果你不能帮助这位客户，一定要为客户记下准确详细的包括所有相关信息的留言。

> 留言应包括以下内容：
> ①记下客户姓名、电话号码，并向客户重复一遍，确保准确无误。
> ②解释客户打电话的原因。
> ③客户要联系的那个人的姓名。
> ④客户打来电话的日期及时间。

工作手册

> 服务顾问刘杰接到客户要找经理的电话,他听不出来这位客户的声音,刘杰说:"我们经理不在,但是我想他下午4点前会回来的,我能问一下是哪位打来的电话吗?"客户告诉刘杰他叫王刚之后,刘杰接着说:"王刚先生,我能为您记下留言或是我能为您做些什么吗?"

(5)结束通话　作为服务顾问,即使你在整个通话过程中丝毫不差地运用了电话礼仪,也不要低估以一种积极的语气和恰当的用语结束通话的重要性。

> 有效结束通话的方式:
> 1)重复你已采取的行动步骤,这会确保你和客户都能同意要做的事情。
> 2)询问客户是否需要你要为他做其他的事,这样做会给客户一个最后的机会来完成在通话过程中没有涉及的一些零星事务。
> 3)感谢来电人打来电话,而且让他知道你非常感谢他提出的问题并表达你的重视。
> 4)让来电人先挂断电话。这样做,他就不会感到话还未讲完就被挂了电话。
> 5)一旦挂断电话,就立即记下有关重要信息,避免忙于其他事而忘记了。

四、售后服务能力不足分析

1. 售后服务能力不足的具体表现

售后服务能力不足具体表现在以下3个方面:

1)到店客流高峰时间段不能充分接待,一对一的接待服务质量下降,将导致客单相应减少,造成整体营业额及利润不能随客户保有量的增大而相应增加。

2)服务接待的质量下降以及不能及时维修与完工交车,将导致客户较长时间的等待而产生抱怨与投诉,使得客户满意度降低,造成历年累积下来的高价值客户不断流失。

3)对于售后营运而言,尽管人员增加,但人均效益并没有得到提升,员工忙碌,但按利计酬的人均收入不增反降,造成员工满意度降低,员工流失率增大。

2. 售后服务能力不足的具体原因

售后服务能力不足说明售后服务能力出现了瓶颈,产生瓶颈的具体原因有以下几个:

1)预约没做好,造成售后接待维修业务量分配不均,峰忙谷闲,服务能力严重浪费。

2)生产场地不够或功能不匹配。例如,施工工位不够,周转工位不匹配,钣喷与机电场地比例不协调等。

3)服务流程不适应已经变化的客户需求。

4)维修业务构成复杂化,维修速度相应减慢。

5)维修设备由于场地的限制而不能增加或未改善,造成维修进度放缓。

3. 售后服务能力不足的解决或缓解对策

(1)提高预约率　预约率的提高不是一蹴而就的事情,需要一开始就培养客户预约消费的习惯。

> 有效解决预约率的办法:
> 1)在服务谷底阶段,接受预约服务的客户可以额外享受工时8折、零件9折优惠。

情境二 客户沟通与接待

2）接受预约服务的客户可以享受维修积分翻倍。
3）开展预约服务送免费检查、维护等活动。
4）送工时、送礼品。

（2）改造现有的生产场地，使场地的功能模块适应客户变化的需求。现有生产场地的改造并不需要投入很多的资金，只是对功能模块进行调整。

调整生产场地功能模块的具体做法：
1）增加机电维修车间的面积，减少钣金喷漆车间的面积。因为随着客户保有量的增加，钣金喷漆业务占整体业务的比例相应减少。
2）减少四柱或两柱举升机，增加藏式的剪式举升机。这样可以增加举升工位的功能，使功能工位总量增加。
3）重新配置施工工位与周转工位，使两种工位适应当前的维修需求。
4）根据优先原则，清理那些使用频率相对较低的设备，增置一些有较大需求的设备。
5）如果出于战略考虑，也可以在自己的经营区域辐射快修店。

（3）流程改善或再造 一旦出现瓶颈，维修服务企业就要重新审视服务流程是否延误了接待及维修进度。实际情况是旧的服务流程都是所谓的标准流程，以预防客户的抱怨与投诉为基础，关注的是狭义的质量，而瓶颈出现后，客户对质量的关注更多地在速度，其实此时企业在狭义的质量上已经达到较高的水平。

流程改善或再造的具体做法：
1）在原有的流程上以速度为主，减少那些影响速度的环节，如环车检查、六方位交车、维护车完工全检等，不影响驾车安全的不必要的接待及生产环节都要精简。
2）改进维修生产流程及工艺。例如，传统喷漆作业改流水线喷漆作业，湿磨改干磨。
3）职能岗位充分授权，减少不必要的请示，缩短问题解决时间。例如，加大服务顾问的折扣权，授予索赔员定额的决策权等。
4）对部分业务外包，如光磨制动盘、事故件修复、部分喷漆业务、部分总成大修等。
5）围绕进度对一些工作流程进行改善，如预约的方式、回访的方式、客户满意度调查方式等，充分利用网络资源让客户主动参与企业的服务工作。
6）对于生产能力严重不足的企业，可以尝试夜班制作业，对客户车辆要实行接送制度。

（4）改善车间的技术构成，在多能技工的基础上增加专业技工，合理编制班组。

改善车间技术构成的具体做法有加强技术培训；组织疑难技术攻克小组；测算各种维修项目耗时，制订操作标准；细分专业班组；合理配置技术力量。

（5）淘汰不必要的设备，增加高效率的新设备。

淘汰更新设备的具体做法：

1）淘汰那些费力费时的设备与工具，如原来效率不高的烤房要换成最好的。

2）淘汰占地较大的设备，换之以占地较少且效率又高的设备与工具，如磨床与车床等。

3）对使用频率较低的设备应该清除，可以考虑将这些业务外包。

4）增加新的维修需求设备，如汽车改装所需的设备等。

任务工单

（一）任务实施的环境

汽车实训中心维修业务接待前台。

（二）任务实施的步骤

1）以小组为单位，各小组成员分别承担各种类型客户和服务顾问等角色。

2）设计多种类型客户与服务顾问的对话场景进行演练。

3）小组成员对相关角色的各种电话礼仪进行评价。

4）总结分析并演示正确的礼仪规范。

（三）技能训练及相关实践知识

电话预约与接听技能训练

【训练任务】 完成接待客户的电话预约任务。

【训练建议】 团队独立完成。

【评价建议】 可用如下技能训练评价表对学生的操作技能进行评价。

电话预约与接听技能训练评价表

学生姓名						
团队名称						
团队成员						
测评日期			测评地点			
测评内容						
考评标准	内　　容	分值/分	自　评	互　评	师　评	
	对话场景的设计及演练	30				
	各类型角色电话通话情况	20				
	小组内评价成效	20				
	总结分析报告	10				
	成果展示及介绍	20				
	合　　计	100				
最终得分（自评30%+互评30%+师评40%）						
说明：测评满分为100分，60~74分为及格，75~84分为良好，85分以上为优秀。60分以下的学生，需重新进行知识学习、任务训练，直到任务完成达到合格为止						

任务二　汽车维修接车与客户接待

学习目标

通过本任务的学习，应懂得汽车维修车辆的接车流程和接车技巧，掌握与客户交流和沟通的方法，具备从事汽车维修车辆接车、与客户打交道等工作的能力。通过学习与训练，学生应能够：

- 熟练地完成维修车辆的接车工作。
- 与车辆维修客户进行良好的接车沟通并达成共识。
- 用正确的语言和动作接待客户使客户满意。

任务分析

汽车维修接车过程中要求服务顾问（S/A）能完全理解客户的需求，用语言引导确认故障症状，向客户推荐其不知道的附加项目等。在接车与客户接待过程中对客户处理是否得当，能否圆满完成服务工作，是影响企业形象和企业效益的关键。

相关知识

一、汽车维修服务流程

在现代汽车维修企业，对维修车辆的服务过程通常包括客户预约、接车与客户接待、车辆初检、业务派单、车辆维修、质量检验、车辆结算、车辆交付和客户回访9个流程，如图2-2所示。

图2-2　汽车维修服务流程

1. 客户预约

大多数客户都希望能尽量减少维修的等待时间，客户预约能有效减少维修等待时间，同时能加强维修服务企业与客户的沟通和联络，提高客户满意度。品牌汽车特约维修企业对客户预约都非常重视，为服务顾问设计了一套提高预约的方法，同时提供多种优惠支持。

> 雷克萨斯的特约维修站安排客户预约的方法：
> 1）让客户知道预约服务的各种好处。
> 2）在客户接待区和客户休息室放置告示牌，提醒客户预约。
> 3）在对客户回访跟踪时，宣传预约业务，让更多的客户了解预约的好处。
> 4）由服务顾问经常向未经预约直接到店的客户宣传预约的好处，增加预约维修量。

2. 接车与客户接待

客户将车辆停好后，由引导人员将其带入维修接待区域并根据公司要求介绍给某个服务顾问。此步骤其实就是一个服务顾问与客户沟通的过程，也就是一个问诊的过程。在此过程中，需要服务顾问对客户的接待做到主动、热情、耐心、周到，同时向客户讲解本公司的服务项目等事宜。

3. 车辆初检

接车后，服务顾问应和客户一起对车辆进行初步检查，主要是对车辆进行六方位环车检查，并按照标准表格中的项目填写，将检查结果记录在维修单或检查的表格中，由客户签字确认。

4. 业务派单

车辆初检完成后，服务顾问经过与客户的协商后确定需要完成的服务项目，打印出相关服务项目工单。工单是一个合同，服务顾问要注意在客户签字之前，必须向客户进行"5项确认"，另外还要注意3个问题。

> "5项确认"的具体内容：
> 1）工单中有哪些服务项目。
> 2）工单中的服务项目合计约需要多少费用（估算值与实际值相差不能超过10%）。
> 3）工单中的服务项目所需的大概时间。
> 4）是否需要保留更换下来的配件，确认是放行李舱还是其他地方。
> 5）是否需要免费洗车。
>
> 需要注意的3个问题：
> 1）所维修的项目如果不是常见项目，先要向配件部门咨询是否有货。若无货，则询问需多长时间到货。
> 2）将客户车钥匙拴上钥匙卡，记明车牌号、工单号、服务顾问名字、车型、颜色、停放位置等。
> 3）如果客户车钥匙带有钥匙链，要在工单明显处注明。

5. 车辆维修

维修技师根据工单中的服务项目迅速对车辆展开维修，如果在维修过程中出现隐形故障，首先由服务顾问来替客户甄别哪些故障是现在必须修理的，哪些是暂时不用修理的等。如果有维修增项，需要服务顾问与客户进行沟通，最好把各个故障及损害的程度一一向客户说清楚，由客户定夺。

维修技师如果发现不能按时完工，应及时提醒服务顾问。当天取车的至少提前半小时，隔天取车的最好提前1天说明。服务顾问应该根据工单表明的完工时间，及时向车间控制室询问工作进度。如果不能按时交车，服务顾问必须主动提前向客户说明维修延时的原委并道歉。

6. 质量检验

车辆维修完成后，由质量检验员对维修质量进行检验，确认故障已经排除，车辆运行正常，然后由服务顾问对照"查车单"检查车辆，包括工单的服务项目是否都已经完成、车辆的里程数是否异常、车辆外观有无变化等。

服务顾问在验车时，应将座椅、反光镜、后视镜等的位置及角度调回客户车辆到店时的状态。

7. 车辆结算

服务顾问在确认维修项目及备注部分和计算机中记录的一致后，结算员打印"结算单"，服务顾问为客户解释项目和费用的构成，并提醒客户车辆下次维护的时间及里程。服务顾问需要陪同客户进行结算，如果有新增项目，也要向客户再次解释。

8. 车辆交付

结算完毕后，服务顾问应将车钥匙、行驶证、出厂凭证、维护提示卡等准备好，交给客户。将车钥匙等物品交给客户时，服务顾问应将随时可以与自己取得联系的方式及一些注意事项告知客户，同时将准备好的"客户满意度调查表"请客户填写，为本次服务进行评价。

服务顾问需将客户送至车旁，为客户打开车门，撤掉三件套，最后引导客户车辆至公司大门口，送别客户。

9. 客户回访

客户离开后，服务顾问在"客户档案"中进行备案，一定的时间后需要进行客户回访，针对回馈信息，及时改进流程，做到真正的"以人为本，持续改善"。

二、接车过程中的要点

1. 接车目的

通过与客户面对面地沟通和进行专业的车辆检验，可以把握客户的需求和车辆状况，制订准确的维修维护方案；通过快速、专业、热情的接待服务，可以展现良好品牌形象，提升客户满意度，建立良好的客户关系。接车操作流程如图2-3所示。

2. 接车要点

1）车间对通过质检的车辆进行外部清洗、内部吸尘，清洁过的车辆必须比送来时更干净。清洁时必须注意保护漆面，车门玻璃上的水尽量擦干。

2）车辆清洗完毕后，车间将车辆开至竣工车停车位上，通知服务顾问验车。服务顾问必须注意车辆停放整齐，并保证车头面对通道或大门口，便于客户将车辆驶出。

3）交车准备工作包括检查进厂项目是否全部完成、车辆外观是否有损伤、车内物品是否有遗失等内容。

4）交车准备做完后，服务顾问应与客户取得联系，确定客户方便的提车时间。

5）如果客户无法及时来店提车，在条件允许的情况下，服务顾问应为客户送车。服务顾问送车前应先准备好"结算单"，并通过电话向客户解释作业项目及发生费用，最后在送车时陪同客户验车并进行结算工作。

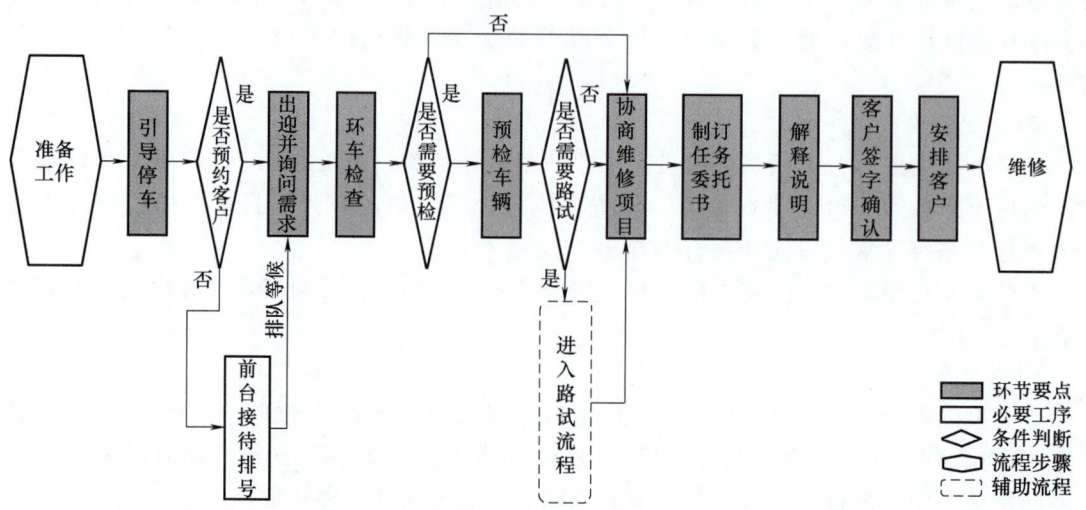

图 2-3　接车操作流程

6）陪同客户验车时，服务顾问应携带一条白毛巾及"委托单"陪同客户一起验车，对没有安置护车套件且维修人员可能接触到的位置进行擦拭，并当着客户的面将护车套件取下。

7）验车时，如果需要进行旧件交接，服务顾问应告诉客户更换下来的旧件放置的位置，并请客户当面核对。

8）若客户需要试车，服务顾问应坐在前排乘员的座位上（此时前排乘员侧的座椅套和脚垫不能取下）陪同试车，试车完毕下车后，将接触过的地方用白毛巾进行擦拭。

9）服务顾问应陪同客户进行结算。

10）服务顾问需针对客户到店时描述的情况将"结算单"中所涉及的作业项目及发生的费用向客户进行解释。如果有新增项目，也要向客户再次解释。

11）客户离开后，服务顾问在客户档案中进行备案。

12）从通知客户交车到物品交接完毕，尽量控制在 5min 内。

3. 接车注意事项

如果客户排号等待时间较长，接待员应做好安抚客户的工作。接待员应及时、热情答复客户的咨询问题。经销商应确保接待台随时有员工进行接待员工作。

4. 接车建议

1）接车繁忙时，具备接车能力的人员都可以参加接车。

2）进店台次较少时，接待员可由其他具备接待和咨询能力的人员兼任。

3）接待台可根据实际工作情况设置合适的位置以便接待。

4）接待员可以在接待台将填好"接/交车单"的客户信息部分转交服务顾问，再由服务顾问携带"接/交车单"引领客户前往接车，以提高接车效率。

5）可以在接待台前摆放座椅，由接待员安排等待中的客户就坐并享用饮料，而不必引领客户前往客户休息区休息。

6）若接待台有人值班时，接待员可与服务顾问一同前往休息区寻找客户。

情境二 客户沟通与接待

7) 非接待高峰时段,接待员可以暂时不填写客户接待登记表,而是在"接/交车单"上填写客户信息以及接车时间等内容,在客户离店前汇总记录在客户接待登记表上。

三、身体语言的使用与技巧

身体语言是在人际交往过程中最常见的一种礼仪表现形式。通过人的肢体动作和表情来表现思想感情的语言符号,称为身体语言。

身体语言是一种非文字语言,包括人的体态姿势、动作和表情。人们在交往中不用口头语言,而只用一个眼神、一个表情、一个微小的手势和体态,就可以传递出非常丰富的无声信息。

> 身体语言的特点:
> 1) 身体语言的表达效果比有声的口头语言有时会更丰富、更生动,表达出真实、诚恳的心态。
> 2) 身体语言所发出的信息相比口头语言,具有含蓄、模糊的作用,给人以朦胧美的感官享受。

1. 身体语言的作用

(1) 交流情感作用　一个眼神、一个动作所表达的意思,双方相互心领神会,将起到交流情感的作用。

(2) 提示与指令作用　如果你当着对方面收拾公文包,是在提示对方:"我要下班了,你应该走了"。当你去找经理时,经理正在与厂商谈生意,经理给你一个手势,是在指令你:"你先干别的去,等我忙完了再来找我"。

(3) 联想作用　身体语言所发出的信息具有含蓄性和朦胧感,因而在许多情况下要进行猜测和联想。例如,你当着客户的面收拾公文包,你真实的想法是提示客户"我要下班了,你应该走了"。

> 客户除了已理解出你的原意外,还可能会联想出许多其他想法:
> 1) 他是在催我走。
> 2) 不愿和我交谈了。
> 3) 我有些地方惹他生气了。
> 4) 我有些地方得罪了他。
> 5) 下次还会不会约我再谈。

2. 运用身体语言的技巧

(1) 目光接触　一双炯炯有神的眼睛,给人以感情充沛、生气勃发的感觉。目光呆滞麻木,则使人产生疲惫厌倦的印象。

> 目光接触的作用:
> 1) 目光接触是最有效力的身体语言技巧之一。因为它可以让客户了解你正在饶有兴趣、聚精会神地听他说话,也愿意接受他的看法。
> 2) 目光接触可以在听到客户所说的话的同时了解他的感受。
> 目光接触技巧的运用:
> 1) 把目光的焦点柔和地落在客户的脸上,就能做到目光接触。比如,客户走近你,

不管你在做什么，你要立即目不转睛地看着他的脸，同他进行目光接触。当谈话继续时，应该不时地移开目光，避免给人一种印象，认为你正盯着他。

2）不论是初次见面的人，还是熟人，见面时首先要眼睛睁大，以闪烁的光芒目光接触片刻，面带微笑，显示出喜悦、热情的心情。

3）对方长时间回避你的目光而左顾右盼，是对方不感兴趣的表示，交谈应当尽快结束。

4）目光紧盯，表示忧虑。

5）目光乜斜，表示鄙夷。

6）睁大眼睛，表示吃惊。

7）瞪大眼睛，表示气愤。

8）偷看相觑，表示窘迫。

9）表达过度。用锐利的目光盯着对方，使人不敢正视，令人感到紧张和不安。

10）表达不充分。当客户走近你，而你却低着头伏案工作，不与客户进行目光接触，客户会理解为你不愿意和他打交道。

（2）微笑　人的喜、怒、哀、乐都能在面部上表露出来。面部表情是人的内心情感在面部上的表现，你的面部表情能让你周围的人知道你正在高兴、难过、激动等。

在人际交往中，"笑"有着特别重要的作用：

1）微笑是处理好人际关系的一种重要手段。面对不同场合、不同情况，如果能用微笑来接纳对方，可以反映出你具有高超的修养，待人至诚。

2）微笑是调节融洽的交往氛围的有效手段。微笑所表现出的温馨、亲切的表情，能有效地缩短双方的距离，给对方留下美好的心理感受，从而形成融洽的交往氛围。

3）微笑是化解矛盾的有效手段。微笑具有一种魅力，它可以使强硬者变温柔，使困难变容易，使对立变和解，是化解矛盾的有效手段。

微笑表达过度时会使人感到：

1）生硬、虚伪，笑不由衷。

2）若在对方痛苦之时微笑，会让对方认为你在幸灾乐祸。

微笑表达不充分的情况：

1）当客户走近你，你面部毫无表情，没有一丝笑容。

2）当客户走近你，你笑得非常勉强、非常不自然，是那种"皮笑肉不笑"的笑。

（3）腰部以上的身体姿态　当客户对你不耐烦或想结束谈话时，他会有以下身体动作：向后靠或走开；把身子从你那边移开；推开椅子；收拾文件；在你仍在讲话时收拾公文包；不停地看表。

为表现出你非常热心地倾听客户的谈话，并且对此很感兴趣，你应该做到：

1）点头。不需要用语言表明你正在注意倾听别人讲话的最好方式之一就是点头。当一位客户正向你不停地讲解某件事的一些细节时，你不插话，但你又希望让他知道你正在听他讲话，这个时候点头特别有效。

点头表达过度：偶尔点头表明你正在倾听，但持续不断地点头表露了不耐烦的情绪。

点头频率加快是在催促客户"赶快说完"。谈话间歇阶段你仍在点头，表明你根本没有留意周围发生的一切。

点头表达不充分：机械性点头；毫无表情地点头；客户饶有兴趣地向你述说，你没有一点反应。

2）面对客户。如果你把整个身子转向客户，你将向他传递这样一个信息：他得到了你全部的、毫无分散的注意力。

3）向前倾身。在与客户交谈过程中，如果你不想结束谈话，那么你就要轻轻向前倾身，从而让客户了解你对他所说的话很感兴趣。当客户正在表达强烈感情时，你一定要向前倾身，对他说："我确实非常乐意听你讲的，我对你非常理解。"

（4）手势　手势在人际交往中有着重要作用，它可以加重语气，增强感染力。大方、恰当的手势给人以肯定、明确的印象和优雅的美感。有很多人喜欢一边说话，一边做手势。

1）运用手和其他物品表示的手势用法。这种用法是指那些依靠某些道具，能够清楚地为你提供关于客户情绪信息的手势。这些手势包括：

①把笔帽套在钢笔上，并把它装入衣袋。这一动作表示准备结束这次会面或谈话。

②用手指叩击桌子。这表示一种不耐烦或失望的情绪。

③不停地用力转动手中的笔。这个动作可以有两种不同的含义：一种表示很不自在；另一种表示正陷入沉思。可观察一下其他身体语言信号来确定当时是哪种含义。

2）单独用手表示的手势用法。不用任何道具，这些手势包括：

①张开手的姿势（四指并拢，拇指伸开）。这种手势用来表示一个指示，它表示邀请向某一方向走或朝某一方向看。张开手的姿势也是指向一个人或物品有礼貌、优雅的一种方式。

②合拢手的姿势（伸出食指指着）。这种手势用来传送一个指示，它被解释为一道命令，而不是邀请。用这种手势来指向人是不礼貌的，尤其是在很近的范围内用这种手势指着别人的脸，这个动作很明显地表达了敌意和愤怒。

③表达过度，如运用手势太频繁、手势动作太大等。

④表达不充分，如把手紧贴在身体两侧、缺乏手势、手势太少等。缺乏手势会给客户留下这样的印象：认为你被客户所说的话吓住了，或者是不知所措了。

（5）握手　在身体接触方式中，最通行的、最能让人接受的身体语言是握手。握手通常表示欢迎、欢送、见面相会、告辞，对人表示祝贺、感谢、慰问，表示和好合作等。

握手的方式及要求：

1）一定要伸右手，手掌垂直。

2）握手时间一般以3~5s为宜，关系亲近的可以长时间相握。

3）握手的力度应适度，太猛太重是非礼貌行为。太轻，会让对方觉得你在敷衍、冷淡他。

4）对男性，握手时可稍重一些，对女性则应轻柔。遇到多年不见的老朋友，不仅可以长时间相握，而且可以加大力度，再晃上几晃。

5）如果戴有手套，应先摘下手套再握手。

6）长幼之间，应待长者伸手后，幼者再及时伸手相握。

7）上下级之间，应等上级主动伸手后，下级再伸手。

8）男女之间，应由女士先伸手，男士再伸手。如果女方没有握手的意思，男方可用点头礼表示礼貌。

9）宾主之间，作为主人，对到来的客人，不论男女、长幼，均应先伸出手去，表示热烈欢迎，女主人也应如此。

10）一人面对众多客户，相见时不可能一一握手，可以用点头礼、注目礼、招手礼代替。

握手要避免表达过度，不应有的握手方式有：

1）握手用力太猛，把对方握痛。

2）戴着手套握手。

3）与多人握手时用交叉握手。

4）用左手握手。

5）用一条胳膊搂抱客户的肩膀。

6）拍打客户后背。

7）强行握手。

8）长时间握手。

9）长时间晃手。

10）强行拉住客户不让他走。

11）双手握手。

握手要避免表达不充分，不应有的握手方式有

1）握手时犹豫不决。

2）客户主动与你握手，你却有意躲避。

3）刚与你握手，你只是轻轻地稍碰了一下，就把手抽了回来。

（6）整洁　身体语言的另一部分是整洁。能否做到整整齐齐、干干净净、有条不紊，对个人形象和工作环境有着重要的影响作用。

1）个人形象。服务顾问个人的打扮对客户有很大的影响。脏乎乎的手和指甲，乱糟糟的头发和呛人的体味是容易令人反感的。如果不正视、不解决这些问题，作为代价，你将会失去一些讲究仪表的客户。

同样，衣冠不整会使人产生一种负面的印象。如果大家都是统一着装，只有你不打领带，或制服是脏兮兮的，或与别人穿的不一样，那么你就显得非常不自然。这些疏忽被客户看到，会给他留下"你是一个马虎、缺乏条理的人"的印象。

客户希望服务顾问的衣着和外表符合职业的需要。如果你是一名汽车维修技师，你身上沾满油渍、手上沾满机油，这正是客户心目中汽车维修技师的标准形象。如果你的工作服上没有一滴油渍，手也是干干净净的，客户反而会认为你维修技术很差，认为你没有打开过汽车发动机舱盖。

2）工作环境。如果你的客户有机会进入你的工作环境，那么工作环境的整洁是非常重要的。通过看你的办公桌和工作环境，对于你的能力如何以及你的工作是否安排有序，客户就可以得出结论。

知识小贴士

梅拉宾法则（The Rule of Mehrabian）

一个人对他人的印象，约有7%取决于谈话的内容，辅助表达的方法如语调、语气等则占了38%，肢体动作所占的比例则高达55%，如图2-4所示。

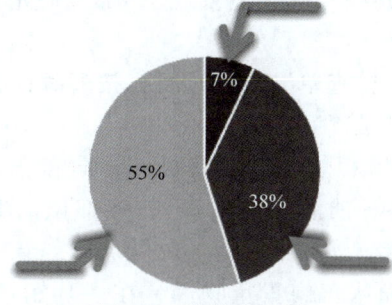

图2-4 梅拉宾法则

四、客户接待的流程及要素

1. 日常准备

1）服务顾问每天需准备好不少于15份的三件套，整齐放置在三件套柜子中备用。

2）服务顾问每天需准备好必要的文件和记录单，如预约登记表、环车检查单、零件订购单、返修记录单、定期检查维护与建议单、施救单、交车前检验（PDS）检查表、PDS挂卡等。

3）服务顾问每天需准备好计算机中要使用的文件，如工时查询表、常用零件价格表、维修合同范本等。

4）服务顾问每天需检查看板预约栏中的预约工单等，及时更新看板，将"一日前预约"的预约工单移动到"当日到店预定"栏中。

5）服务顾问每天需检查并填写预约欢迎看板上的内容，保障预约信息与看板预约栏的信息一致。

6）服务顾问每天需将预约欢迎板和当日预约工单放在三件套柜子上。客户到店时，服务顾问需立即通过车型和车牌号结合预约欢迎板，确认客户是否为预约客户。

7）服务顾问每天需备好名片、干净整洁的工装、工号牌等个人礼仪用品。

练一练

课堂演练：常用礼仪动作16招

演练内容：服务顾问常用礼仪动作
演练方式：分组演练不同动作
演练信息：

1组	2组	3组	4组
自我介绍	指引	请坐	示意（手势）
开车门	介绍他人	上/下车	引领
站姿	蹲姿	走姿	坐姿
递送饮品	递笔	递送名片	递送资料

2. 接待预约客户

1）预约客户到店后，预约的服务顾问应带上环车检查单、施工单、座椅套、脚垫和转向盘套等，在客户下车时立即上前迎接，敬称客户名字，面带微笑问候客户："你好，欢迎光临，您是来做预约维修维护的吧，我是服务顾问××，由我来接待您。"

2）请客户一起进行环车检查："先生（女士），那我们先看看车吧。"

3）当着客户面铺好三件套。

4）服务顾问应按照"环车检查单"上的项目，按顺时针方向环车依次确认，并在检查单上做好记录，确认时请客户一起察看。

主要确认项目包括车内（里程表、制动踏板、转向盘、音响等）、发动机舱、车前身（车灯、发动机舱盖、牌照、各种油液位确认等）、各部位油漆、轮胎胎纹、车门和锁、刮水器、行李舱（备胎）、车后身（车灯、后保险杠等）。

5）服务顾问必须和客户确认车内贵重物品，在"环车检查单"上标明并说："先生（女士），您的车内有什么贵重物品吗？还请您确认一下。"

6）如果环车检查时发现车辆有问题，服务顾问应及时与客户沟通并提出追加维修建议。

7）车身检查后，服务顾问应请客户确认检查结果："先生（女士），您的车我都检查了一遍，车身、轮胎等各部位都没有问题，您确认一下吧。"

8）实车确认结束后，服务顾问应带领客户到维修接待台："先生（女士），车辆已经初步检查好了，现在请和我一起回接待台吧！"

9）服务顾问再次同客户一起确认预约的时间和委托事项并在"环车检查单"上签字确认。

10）服务顾问根据预约记录和"施工单"中填写的维修/维护项目，向客户确认预约的作业内容，得到客户确认后，向客户询问是否还有追加项目，并说："先生（女士），不知您是否感觉车辆在其他方面也存在问题？不论哪方面的问题，您都可以告诉我。"

11）如果客户提出有别的问题，如异响类、电路故障、软故障等委托事项，服务顾问应准确记录客户的描述，并向客户复述确认。

12）如果客户提出关于车辆问题的疑问，服务顾问应运用所掌握的专业知识向客户详细解释说明，不能解释的疑难问题应及时请维修组长或车间主任向客户说明。

13）服务顾问应向客户提出维护建议和零件更换建议。

14）客户确认后，服务顾问应在"施工单"上准确填写工作指示的内容和需要退换的零件。

3. 未预约客户的接待

1）未预约客户到店后，导修员应确认客户来店的目的。如果是维修客户，请客户出示维护手册并由导修员在空白的"环车检查单"上登记出车牌号后交给客户，并引导客户到前台处等待服务顾问的接待。如果不是维修客户，导修员应引导客户到相应的区域。

2）服务顾问接待未预约客户时，应先向客户问好："您好，欢迎光临！请问您今天是做维护还是维修？车有什么问题吗？我是服务顾问××，由我来接待您。"然后通过前台看板进度确认并告诉客户维修作业能够开始的具体时间。如果需要等待，服务顾问必须向客户说明："先生（女士），实在很抱歉！因为今天到店维修维护的车辆比较多，现在的维修工位都在施工，需要过半个小时才能接待您的车辆，您看您方便等半个小时吗？"

3）如果前台服务顾问不在场或正忙于接待，导修员应先请客户在前台等候区入座等候并致歉意："很抱歉，请您稍等片刻，我们的服务顾问马上会过来接待您。我先给您准备一杯茶水吧！"

4）服务顾问请客户提供导修填写的"环车检查单"和维护手册，进入客户档案系统查看客户档案资料，了解客户车辆上次的维修维护情况。"××先生（女士），请您稍等一下，我先查看一下您上次维修维护的具体情况。"

5）核对客户的信息，如果有不正确的，服务顾问应立即在客户档案系统上更改。如果客户档案系统上没有该客户资料，应立即在客户档案系统上登录详细的客户信息和车辆信息。

6）服务顾问应在客户档案系统上发行"施工单"，并打印出带有该客户资料和车辆信息的施工单。

7）服务顾问应详细倾听客户的需求，并将需求记录在"环车检查单"上。

8）服务顾问应带上"环车检查单"和"施工单"，请客户一起到车辆接待区进行环车检查。后面流程与预约客户的接待一样。

工作手册

一汽大众迎接客户操作标准

1. 引导停车

1）客户车辆到达门卫处，门卫面带微笑主动出迎，示意客户停车。

2）客户车辆停稳后，门卫站到主驾驶位车门旁，向客户问候并询问来意。

3）门卫根据客户的不同回答，指引至相应的区域；对前来维修维护的客户，指引客户驶向服务区。

4）客户车辆到达服务区时，引导员面带微笑，快步迎上，引导客户将车辆停至停车位。

2. 出迎并询问需求

（1）对于按时履约的预约客户

1）服务顾问根据预约客户欢迎看板的信息，携带"服务包"（内含接/交车单、预约登记表、五件套、"预约"标识牌和擦拭用无纺布等），提前到接车区等待客户到来。

2）车辆停稳后，服务顾问走向车门旁，主动为客户打开车门，请客户下车。

3）客户下车后，服务顾问将车门关闭；然后面向客户，做自我介绍。

4）服务顾问根据预约登记表信息与客户确认预约项目，再主动询问客户除预约项目外是否还有其他需求，认真倾听，并详细记录在接/交车单上，同时为预约车辆加装"预约"标识牌。

（2）对于非预约的客户以及未按时履约的客户

1）引导员主动为客户打开车门，请客户下车，主动问候客户并作自我介绍，然后指引客户前往接待台。

2）客户到达接待台时，接待员主动问候客户，自我介绍并向客户推荐预约服务，然后询问客户信息并填写客户接待登记表。

3）接待员根据客户接待登记表给客户排号，然后根据服务顾问的接待排班顺序，联系相应的服务顾问前来接待客户。

4）如果没有空闲的服务顾问，接待员应告知客户其排号顺序和预计的等待时间，并在安排其他人照看接待台之后，引领客户到客户休息区休息等待。

5）当有空闲的服务顾问时，接待员通知服务顾问到前台等候。

6）服务顾问在接到接待员的通知后，携带"服务包"（内含接/交车单、五件套和擦拭用"无纺布"）前来接待台。

7）服务顾问到达接待台后，接待员去休息区接客户回接待台。在接待员去接客户期间，服务顾问应暂时负责接待工作。

8）接待员把客户接回接待台后，先把服务顾问介绍给客户，再把客户介绍给服务顾问。

9）接待员做完介绍后，服务顾问微笑点头问候，并引领客户前往客户车辆处。

10）服务顾问询问客户需求，并记录在接/交车单上。

4. 环车检查

（1）检查步骤及要素　有条件时，应向客户提供贵重物品储物袋，或提供专门的箱柜来保管客户的贵重物品。服务顾问检查内饰时，可邀请客户坐在前排乘员座椅一同进行检查。

对于无法当场判断的故障，服务顾问应通知车间调度员（或机修车间主任）安排预检工位，然后将车辆移至预检工位进行预检，必要时，由车间调度员（或机修车间主任）指派有能力的维修技师协同预检。预检结果出来后，服务顾问应及时告知客户。

如果服务顾问（或维修技师）确定需要对车辆进行路试，服务顾问（或维修技师）需征得客户同意之后才进入路试流程。

如果车辆预检需要车间派工以及安排工位等支持，则服务顾问可以预先开具带检测项目的任务委托书。检测后发现新的维修项目时，填写"维修变更申请表"请客户确认。

车辆检测结束后，服务顾问引领客户前往工作台，引客落座，逐项向客户解释接/交车单中的车辆检测结果。

服务顾问根据接/交车单中客户需求陈述以及车辆检测记录，确定维修项目、预估费用及预计交车时间，与客户沟通无异议之后，请客户签字确认，以便随后制订任务委托书。

（2）环车检查注意事项　对不愿参加环车检查的客户，服务顾问可以自行环车检查，但环车检查后必须告知客户环车检查的结果，并请客户在接/交车单上签字。

服务顾问在检查过程中，应注意手势、蹲姿、语音、语速等行为举止的表现。

如果服务顾问确定客户车辆需进行预检或路试，则无论客户是否陪同，服务顾问都要提前明确告知客户，并做好解释工作。客户不陪同时，服务顾问应引导客户至客户休息区。

六方位环车检查如图 2-5 所示。

情境二　客户沟通与接待

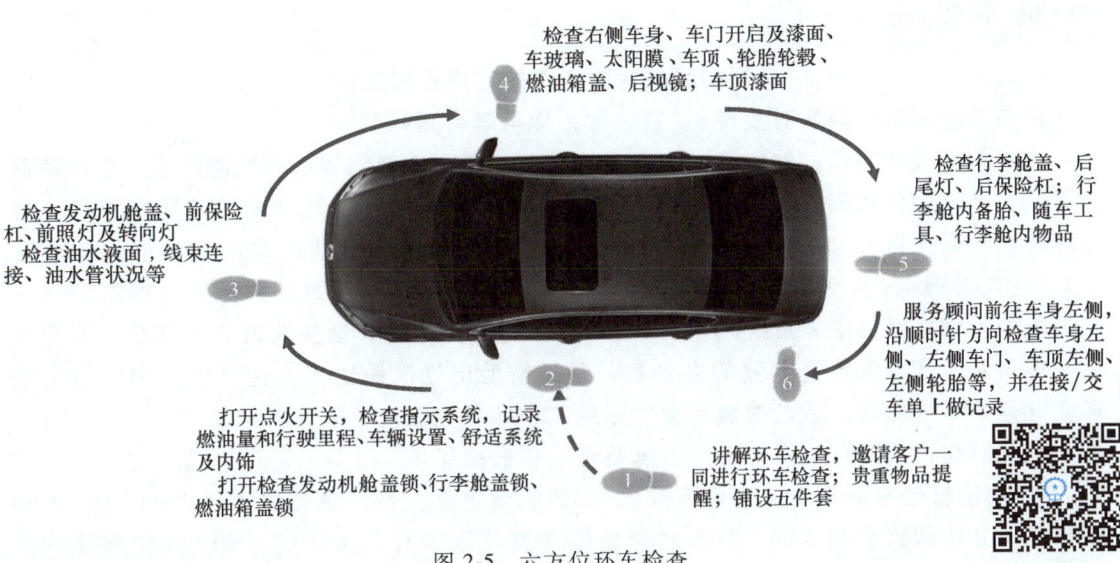

图 2-5　六方位环车检查

环车检查

> **工作手册**

一汽大众环车操作标准

1）服务顾问首先向客户讲解即将进行的环车检查，并邀请客户一同进行环检；提醒客户带走所有贵重物品，勿遗留在车内。服务顾问向客户讲解五件套的功能后，为车辆按照如下顺序罩上五件套：脚垫、座椅套、转向盘套、排挡杆套和手制动杆套。环车检查时，服务顾问与客户简单交流检查项目和目的。

2）服务顾问进入驾驶室，检查燃油量及行驶里程、内饰情况，电子指示系统、舒适系统等，记录车辆设置以便交车时回位，并在接/交车单上做记录。服务顾问打开发动机舱盖锁、行李舱盖锁、燃油箱盖锁，然后下车，关好车门。

3）服务顾问前往车头前方，打开前发动机舱盖，检查前发动机舱盖、前保险杠、前照灯及转向灯、油水液面、线束连接、油水管状况等，并在接/交车单上做记录。检查时，注意礼貌阻止客户将头部伸入发动机舱盖内侧，以免发生危险。

4）服务顾问前往车身右侧，沿顺时针方向检查车身右侧、右侧车门、车顶右侧、右侧轮胎、燃油箱盖及天线等，并在接/交车单上做记录。

5）服务顾问前往车尾，在征得客户同意后，打开行李舱盖，检查行李舱盖、后尾灯、后保险杠、行李舱内备胎及随车工具，并在接/交车单上做记录。

6）服务顾问前往车身左侧，沿顺时针方向检查车身左侧、左侧车门、车顶左侧、左侧轮胎等，并在接/交车单上做记录。

7）服务顾问询问客户是否洗车、是否保留旧件，在接/交车单上做好记录，并让客户签字确认。

8）如果服务顾问通过环车检查无法确定故障的原因，则告知客户需对车辆进行预检。

> **知识小贴士**
>
> **良好的服务需要多次的客户跟踪工作**
>
> 记得经验丰富的同事对我说:"做销售,你得学会跟踪。"
>
> 为进一步说明问题,他举了一个生动的实例:有个人看到我们的招聘广告,在应聘截止最后一天,他向我们投来他的简历(最后一天投简历的目的是使他的简历能放在一堆应聘材料的最上面)。1天后,他打电话来询问我们是否收到他的简历(当然是安全送达),这就是跟踪。4天后,他来第2次电话,询问我们是否愿意接受他新的推荐信(一些国家的人对推荐信格外重视),我们的回答当然是肯定的,这是他第2次跟踪。在两天后,他将新的推荐信传真至我的办公室,紧接着他电话又跟过来,询问传真内容是否清晰,这是第3次跟踪。我们对他专业的跟踪工作印象极深。
>
> 从那时起,我体会到跟踪工作的重要性。有数据显示:
>
> 2%的销售是在第1次接洽后完成的;3%的销售是在第一次跟踪后完成的;5%的销售是在第2次跟踪后完成的;10%的销售是在第3次跟踪后完成的;80%的销售是在第4~11次跟踪后完成的。
>
> 与此形成鲜明对比的是,在我们日常工作中,我们发现,80%的销售人员在跟踪1次后,不再进行第2次、第3次跟踪。少于2%的销售人员会坚持到第4次跟踪。
>
> 跟踪工作使您的客户记住您,一旦客户采取行动时,首先想到您。
>
> 跟踪的最终目的是形成销售,但形式上绝不是我们经常听到的"您考虑得怎么样?"
>
> 跟踪工作除了注意系统连续外,我们更需注意其正确的策略:
>
> 1)采取较为特殊的跟踪方式,加深客户对自己的印象。
>
> 2)为每一次跟踪找到漂亮的借口。
>
> 注意两次跟踪时间间隔,太短会使客户厌烦,太长会使客户淡忘,推荐的间隔为2~3周。
>
> 3)每次跟踪切勿流露出您强烈的渴望。调整自己的姿态,试着帮助客户解决其问题,了解客户最近在想些什么。工作进展如何。
>
> 请记住:80%的销售是在第4~11次跟踪后完成的。在竞争激烈的现代社会,您的商务工作更需要通过您一次次地跟踪来开展。

五、客户跟踪的方法与技巧

1. 客户跟踪的目的和意义

服务顾问通过对接受企业服务的客户进行定期回访,来查找工作中的失误和问题产生的原因,减少或消除客户的误解、抱怨并使客户感受到关心和尊重,从而与客户建立牢固的关系,以增加客户的忠诚度。

2. 客户跟踪人员的职责

(1)服务经理

1)每月分析客户回访月报。

2)制订预防纠正措施。

3)落实预防纠正措施。

（2）服务顾问

1）确保客户资料的准确性。

2）询问客户是否愿意接受企业的电话回访，确认回访的时间和电话。

3）每天将竣工的客户维修资料交给服务经理。

4）协助服务经理处理客户的抱怨。

5）落实整改措施和预防措施。

工作手册

一汽大众客户跟踪服务

1. 定义

跟踪服务是指在客户离店后以多种形式主动联系客户，征询客户对服务的满意程度，同时对客户的建议、抱怨和投诉进行及时、有效处理的过程。

2. 目的

跟踪服务是经销商对服务质量和客户满意度的有效回馈和验证。通过跟踪服务，可以了解客户的感受和意见，发现服务中存在的问题，从而进行针对性的改进，以便持续提升服务水平、巩固客户关系。

3. 客户期望

1）有人关注我的感受和建议。

2）回访人员既专业又热情。

3）回访电话不要打扰我的工作或休息。

4）回访内容简短、精炼。

5）我的问题能得到及时的处理。

3. 客户跟踪的对象及侧重点

接受回访的客户应该是直接接受了经销商维修服务的人员，或者是车辆的实际车主。

1）进行过维修且同意接受回访的客户，客户跟踪应侧重于客户在经销商处的感受和维修质量等方面。

2）超过一定时间（如 6 个月）未来维修过的用户，客户跟踪应侧重于客户为什么很长时间没有到店维修，从而找出客户流失的原因。

4. 客户跟踪实施的流程

客户跟踪实施的流程如图 2-6 所示。

（1）客户跟踪前的准备

1）服务顾问从每天的"维修委托书"中或通过客户管理系统挑选出需要回访的客户。

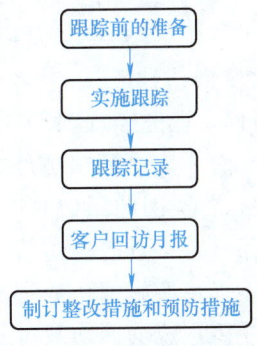

图 2-6　客户跟踪实施的流程

2）利用客户管理系统查询长时间没有来维修的客户。

3）将这些客户的资料按照"客户跟踪记录表"的要求填写上去。

4）确定需要跟踪回访的问题。

5）确定执行这些维修回访的时间，制订跟踪回访的计划。

（2）实施跟踪　服务顾问按照跟踪计划实施电话回访。客户回访时的电话技巧如下：

1）问侯。"您好！我是××企业服务顾问××，您是××先生/女士吗？××时您的车到我处进行过××维修，我厂（站）委托我打电话给您，对您光临我站表示感谢。您现在是否方便进行电话回访？"

注意：如果客户当时没有时间或是不方便接听电话，应该中断访问并约定客户方便的时间继续访问。

2）回访中（在"客户回访记录表"上记录回访内容）。对于客户的抱怨不要进行解释，你可以说："您反映的问题已经记录下来，我会转给相应的人员，您看什么时候方便，我会请他们给您打电话，您看可以吗？"。每一个问题客户只需要回答"是或否"。

注意：如果在电话回访中发现客户有重大的抱怨或投诉，应使用企业专门的"维修回访/投诉处理表"进行详细记录并按照投诉处理流程进行处理。

3）结束。"谢谢您提出的宝贵意见，我将把您的意见反馈给有关部门，非常感谢您接受我们的回访，同时再次感谢您光临我站，再见××先生/女士！"

> 客户回访过程中应注意的问题：
>
> ①回访内容：服务顾问应根据不同的客户不同的情况，选择"回访参考标准问题"中的相关问题进行回访，如果客户反映有其他的问题，则可填写到其他问题项目中。应详细记录回访内容。
>
> ②发现存在客户抱怨的"用户电话回访记录表"，应在半个工作日内递交总经理并抄报业务经理/服务经理。
>
> ③售后业务经理/服务经理收到"用户电话回访记录表"后应及时调查处理，并在1个工作日内回复客户。
>
> ④每月末根据"用户电话回访记录表"编制月报并上报总经理，抄报业务经理/服务经理。
>
> ⑤售后业务经理/服务经理根据月报，制订质量分析报告和改进措施并跟踪效果。

（3）跟踪记录　服务顾问按照预先准备的问题进行提问并且在"跟踪记录表"上记录。

（4）客户回访月报　经销商的服务顾问在做完"客户回访记录表"之后，应在月末编制"回访月报"，对客户反映出来的问题进行汇总、统计。及时将此"回访月报"上报给总经理、业务经理/服务经理。

"用户电话回访月报表"是一个月所做客户回访的汇总，它将反映出当月客户回访的总数，各类问题回访的情况，及相关问题及时处理完成率等指标，具体包括

1）本月应回访数量。

2）实施回访数量及百分比（实施回访数量/本月应回访数量）。

3）成功回访数量及百分比（成功回访数量/本月应回访数量）。

4）对上次维修的满意度。

5）各个问题的满意度。

6）客户反映的比较多的问题等。

（5）制订整改措施和预防措施　针对"客户回访记录表"、回访月报和"维修回访/投诉处理表"反映出来的问题，各经销商的服务经理或售后业务经理应及时制订出相应的整改措施，以便在最短时间内解决问题，以消除客户的抱怨。

对"客户回访记录表"和客户电话回访月报反映出来的普遍性问题,虽还没有生成客户的抱怨,也应制订相应的预防措施加以整改,提升服务质量,消除潜在的客户投诉的产生。

整改措施的制订由业务经理/服务经理、服务顾问、技术专家等相关人员共同完成。整改措施应明确整改措施的责任人和完成时间,整改措施应报经销商总经理批准,由责任人具体操做执行,业务经理/服务经理负责监督,并将执行的情况及时上报总经理。

六、交流和沟通的方法与技巧

作为服务顾问,能运用多种形式的技巧固然重要,但没有任何一种比好的沟通更重要。沟通是帮助你找出客户正确、完整需求的技巧,是工作中不可缺少的一环。有效的沟通更容易带给客户满意的服务,是鼓励对方开诚布公地把心里话说出来的有效技巧。达到有效的沟通应该运用如下方法。

1. 用提问的方式去了解客户的需求

高质量的提问可使服务顾问与客户都受益,双方都可以明白对方的需要。想了解客户实质性的需求并不是很容易的事,需要通过几个步骤来真正了解到客户的需求。

第1步,客户接受提问,即请求对方允许你取得所需要的资料。在这时,你已表现出对他的尊重,他会自然而然地与你对话,这个请求会是简单的、舒适的,你可以说:"我问您几个问题可以吗?"

第2步,找出事实的问题,即通过对话找到客户遇到问题时的实际资料。在问及找出事实的问题时,你可用"什么""如何""为什么""是么"等问句去找出重要的实际资料。

> 找出事实的常用问题:
> "耗油太多是突然发生的事吗?"
> "您的车子在市区的耗油量如何,在高速公路上又如何?"

第3步,找出感受的问题,即找出更多的用以证实有关主题的资料。当你提问找出感受的问题时,目的不是要得到是或否的答案,而是希望得到详细的回应,好让你更加了解事情的背景,进而引导客户说出他的感受、疑惑与担忧。在找出感受的问题时,你可用"您想""您感到""您认为"等词语,希望得到对方的一段描述。例如,你已问过3个耗油问题后,就可以问:"那您认为它应该是怎么样的呢?"

用这种方法你就会知道客户期望些什么,甚至会找出一些意想不到的资料,这对解决客户遇到的问题是非常重要的。

2. 学会倾听的技巧

学会倾听的技巧

什么是倾听?倾听不等于听见。例如老师在教室上课,班上有的同学会在课堂上聊天,此时你可以听到整个教室的所有声音,但是你会有意识地努力倾听老师讲的内容,这就是倾听。它不是一个耳朵接收声音的过程,而是大脑接收信息的过程。

积极的倾听能够使客户更加开放自己的内心,能够建立互相信任,使客户更容易接受你的建议和解释。

1)当你很难弄懂对方的表达意图的时候,可在用户说话完成后进行询问,并重述用户的问题,以便更清楚地理解用户的意图。

例如：先生，您刚才说您的车是在车速80km/h时抖动加剧，对吗？

2）要对有歧义的词语加以警惕。这些词语可能会引发过激反应，或造成偏见。

3）对专业术语的使用要有尺度。很多用户对专业很强的术语并不知道其含义，如果过度使用容易造成用户不理解，双方达不成共识。

4）如果你无法接上对方的谈话，那么就注意一下关键词和使用最多的词。当说话的人谈吐不清、词不达意、不切题时，这种情况会经常发生。

5）倾听时注意力要集中，要目视对方，经常点头表示感兴趣、理解或赞同。不要经常打断对方说话，但可以适当提问题、做记录。

6）倾听过程中要注意身体语言。倾听客户说话时，不要将手背在后面，不要将手插在裤袋里，不要拨弄手指、笔。

课堂游戏：倾听的信息遗失

练习方式：课堂游戏。

倾听信息：一位车牌号为吉A12345的迈腾车主李先生，预约今天下午2点30分到店进行维护，此次为该车的第二次维护。该车主表示车辆行驶时有点跑偏，想做一下四轮定位；另外，还想检查一下底盘是否有碰伤。该车主的妻子非常爱干净，请注意不要将车后排座椅上的男童衣服弄脏。另外，行李舱内有一个车主送岳父的蛋糕不要压坏，因为今天是他岳父的生日。

游戏规则：4人完成，首先请3个人回避，A看完信息以后，请B进来，A告诉B题目内容，然后B转达给C，依此类推，最后D向全班复述内容，并与题目核对。

游戏总结：倾听中会存在信息遗失，在接收信息的时候，由于我们一次能记忆的信息量有限，因此在信息传递过程中，可以采用工具（如笔记本）记录，减少传递次数。当没有工具时，可以利用金字塔原理辅助记忆。

3. 将自己代入客户的身份

如果服务顾问能设身处地地为客户着想，就会更容易去了解、去满足客户的需求；而且对自己来说也有利，因为客户感到服务顾问能很了解他，他就会愿意接受服务顾问的建议。例如，某一位客户的情绪是愤怒或失望的，服务顾问可以说："我知道你很生气，换了我也会这样的……"

4. 对客户作出反应

对客户的需求作出适当的反应是服务顾问找出问题必须要做的事，服务顾问要提出好的问题和对客户表示关注才能做到这一点。

当服务顾问对客户表示关注，客户就会开始信任他，相信他是为自己而工作。对于服务顾问来说，表示关注的方法可以直接地说出客户对某一件事的感受，一个具体的方法就是把自己所能察觉到的客户感受，用自己的演绎方式重复一遍。

表示关注的说法：

"让我看看我是不是明白您刚才所说的……"

"如果我没看错，您对车子的性能是满意的，只是不喜欢它的耗油量罢了"。

汽车维修业务接待 第2版

课 堂 训 练

姓　　名：_____

班　　级：_____

学　　号：_____

指导教师：_____

机械工业出版社

目　　录

情境一　识别汽车维修业务接待 …………………………………………………… 001
　任务一　走进汽车售后服务 …………………………………………………… 001
　任务二　认识汽车维修业务接待 ……………………………………………… 003
情境二　客户沟通与接待 ………………………………………………………… 007
　任务一　汽车维修客户预约 …………………………………………………… 007
　任务二　汽车维修接车与客户接待 …………………………………………… 010
　任务三　汽车维修客户意见处理 ……………………………………………… 012
　任务四　汽车维修车辆交付及结算 …………………………………………… 014
　任务五　汽车维修客户回访 …………………………………………………… 016
情境三　汽车维修车辆服务 ……………………………………………………… 019
　任务一　汽车维修车辆初检 …………………………………………………… 019
　任务二　汽车维修业务派单 …………………………………………………… 021
　任务三　汽车维修及质量检验 ………………………………………………… 025
　任务四　汽车质量担保 ………………………………………………………… 026

情境一　识别汽车维修业务接待

任务一　走进汽车售后服务

素养目标

1. 培养时间管理能力，合理安排时间，提高效率。
2. 养成严谨细致的工作习惯，注重细节，减少失误。
3. 树立质量强国理念，提升民族自豪感。

课堂训练

（一）课堂训练项目一

售后服务人员岗位职责介绍

1. 训练内容：针对一个具体的汽车售后服务企业岗位（如前台主管），介绍岗位职责。
2. 训练方式：发放展示贴纸，分组演练，利用看板现场展示，个人介绍岗位职责。
3. 训练信息：收集售后服务人员岗位职责信息。

售后服务人员岗位职责介绍情况表

岗位名称	
上级岗位（发展）	
下级岗位（管理）	
岗位职责	
要点总结	

（二）课堂训练项目二

品牌汽车售后服务理念介绍

1. 训练内容：针对一个具体汽车品牌（如理想汽车、一汽大众汽车等），介绍该品牌的售后服务理念。
2. 训练方式：发放展示贴纸，分组演练，利用看板现场展示，个人介绍。
3. 训练信息：每组选择一个具体汽车品牌，利用网络等途径，查阅相关信息资源，收集该品牌的售后服务理念信息。

品牌汽车售后服务理念介绍情况表

汽车品牌名称	
汽车品牌简介	
售后服务理念	
理念解析	
要点总结	

(三) 课堂训练评价

课堂训练评价表

学生姓名		团队名称	
评价项目			
评价等级	□优秀　□良好　□中等　□及格　□不及格		
评价加分		测评日期	
测评教师		测评地点	

思考练习

(一) 单项选择题

1. 汽车售后服务的目标是（　　），实现客户满意。
   A. 理解客户　　　　B. 与客户沟通　　　　C. 服务客户　　　　D. 满足客户需求
2. 下列有关车间内的基本工作职责的陈述中不正确的是（　　）。
   A. 车间主任向技师分配任务，监督他们的技术质量并对进度进行跟踪管理
   B. 技师进行维护和修理，并将其执行的任务向客户进行说明
   C. 技师的车间主任执行维护和修理，并对维修完成的汽车进行最终检查
   D. 服务顾问在接待区处理客户的总体需求

(二) 多项选择题

1. 服务顾问的职责包括（　　）。
   A. 向客户提供专业的技术咨询
   B. 出售服务、配件和附件
   C. 维修车辆
   D. 解释发票的内容并妥善地把车辆交还客户
2. 要做到向客户提供优质服务，必须从（　　）着手。
   A. 高质量的维修服务　　　　　　　　B. 瞬间服务
   C. 补救性服务　　　　　　　　　　　D. 售后服务电话跟踪

(三) 填空题

现代汽车售后服务呈现出（　　）、（　　）、（　　）、（　　）、全球化的趋势。

(四) 简答题

1. 服务顾问的岗位职责包含哪些内容？

2. 汽车售后服务有哪些不同于一般商品的特点？

3. 汽车售后服务的理念有哪些？

任务二　认识汽车维修业务接待

素养目标

1. 树立主动解决问题的意识，塑造勇于面对困难的品质。
2. 培养自我反思与评价能力，总结经验，改进不足。
3. 提高自主学习能力，树立终身学习理念。

课堂训练

（一）课堂训练项目一

汽车动力性能介绍

1. 训练内容：分组选择一款当前热销车型，收集资料，制订方案，小组代表介绍该款车型的动力性能。
2. 训练方式：发放展示贴纸，分组演练，利用看板现场展示，小组代表介绍。
3. 训练信息：收集汽车动力性能信息。

汽车动力性能介绍情况表

车型名称	
动力性能参数	
主要性能特点	
竞品分析	
要点总结	

（二）课堂训练项目二

客户进入接待厅时的接待

1. 训练内容：针对客户进入汽车售后服务接待大厅时，训练作为服务顾问的接待礼仪和动作。
2. 训练方式：角色扮演，分组演练，小组代表现场展示，其他成员现场总结评价。
3. 训练信息：分角色扮演不同环境（如晴天和雨天）的各类型客户，小组代表展示服务顾问的接待礼仪和动作。

客户进入接待厅时的接待情况表

客户情况分析	
接待礼仪情况	
接待动作情况（手势、动作、递送名片）	
接待语言情况	
要点总结	

（三）课堂训练评价

课堂训练评价表

学生姓名		团队名称	
评价项目			
评价等级	□优秀　□良好　□中等　□及格　□不及格		
评价加分		测评日期	
测评教师		测评地点	

思考练习

（一）单项选择题

1. 以下做法不符合流程要求的是（　　）。
 A. 尽量自己独自去检查车辆，让客户休息
 B. 车辆检查完成后，应与客户确认维修项目
 C. 在服务咨询环节，需要询问客户付款方式
 D. 在服务咨询环节，需要提供报价和预估时间

2. 在车旁接车过程中，对于客户的报修项目，应该（　　）。
 A. 客户的描述不专业，应将其转化为专业术语
 B. 应将客户的描述口头向技师转达
 C. 应原话记录客户的描述
 D. 我们是专业的，记录应根据我们的理解

3. 打电话给客户时，在礼貌的开始通话初始，应该（　　）。
 A. 向通话对方表明自己的身份　　B. 称呼客户的名字要发音正确
 C. 询问对方需要什么帮助　　　　D. 以上皆是

4. 当员工不能立即解决客户投诉时，最好的做法是（　　）。
 A. 寻求主管帮助　　　　　　　　B. 登记并查询客户投诉分析与处理汇总表
 C. 重新分析客户会产生抱怨的主要原因　D. 告诉客户谁会在什么时候联系他/她

5. 需要（　　）提醒客户约定的时间。
 A. 提前 24~48h　　　　　　　　　B. 提前 24~72h
 C. 提前 48~72h　　　　　　　　　D. 提前 48~96h

6. 汽油机的压缩比一般为（　　）。

A. 5~8　　　　　　B. 6~9　　　　　　C. 7~10　　　　　　D. 15~22

7. 发动机处于正常工作情况下，冷却液温度的指示值为（　　）。
A. 70~90℃　　　　B. 65~80℃　　　　C. 85~100℃　　　　D. 70~100℃

8. 轮胎尺寸标示 205/55 R16 中的 55 表示（　　）。
A. 车轮半径　　　　B. 轮胎扁平比　　　C. 轮胎面宽　　　　D. 车轮直径

9. 电话结束前，应注意的细节有（　　）。
A. 重述细节与目的　　B. 提供解决方法　　C. 重复我的名字　　D. 以上皆是

10. 下列关于"客户满意度"的说法中，正确的是（　　）。
A. 各经销商 CVP 分数完整/准确地反映了真实情况
B. 所有经销商员工每次都达到最高服务标准兑现对客户的承诺
C. 建立市场占有率的短期战略行为
D. 这是建立在对客户最高期望基础之上的

（二）多项选择题

1. 关于女士在穿着正装时需要注意的一些着装关键点，下列描述正确的是（　　）。
A. 裙装比裤装更加正式　　　　　　B. 裙装长度超过膝盖
C. 衬衫衣领外翻　　　　　　　　　D. 出席正式场合必须穿着裤装

2. 对于正式场合着装，以下关于领带的要求描述正确的是（　　）。
A. 系好后领带尖端正好位于腰带的上、下缘范围内
B. 避免纯黑色无花纹款式
C. 出汗时可解开衬衣领口，此时不可继续系领带
D. 宽度与西装上衣翻领及体形相协调

3. 客户满意度如果用公式来表述，即客户满意度＝服务质量－客户期望。下面对客户满意的特点描述中，正确的是（　　）。
A. 客户满意是动态的，因此，我们的服务现在做得好还不行，将来应做得更好
B. 客户满意是相对的，因此，我们要提供个性化的服务
C. 客户评价是否满意是主观的，因此，我们需要看竞争对手的服务、看别的服务行业的服务
D. 客户评价是否满意是通过一个个细节来判断的，因此，我们需要做好每个环节，尤其是首尾工作必须做好

4. 与客户沟通时，想要更好地倾听应该（　　）。
A. 有时候，我们手头事情很多，我们可以一边处理手上的事情、一边听客户说话
B. 我们应对客户的表述做出反应，如点头、回复"嗯""有意思"
C. 我们面对客户表达不同的内容，应配合恰当的表情，并不一定永远是微笑
D. 重要的内容应该在谈话结束前重复一遍，以更好地与客户确认

5. 做好客户到店前的咨询准备工作直接关系的客户满意度，作为服务顾问，应做好的准备工作有（　　）。
A. 查看车辆历史维修记录　　　　　B. 确定可能的潜在销售机会
C. 查询相关技术信息，以用客户能听懂的语言向客户解释故障现象等
D. 确定零件是否有库存和技师是否到位等

（三）填空题

1. 礼仪的作用表现在（　　　　）、（　　　　）、（　　　　）和（　　　　）4个方面。

2. 互动式问诊是让客户、（　　　　）和（　　　　）在一起，以便共同确认车辆状况，决定（　　　　）。

3. 使用"引导步"时，接待员应站在客户的（　　　　）；接待员入座时，应坐满椅子的（　　　　）。

4. 汽车的首次维护称为（　　　　）或者磨合维护。根据车型的不同，走合维护的里程数从（　　　　）km到（　　　　）km不等。

5. 汽油发动机的两大机构与五大系统分别为（　　　　）、（　　　　）、（　　　　）、（　　　　）、（　　　　）、（　　　　）和（　　　　）。

（四）简答题

1. 汽车维修业务接待的作用是什么？

2. 汽车维修业务接待的素质要求有哪些？

3. 站立时禁忌的姿势有哪些？行走时禁忌的姿势有哪些？

4. 接听电话时的礼仪要求有哪些？

情境二　客户沟通与接待

任务一　汽车维修客户预约

素养目标

1. 锻造良好心理素质，应对压力与挫折，保持积极心态。
2. 提升辩证思维能力，全面、客观地看待问题。
3. 提高沟通与表达能力，清晰交流专业观点和成果。

课堂训练

（一）课堂训练项目一

服务顾问主动预约的信息收集和处理

1. 训练内容：客户主动预约的注意事项；电话预约的表格填写；接听客户电话时应该怎样跟客户打招呼。
2. 训练方式：根据任务要求，确定所需要的场地和物品，并对小组成员进行合理分工，制订详细的客户主动预约的应对计划。
3. 训练信息：收集服务顾问主动预约接待前场地及物品准备信息。

服务顾问主动预约接待前场地及物品准备

检查及记录完成任务需要的场地、设备、工具及材料。

场地：_____

检查工作场地是否清洁及存在安全隐患，若不正常，请汇报教师并及时处理。

记录：_____

车辆：丰田卡罗拉 GL 轿车；雪佛兰科鲁兹；丰田凯美瑞（选做）

其他：_____

设备及工具：_____

（二）课堂训练项目二

服务顾问被动预约的信息收集和处理

1. 训练内容：思考预约推广可以针对哪些客户进行？对预约的客户可以给予哪些优惠？如果在推广预约时，客户不愿意继续接听电话，预约专员该运用什么话术？
2. 训练方式：根据任务要求，确定所需要的场地和物品，并对小组成员进行合理分工，制订详细的 4S 店预约的计划。
3. 训练信息：每组根据制订的计划实施，完成以下任务并记录。

哪些工作可以预约？

根据制订的工作流程实施现场演练。

（三）课堂训练评价

课堂训练评价表

学生姓名		团队名称	
评价项目			
评价等级	□优秀　　□良好　　□中等　　□及格　　□不及格		
评价加分		测评日期	
测评教师		测评地点	

思考练习

（一）单项选择题

1. 在进行电话预约时，如遇客户有检查维修项目，（　　）向客户估时或估价。

   A. 需要　　　　　　　　B. 不需要

2. 在拨打维护提醒电话时，需要向客户（　）。

   A. 阐述维护的好处　　　B. 阐述预约的好处

   C. 估时　　　　　　　　D. 估价

3. 在预约方式的选择上，最好选用的方式是（　　）。

   A. 电话　　　　　　　　B. 微信

   C. 登门拜访　　　　　　D. 客户喜欢的方式

4. 在预约流程中，应该为预约客户预开工单，关于预开工单，以下说法错误的是（　　）。

   A. 可以提高工作效率

   B. 客户预约的信息在第一时间输入工单，可以节省时间

   C. 可以避免重复录入，减少差错

   D. 预开工单将会占用资源，尽量避免预开工单

5. 在维修工作中，应计划（　　）车间维修能力用于预约维修。

   A. 大约60%　　　　　　B. 如果可能，总是保持100%

   C. 大约40%　　　　　　D. 参考值80%，与车间的预约率有关

6. 下述工作中，属于汽车售后服务预约工作的内容有（　　）。

   A. 询问上次维修时间及是否重复维修

   B. 告知某些备件的剩余使用寿命

   C. 询问行驶里程

   D. 介绍特色服务项目及询问用户是否需要这些项目

7. 汽车售后服务流程中的第一个重要环节是（　　）。

A. 准备工作　　　　　　B. 预约
C. 接车　　　　　　　　D. 跟踪

（二）多项选择题

1. 电话礼仪检查项目包括（　　）。
A. 电话机旁有无准备记录用纸和笔
B. 是否在电话铃响 3 声之内接起电话
C. 是否在接听电话时做好详细记录
D. 接起电话有无问候"您好"或"您好，xx"
E. 是否正确听取了对方打电话的意图
F. 是否重复了电话中的重要事项
G. 是否声音甜美、面带微笑

2. 最佳的拨打电话的时间为（　　）。
A. 9：00—11：30　　　　B. 2：00—5：00
C. 8：00—12：00　　　　D. 14：00—18：00

（三）判断题

1. 服务顾问在接听客户电话时，要在铃响 3 声之内接起。（　　）
2. 预约可以均衡地分配全天的工作量，因此只对公司有益。（　　）。

（四）填空题

1. 询问用户的（　　）、（　　）、（　　）、（　　），并记录在预约记录表中。
2. 查阅用户档案，进一步确认用户信息，以保持档案记录的（　　）和（　　）。

（五）简答题

1. 汽车常规维护的作用有哪些？

2. 机油和机油滤清器为什么要定期更换？

3. 事先预约对客户的好处有哪些？

4. 常规维护的车辆检查主要检查哪些内容？

任务二　汽车维修接车与客户接待

素养目标

1. 树立主动解决问题的意识，塑造勇于面对困难的品质。
2. 培养系统思维，从整体上把握复杂系统。
3. 增强友善价值观，与人为善，团结互助，营造温馨氛围。

课堂训练

（一）课堂训练项目一

接待到店的预约客户

1. 训练内容：收集接待岗位职责的资料；服务顾问接车注意事项；来车接车表单的填写要求。
2. 训练方式：根据任务要求，确定所需要的场地和物品，并对小组成员进行合理分工，制订详细的预约客户到店接待的应对计划。
3. 训练信息：根据制订的计划实施，完成以下任务并记录。

根据客户描述的故障，制订故障诊断的流程。
_____
_____

根据制订的工作流程描述故障原因及解释维修工作页。
_____
_____

写出安全要求及注意事项。
_____
_____

（二）课堂训练项目二

服务顾问接待客户的礼仪

1. 训练内容：收集并演练接待过程中礼仪注意事项；服务顾问的仪容仪表规范；接待有意见客户时的注意事项。
2. 训练方式：根据任务要求，确定所需要的场地和物品，并对小组成员进行合理分工，制订详细的客户接待的应对计划。
3. 训练信息：根据制订的计划实施，完成以下任务并记录。

第一次见到客户时应该怎样跟客户打招呼。
_____
_____

根据制订的工作流程实施现场演练。
_____
_____

（三）课堂训练评价

课堂训练评价表

学生姓名		团队名称	
评价项目			
评价等级	☐ 优秀　　☐ 良好　　☐ 中等　　☐ 及格　　☐ 不及格		
评价加分		测评日期	
测评教师		测评地点	

思考练习

（一）单项选择题

1. 在进行常规项目客户接待时，如果客户说汽车养护用品没有用，（　　）继续给客户介绍。
   A. 需要　　　　　　　B. 不需要

2. 车辆行驶达2年，行驶30000km，需要做的维护项目是（　　）。
   A. 燃油系统清洗　　　　　　　　B. 制动系统清洗
   C. 蒸发器清洗　　　　　　　　　D. 冷却系统清洗

3. FBI不包含（　　）。
   A. 特性　　　　B. 利益　　　　C. 影响　　　　D. 优势

4. 下列部件不属于车辆的易损易耗件的是（　　）。
   A. 空气滤清器滤芯　　B. 机油　　　C. 摩擦片　　　D. 制动钳

（二）多项选择题

1. 一般维修客户接待前应准备的工具有（　　）。
   A. 三件套　　　B. 预检单　　　C. 量规　　　D. 工单夹

2. 下列关于一般维修客户接待中的环车检查描述正确的有（　　）。
   A. SA自己进行车辆确认　　　　　B. 边查车边记录车辆检查单
   C. 需要积极邀请客户一同进行环车检查　　　D. 在上车前铺三件套

3. 下列关于一般维修客户接待描述正确的有（　　）。
   A. 在车旁询问客户车上是否有贵重物品
   B. 环车检查单需要客户签字确认
   C. 在打开客户私密空间前需要征得客户同意
   D. 如果只是少量现金可以不进行记录

（三）判断题

服务顾问在接待客户时，应当着客户的面熟练安装车辆护具，顺序是转向盘罩-座椅套-脚垫。（　　）

（四）填空题

1. 在环车检查时，服务顾问应该（　　　　）、（　　　　）、（　　　　）、（　　　　）等。

2. 开具工单时，需要确认的客户信息包括（　　　　）、（　　　　）和（　　　　）。

（五）简答题
1. 汽车发动机的常见故障有哪些？

2. 当针对常见故障问诊时，主要围绕哪些方面？

3. 问诊的方法有哪些？

4. 一般维修客户接待的环车检查与常规维护项目接待的环车检查有哪些区别（至少列举5点区别）？

5. 如何快速处理维修增项？

任务三　汽车维修客户意见处理

素养目标

1. 树立诚信价值观，诚实守信，言行一致，树立良好信誉。
2. 锻造良好心理素质，应对压力与挫折，保持积极心态。
3. 锻炼应急处理能力，迅速冷静应对突发状况。

课堂训练

（一）课堂训练项目一
处理客户异议的过程
1. 训练内容：思考令客户不满意，从而引发异议和抱怨的原因有哪些。在接待有异议的客户之前，应该怎样调整自己的心态。客户在提出自己异议时希望听到哪些答复。准备的工具、材料有哪些。

　　2. 训练方式：根据任务要求，确定所需要的场地和物品，并对小组成员进行合理分工，制订详细的处理客户异议的应对计划。

　　3. 训练信息：根据制订的计划实施，完成以下任务并记录。

　　遇到情绪非常激动甚至辱骂工作人员的客户应该怎样处理？

_____

_____

　　根据制订的工作流程实施现场演练。

_____

_____

（二）课堂训练项目二

处理客户投诉过程

　　1. 训练内容：思考抱怨和投诉有什么区别。客户可能通过哪些渠道和方式进行投诉。在接待投诉的客户之前，应该怎样调整自己的心态。准备的工具、材料有哪些。

　　2. 训练方式：根据任务要求，确定所需要的场地和物品，并对小组成员进行合理分工，制订详细的处理客户投诉的应对计划。

　　3. 训练信息：根据制订的计划实施，完成以下任务并记录。

　　遇到自己处理不了的客户投诉时，应该怎样跟客户说？

_____

_____

　　根据制订的工作流程实施现场演练。

_____

_____

（三）课堂训练评价

课堂训练评价表

学生姓名		团队名称	
评价项目			
评价等级	□ 优秀　　□ 良好　　□ 中等　　□ 及格　　□ 不及格		
评价加分		测评日期	
测评教师		测评地点	

思考练习

（一）多项选择题

1. 三包包括（　　）。
A. 包退　　　　B. 包换　　　　C. 包赔　　　　D. 包修

2. 下列零件享有 2 年不限里程的保修期的是（　　）。
A. 轮胎　　　　B. 灯泡　　　　C. 气门室盖罩　　　　D. 熔断器

（二）判断题

1. 保修期内交通事故引起的损坏可赔。（　　）

2. 间接损失不赔。（　　）
3. 由于特约服务站维修过程中操作不当造成的损失在保修索赔范围内。（　　）
4. 没有正常维护的车辆不能享受三包政策。（　　）
5. 保修中免费更换的备件重新开始计算保修期。（　　）
6. 客户只是抱怨了几句，没有进一步追究，这种抱怨可以不用处理。（　　）
7. 对于不吵不闹的客户，就不用考虑他的情绪了，也不用隔离了。（　　）
8. 真诚道歉很重要，所以碰到客户投诉先道歉，承认我们的错误。（　　）
9. 返修的工单上需要特别注明返修，必要时需要配备高级技师进行维修。（　　）
10. 重复维修是客户理解的偏差，责任在客户，不需要在工单上特别注明。（　　）

（三）简答题

1. 车辆发动机警告灯亮可能是哪些原因引起的？

2. 交车前的车辆要重点检查什么，有哪些需要特别注意的？

3. 客户不清楚是什么地方坏了需要维修，服务顾问有哪些方法可以让客户了解维修的零部件？

任务四　汽车维修车辆交付及结算

素养目标

1. 强化职业责任感，对自己的工作成果负责到底。
2. 养成严谨细致的工作习惯，注重细节，减少失误。
3. 遵守职业道德准则和行为规范，具备社会责任感和担当精神。

课堂训练

（一）课堂训练项目一

验车结算过程演练

1. 训练内容：思考在验车结算时，客户的期望是什么。服务顾问在交车前要做哪些接待准备。工具、表单的准备有哪些？

2. 训练方式：根据任务要求，确定所需要的场地和物品，并对小组成员进行合理分工，制订详细的验车结算环节演练的计划。

3. 训练信息：根据制订的计划实施，完成以下任务并记录。

交车前，服务顾问应如何与客户预约交车时间？

_____
_____

根据制订的工作流程实施现场演练。

_____
_____

写出安全要求及注意事项。

_____
_____

（二）课堂训练项目二

车辆交付演练

1. 训练内容：思考服务顾问在交车前应该注意哪些细节。服务顾问在交车时要做好哪些说明。工具、表单的准备有哪些。

2. 训练方式：根据任务要求，确定所需要的场地和物品，并对小组成员进行合理分工，制订详细的交车送客环节演练的计划。

3. 训练信息：根据制订的计划实施，完成以下任务并记录。

交车时，服务顾问在语言话术及肢体语言方面要注意哪些细节？

_____
_____

根据制订的工作流程实施现场演练。

_____
_____

（三）课堂训练评价

课堂训练评价表

学生姓名		团队名称	
评价项目			
评价等级	□优秀　□良好　□中等　□及格　□不及格		
评价加分		测评日期	
测评教师		测评地点	

思考练习

（一）单项选择题

1. 交车时，客户对维修效果提出异议，服务顾问应该（　　）。

A. 回绝客户，指出已完全修复

B. 尽量向客户解释，条件允许下给客户演示修复

C. 直接让客户找维修技师

D. 接待客户到服务经理处，由服务经理进行处理

2. 下列不属于交车结账环节前所做工作的是（　　）。

A. 在客户到来之前做车辆的最终检验

B. 监督和检查技师所完成的工作

C. 避免客户等待和尽可能地使客户方便

D. 做好结账明细单的准备

3. 结算单中没有包含的内容是（　　）。

A. 维修项目　　　　　　　　　　B. 客户签字

C. 完工时间　　　　　　　　　　D. 维修所发生的工时费及材料费

4. 交强险的损失限额为（　　）。

A. 11 万元　　B. 10 万元　　C. 1.1 万元　　D. 2000 元

5. 车损险赔偿的对象为（　　）。

A. 标的车　　　　B. 对方车

（二）简答题

1. 交车的时候应该给客户展示什么内容？

2. 如果你是客户，你希望结算单里有哪些内容？

任务五　汽车维修客户回访

素养目标

1. 培养社会责任感，关注社会需求，贡献个人力量。
2. 提高沟通与表达能力，清晰交流专业观点和成果。
3. 树立平等价值观，与他人平等交流，公平竞争。

课堂训练

（一）课堂训练项目一

七日回访演练

1. 训练内容：思考做好回访工作，客服人员需要了解哪些知识。回访中，客服人员需要从哪些方面向客户提问。客服人员需要了解客户的哪些资料。准备的工具、材料有哪些。

2. 训练方式：根据任务要求，确定所需要的场地和物品，并对小组成员进行合理分工，

制订详细的七日回访的应对计划。

3. 训练信息：根据制订的计划实施，完成以下任务并记录。

客户在哪些方面可能有意见？

_____

_____

根据制订的工作流程实施现场演练。

_____

_____

写出安全要求及注意事项。

_____

_____

（二）课堂训练项目二

流失客户回访演练

1. 训练内容：思考客户流失的原因有哪些。为什么要对流失客户进行回访。客服人员要对哪些问题提问并需要了解客户的哪些资料。准备的工具、材料有哪些。

2. 训练方式：根据任务要求，确定所需要的场地和物品，并对小组成员进行合理分工，制订详细的流失客户回访的应对计划。

3. 训练信息：每组根据制订的计划实施，完成以下任务并记录。

流失客户在哪些方面可能有意见？

_____

_____

根据制订的工作流程实施现场演练。

_____

_____

（三）课堂训练评价

课堂训练评价表

学生姓名		团队名称	
评价项目			
评价等级	☐优秀　☐良好　☐中等　☐及格　☐不及格		
评价加分		测评日期	
测评教师		测评地点	

思考练习

（一）单项选择题

1. 进行有效的跟踪服务，给客户打电话时，首先应该（　　）。

A. 自我介绍，表明来电目的　　　　B. 叫出客户名字

C. 问："车没问题吧？"　　　　　　D. 表示关心

2. 提高客户满意度是（　　）的工作任务。
A. 服务顾问　　　　B. DCRC 专员　　　　C. 服务经理　　　　D. 每一位成员
3. 服务后回访，下列说法中正确的是（　　）。
A. 在 5 天内应试着和客户进行 3 次电话接触
B. 设置专门的语音信箱答复
C. 1 个月后，再做客户满意度跟踪调查
D. 维修后，须在 3 天内进行电话接触做跟踪服务

（二）多项选择题
忠诚客户能够给经销商带来的好处包括（　　）。
A. 推荐他人　　　　B. 高收益　　　　C. 节约成本　　　　D. 免费宣传

（三）判断题
1. 如果在预计交车时间交车，就没必要提醒客户是按时完工。（　　）
2. 在解释维修合同时，要向客户逐项介绍维修费用、总费用及预计交车时间。（　　）

（四）简答题
1. 为什么要打回访电话，做回访的作用是什么？

2. 打回访电话前要做哪些准备工作？

情境三　汽车维修车辆服务

任务一　汽车维修车辆初检

素养目标

1. 培养自我反思与评价能力，总结经验，改进不足。
2. 培养敬业价值观，热爱专业，专注工作，追求卓越。
3. 提升跨学科知识整合能力，融合多学科知识解决实际问题。

课堂训练

（一）课堂训练项目一

车辆初检工、量具使用

1. 训练内容：车辆初检基本工、量具的使用，包括轮胎气压表、万用表、轮胎花纹深度尺、制动液含水率测试仪笔、故障诊断仪；熟练使用工量具，对车辆所涉及的检查项目进行检查。
2. 训练方式：教师发布工作任务，小组集中讨论并使用车辆初检工、量具对车辆进行检查。
3. 训练信息：收集车辆初检工、量具使用记录数值。

车辆初检工、量具使用记录表

车辆初检工量具	问诊内容
轮胎气压表	标准轮胎气压查询： 车辆实际轮胎气压：
万用表	车辆辅助蓄电池电压：
轮胎花纹深度尺	GB 7258—2017《机动车运行安全技术条件》轮胎磨损极限： 轮胎花纹深度：
制动液含水率测试笔	制动液含水率：
车辆故障诊断仪	车辆故障码：

（二）课堂训练项目二

汽车故障问诊 5W2H 方法

1. 训练内容：针对故障案例"客户反映车辆在行驶过程中右侧后面出现有规律的异响"，学生扮演服务顾问角色使用5W2H话术对于故障进行初检和问诊。
2. 训练方式：教师发布问题故障案例，小组集中讨论并设计话术流程。小组分工设计话术并就实车分别扮演服务顾问和客户，进行案例话术练习。

3．训练信息：收集汽车故障问诊 5W2H 话术。

汽车故障问诊 5W2H 话术练习表

字母含义	问诊内容
When（时间）	
Where（地点）	
Who（驾驶人/发现人）	
Why（如何出现的）	
What（有何现象）	
How（如何操作）	
How many（发生次数）	

（三）课堂训练评价

课堂训练评价表

学生姓名		团队名称	
评价项目			
评价等级	□优秀　□良好　□中等　□及格　□不及格		
评价加分		测评日期	
测评教师		测评地点	

思考练习

（一）单项选择题

1．在 GB 7258—2017《机动车运行安全技术条件》中明确规定了轮胎的磨损极限为（　　）。

A．1.8mm　　　B．1.6mm　　　C．2.0mm　　　D．2.4mm

2．轮胎气压单位中 1bar 等于（　　）kPa。

A．100　　　B．1000　　　C．10000　　　D．100

（二）多项选择题

1．（　　）是车辆初检必须要准备的。

A．车辆防护四件套　　　B．维护预约标识

C．维修初检单　　　D．维修旧件

2．车辆故障问诊的方法包括（　　）。

A．When（是什么时间）　　　B．Where（什么路况发生的）

C．Who（驾驶人）　　　D．Why（如何发生）

E．What（什么现象）　　　F．How（如何操作）

G．How many（发生次数）

（三）判断题

1．如果邀约客户进行车辆初检，客户以没时间为由拒绝陪同进行车辆初检，服务顾问

可以不进行车辆初检。（　　）

2. 在检查制动液含水率的时候，可以长时间打开制动液壶加注口盖，长时间让制动液与空气接触对车辆制动性能没有任何影响。（　　）

（四）简答题

1. 车辆环检时，各个方位主要检查的项目包括哪些？请分别按照车辆驾驶室、车辆左侧、车辆头部、车辆右侧、车内后排、车辆尾部说明。

2. 如果客户拒绝与服务顾问进行车辆环车检查，请使用规范话术说明环车检查的好处。

任务二　汽车维修业务派单

素养目标

1. 培养公正价值观，秉持公平正义，维护良好秩序。
2. 培养团队协作精神，学会沟通与合作。
3. 强化安全意识，严格遵守操作规范，确保人身和设备安全。

课堂训练

（一）课堂训练项目一

车辆维修委托书填写

1. 训练内容：某日客户到店进行车辆维护，维修顾问完成了车辆初检后向客户询问了日常车辆使用情况、车辆里程数，随后服务顾问推荐维修项目。分析以上信息，并结合以下的维修委托书进行维修项目说明，引导客户签订车辆维修委托书。

2. 训练方式：教师发布工作任务，小组集中讨论并填写车辆维修委托书的检查情况及维修项目。

3. 训练信息：收集车辆维修委托书信息。

车辆维修委托书

服务站名称		车辆进站时间	年　月　日　时	服务顾问	
客户信息	□车主　□送修人	地址		联系电话	

（续）

车辆信息	车牌号		车型		VIN		发动机号		里程数	

作业信息	维修开始时间	预计交车时间	付款方式	非索赔旧件是否带走
	年 月 日 时	年 月 日 时	□现金 □信用卡 □其他	是□ 否□

互动检查	是否有贵重物品		燃油箱油量	□空	□<1/4
	是□ 否□			□半箱 □<3/4	□满箱

	车身状况漆面检查,损伤部位在图中标注		检查结果
		车身检查	
		车内检查	
		发动机舱	
		底盘检查	

客户须知	客户故障描述:
1. 客户提供的信息须真实有效 2. 维修完成时间以通知客户接车时间为准 3. 客户应在接到通知后 2h 内接车 4. 客户违反"客户须知"产生的风险和损失需客户承担	

外出救援：是□ 否□　　救援里程（往返）：　　km　救援到达时间：

客户确认:本人已阅知并理解上述内容　　客户签字：

预估维修项目	维修项目	备件	是否索赔	材料费	工时费	小计	维修人	检查人
			是□ 否□					
			是□ 否□					
			是□ 否□					
			是□ 否□					
			是□ 否□					
			是□ 否□					
	预估费用：		费用小计					

客户确认以上维修项目及费用：

新增维修项目	维修项目	备件	是否索赔	材料费	工时费	小计	维修人	检查人
			是□ 否□					
			是□ 否□					
			是□ 否□					
			是□ 否□					
	预估新增维修时间：		费用小计					
	预估新增维修费用：							

(续)

客户确认以上维修项目及费用：

索赔费用		自费费用		维修总费用		交通补偿费用/元：	
质检员签字(盖章)：		通知用户接车方式	□现场 □短信 □电话	通知用户接车时间	年　月 日　时	实际交车时间	年　月 日　时
客户评价	□满意 □不满意	不满意原因：□服务接待　□服务环境　□维修质量　□维修时间 □备件保供　□维修收费　□产品质量					

本人确认以上内容与本人委托需求一致并已提车　　　客户签字：

注：1. 此表一式三联，客户、服务站、客户服务站各1联。
　　2. 通知用户接车时间为三包内项目维修完成的时间，三包外项目的维修完成时间不包含在内。

（二）课堂训练项目二

维修增项说明训练

1. 训练内容：车辆初检后客户在店内等待。车辆维修过程中维修技师发现左前轮毂轴承损坏需要及时更换，客户在今日将无法取车。作为服务顾问，需要前往车间详细了解维修新情况，并及时与客户沟通。待客户同意新增维修项目后，服务顾问更新维修委托书并请客户签字确认，再次进行维修增项派工。

2. 训练方式：教师发布新增故障案例，小组集中讨论并设计话术流程。小组分工设计话术并就实车分别扮演服务顾问、维修技师、客户，进行案例话术练习。

3. 训练信息：收集维修增项说明及派工信息。

维修增项说明及派工练习表

服务顾问针对维修增项话术
（围绕与维修技师沟通了解维修增项说明、客户维修增项说明、维修委托书更新撰写）
维修技师针对维修增项话术
（围绕与服务顾问沟通说明维修增项、维修派工撰写）

(三)课堂训练评价

课堂训练评价表

学生姓名		团队名称	
评价项目			
评价等级	□优秀　　□良好　　□中等　　□及格　　□不及格		
评价加分		测评日期	
测评教师		测评地点	

思考练习

(一)单项选择题

1. 在进行维修项目说明时可以使用 FAB 话术,其中 F 代表(　　)。

　A. 好处　　　　　B. 优势　　　　　C. 特点

2. 以下信息中不属于服务顾问在新增项目时需要了解的是(　　)。

　A. 零配件库存表　　B. 新增服务费用　　C. 新维修维护时间　　D. 车辆基本信息

(二)多项选择题

1. 如果车辆出现了维修增项,客户不在店等待但表示需要进行增项维修,服务顾问应(　　)完成维修增项处理。

　A. 不经过客户同意,先维修再签字

　B. 致电客户并获得客户许可,并录制整个通话过程

　C. 如果维修增项不是紧急处理项目,等待客户到店再做处理

　D. 不处理

2. 在进行维修增项说明时,可以按照(　　)进行客户说明。

　A. 车辆故障现象　　　　　　B. 故障可能导致的影响

　C. 维修建议　　　　　　　　D. 报价

　E. 估算时间　　　　　　　　F. 新增服务

(三)判断题

1. 如果发现车辆存在维修增项,应该及时向客户说明并获得客户维修授权,随后才能进行维修项目更新派工。(　　)

2. 对于涉及车辆安全问题的项目,如果客户不接受维修建议,服务顾问务必让客户签署免责协议并在维修工单当中进行记录。(　　)

(四)简答题

1. 如果车辆在维修中发现了增项,但客户不在店内。作为维修服务顾问,应如何处理服务增项?

2. 汽车维修进度监督的方法有哪些?

任务三　汽车维修及质量检验

素养目标

1. 培养高质量发展理念，以高标准要求自己，提升职业竞争力。
2. 塑造精益求精的工匠精神，追求极致，力求完美。
3. 增强质量意识，从细节入手，追求产品和服务的高品质。

课堂训练

（一）课堂训练项目

车辆维修终检训练

1. 训练内容：与车间内维修质量检查不同的是，服务顾问对车辆终检是从客户的角度出发，关注维修委托书内的维修项目是否完成，车辆状态是否已达到交付标准。服务顾问对车辆维修终检主要围绕维修项目、车辆清洁状况、是否存在杂物遗落、车辆设施设置及随车物品和旧件处理情况完成等。

2. 训练方式：教师发布工作任务，小组集中讨论并完成车辆维修终检练习。

3. 训练信息：收集车辆维修终检信息。

车辆维修终检练习表

检查项目	检查内容
维修项目	维修委托书注明维修项目：＿＿＿＿＿＿＿＿＿ 实际完成情况：□完成　　　□未完成
车辆清洁情况	车身清洁情况：□合格　　　□不合格 车内清洁情况：□合格　　　□不合格
车内杂物遗留	车内是否存在杂物遗留：□无遗留　　　□存在遗留
车内设施设置	车内设置复原：□座椅　□收音机　□灯光　□CD　□时钟
随车物品	随车工具是否齐备：□齐备　　　□遗落
旧件处理情况	□放置于旧件展示区　　　□放置于客户指定位置

(二) 课堂训练评价

课堂训练评价表

学生姓名		团队名称	
评价项目			
评价等级	□优秀　　□良好　　□中等　　□及格　　□不及格		
评价加分		测评日期	
测评教师		测评地点	

思考练习

(一) 单项选择题

1. 如果服务顾问在维修检查时发现了维修不合格的项目,应该向(　　)反映。
   A. 上一级质量检查人员　　B. 维修技师　　C. 部门主管　　D. 售后主管
2. 以下不属于维修顾问需要向质检员或维修人员了解的是(　　)。
   A. 车辆维修细节
   B. 车辆诊断情况及故障原因
   C. 车辆质量状况
   D. 下一次维护的时间或间隔里程

(二) 多项选择题

1. 以下项目属于维修终极检查的是(　　)。
   A. 维修项目
   B. 车辆清洁状况
   C. 车内杂物遗留
   D. 车内设施设置及随车物品
   E. 客户要求保留的部件
2. (　　)的工作内容涉及车辆维修质量检查。
   A. 汽车维修技师
   B. 汽车维修质量检查专员
   C. 售后服务顾问
   D. 售后服务前台

(三) 判断题

1. 服务顾问应依据维修委托书及维修工单上罗列的维修项目,检查是否完成了维修工作,防止交车时仍存在未处理的维修项目。(　　)
2. 客户如果在维修接待时提出将旧件带走,维修顾问应该在车辆维修质量检查后将旧件包装好并放置在客户指定位置。(　　)

(四) 简答题

汽车维修维护后终极检查的目的是什么?

任务四　汽车质量担保

素养目标

1. 树立质量强国理念,以优质产品提升民族品牌形象。
2. 传承劳模精神,学习先进,追求卓越。
3. 增强法治价值观,遵守法律法规,依法行事。

课堂训练

（一）课堂训练项目一

汽车三包索赔员岗位认知

1. 训练内容：走访校企合作企业或者汽车售后服务中心，采用采访和观察的方式调查汽车售后索赔专员的工作内容。

2. 训练方式：教师发布工作任务，小组成员进行企业走访和调查并填写问卷。

3. 训练信息：收集汽车三包索赔专员工作调查信息。

汽车三包索赔专员工作调查

调查对象	
所服务的汽车品牌	
调查企业	
车辆三包期限	
三包索赔专员岗位职责	
主要工作内容	
三包索赔流程	

（二）课堂训练项目二

汽车金融按揭专员岗位认知

1. 训练内容：走访校企合作企业或者汽车售后服务中心，采用采访和观察的方式调查汽车金融按揭专员的工作内容。

2. 训练方式：教师发布工作任务，小组成员进行企业走访和调查并填写问卷。

3. 训练信息：收集汽车金融按揭专员工作调查信息。

汽车金融按揭专员工作调查

调查对象	
所服务的汽车品牌	
调查企业	
车辆贷款购车方式及期限	
汽车按揭专员岗位职责	

(续)

主要工作内容	
汽车金融按揭流程	

(三) 课堂训练项目三

事故车维修服务顾问岗位认知

1. 训练内容：走访校企合作企业或者汽车售后服务中心，采用采访和观察的方式调查事故车维修服务顾问的工作内容。

2. 训练方式：教师发布工作任务，小组成员进行企业走访和调查并填写问卷。

3. 训练信息：收集事故车维修服务顾问工作调查信息。

事故车维修服务顾问工作调查

调查对象	
所服务的汽车品牌	
调查企业	
事故车维修服务顾问岗位职责	
主要工作内容	
事故车维修服务顾问工作流程	

(四) 课堂训练评价

课堂训练评价表

学生姓名		团队名称	
评价项目			
评价等级	□优秀　□良好　□中等　□及格　□不及格		
评价加分		测评日期	
测评教师		测评地点	

思考练习

（一）单项选择题

1. 以下部件不属于三包保障中的易损易耗件的是（   ）。
   A. 轮胎　　　　　B. 压缩机　　　　　C. 刮水器刮片　　　　D. 离合器片
2. 三包法规是为了保护（   ）产品消费者的合法权益。
   A. 家用汽车　　　B. 公务汽车　　　　C. 营运汽车　　　　　D. 租赁汽车
3. 客户前往售后部门办理三包维修，应要求客户出示（   ）。
   A. 三包凭证　　　B. 使用说明书　　　C. 驾驶证　　　　　　D. 行驶证

（二）多项选择题

1. 我国机动车保险的主险包括（   ）。
   A. 车损险　　　　　　　　　　　　B. 交强险
   C. 三者险　　　　　　　　　　　　D. 盗抢险
   E. 医保外用药险
2. 汽车产品中需要依据车辆识别代号（VIN）定制的特殊零部件包括（   ）。
   A. 防盗系统　　　B. 全车主线束　　　C. 熔丝　　　　　　　D. 刮水片
3. 家用汽车产品自销售者开具购车发票之日起60日或者行驶里程3000km之内（两者以先到为准），家用汽车产品出现了（   ），消费者选择更换家用汽车产品或退货的，销售者应负责免费更换或者退货。
   A. 转向系统失效　B. 制动失效　　　　C. 车身开裂　　　　　D. 燃油泄漏

（三）判断题

1. 道路交通事故强制保险属于国家强制保险，车辆必须购买。（   ）
2. 善意索赔指车辆出了整车质保期后，车辆若出现与零部件质量相关的故障，按相关政策或法规已无法享受正常索赔，厂家出于善意（或好心），可能会继续全部或部分索赔该零件。（   ）

（四）简答题

1. 机动车的保险包括哪些？请按照强制保险、主险和附加险分别说明。

2. 车辆金融按揭要素包括哪些？请分别说明（贷款周期、尾款、利率、月供、尾款）。

5. 适当地迎合客户

身为服务顾问会比汽车修理厂内的任何人接触的客户都多,而客户会把服务顾问的表现看作是该公司的形象。每一天,服务顾问都要运用沟通的技巧,将客户的需要连接到公司所能提供的服务上来,虽然客户有各式各样的,但他们期望得到的却是同一样东西,那就是优质服务。

(1) 客户的类型　客户有男有女,他们拥有不同的家庭背景,不同的职业、性格和年龄差别等,服务顾问可按照自定的标准将客户划分成几种类型,如纯商业型、务实型、健谈型、畏缩型、独裁型、人际型等。

(2) 沟通方法

1) 作为服务顾问,要细心聆听和仔细观察,判断自己面对的是哪一类型的客户。

2) 根据不同的类型,选择不同客户的迎合形式,作出不同的反应,取得他们的好感。

3) 一位经商的客户,他很可能期望服务顾问的反应也是充满商业味道,服务顾问着重去谈汽车的实际问题及他的切身问题,通常都会很有效。

4) 对待一位看起来有点畏缩的客户,服务顾问要作出友善、关心的反应,舒缓一下客户的紧张情绪,好让他适应。如果服务顾问说:"我明白"或是"您所说的对我们会有帮助的",并且微笑地点头,对这类型的客户通常都会有效。

5) 有些客户喜欢服务顾问详细地去解释引起汽车故障的原因;有些客户却不喜欢甚至认为这样太麻烦、浪费时间,不想听。这就需要服务顾问根据他们的需求,配以适当的形式去作出反应。

6) 切忌对待任何客户都用同一种方法,一成不变。

7) 作为服务顾问,用灵活多变的形式迎合客户,就会令你与客户的距离越来越近,客户越来越信任你,能与你一起去解决问题,工作效率就会提高。

七、服务顾问的职业习惯

习惯是人们长期养成的不易改变的行为,职业习惯是从事一定职业的人长期在职业生活中从事的行为。为了保持优质服务的连续性,服务顾问应该养成良好的职业习惯。这些良好的职业习惯有准时;言而有信;承诺要留有余地;做些分外的服务;客户是最重要的;把同事当做客户;对客户表示理解;忍让在先;微笑服务;使用规范语言。

1. 准时

准时是一个礼节问题,也是对人的一种尊重。

> 为了做到准时,作为服务顾问应该按如下规则进行:
>
> 1) 为自己制订一份作息时间表,严格按照规定的时间来控制自己何时起床,何时赶班车,下班后何时看电视节目,何时阅读报纸等。
>
> 2) 为自己制订一份工作时间安排表,严格按照规定的时间完成各项具体工作,例如何时完成统计报表、何时整理新客户资料、何时向经理汇报工作等。
>
> 3) 日常工作中要有条理性,一切先后有序,按部就班,井井有条,要有时间概念。
>
> 4) 与客户或同事会面,首先要做到准时,并且要提前 10~15min 到达;对赶班车也应如此。
>
> 5) 每当出现不准时的情况时:

① 要查明原因，如约客户会面迟到的原因是交通堵塞、行驶路线搞错等。
② 要找出纠正办法，如将时间提前、改变行驶路线等。

2. 言而有信

客户愿意与某位服务顾问打交道，最重要的原因之一就是该服务顾问遵守诺言，对客户的许诺能兑现。由于该服务顾问的原因，也使他的公司赢得了很高的信誉。反之，如果服务顾问对客户的许诺经常不兑现，哪怕只有两三次，也会影响他在客户心目中的职业形象，甚至给其代表的公司的信誉带来不好的影响。

为了养成言而有信的职业习惯，作为服务顾问应该做到：
1）没有十分把握的事不应承。
2）即便是有十分把握的事，也要经过慎重、反复地考虑，才能说"可以"。
3）在没有弄清客户需要什么信息的情况下，不能答应客户的要求。
4）当时不能回答的问题，不能说"这事我没办法帮助您"，应晚一些时候再给客户一个肯定的答复。
5）凡许诺过的客户，应把姓名、许诺之事等记在备忘录中，便于随时查看落实情况，以免遗忘。

3. 承诺要留有余地

有的服务顾问充满信心地答应了客户的某些要求，有时发现，自己对客户的许诺有些是难以履行的。服务顾问一旦对客户作出了这种许诺，就在客户心中建立了一种难以满足的期望。最好方法是只答应客户自己有把握的事，而不是希望做到的事，要为承诺留有余地。

承诺留有余地的具体应对措施如下：
1）对没有十分把握的事，不要一口应承，应说："这件事我没有十分的把握，但我一定尽力，争取把这事办好。"
2）对最有把握的事，也要留有余地，应说："我看这件事问题不大，我想会解决好的。"
3）对于没有一点把握的事，也不能说："这事难办，您找别人吧"，要留有余地，主动为客户想办法、出主意，表现出对客户的关心和真诚。你应该说："我可以通过采购员和采购厂家帮助解决您的问题，一旦有了结果，我会马上通知您，您看这事这么办可以吗？"

4. 做些分外的服务

服务顾问要养成为客户做些分外服务的习惯。有些分外的服务，对你来说可能是举手之劳，而对客户来说却解决了他的难处。关键时刻帮了他的忙，客户会记住你的这份服务，并使客户将他所接触过的公司分成两类，由于你向他提供了分外服务，他就会认为你们公司是他心目中优秀的公司。

5. 客户是最重要的

作为服务顾问整天总是忙忙碌碌的，今天的工作就好像是昨天的重复，有时候对此会感到厌烦，也很容易地把客户看作是对自己工作的干扰。服务顾问一定不能有这种态度，要养成把客户看作是工作中最重要的一部分的习惯。如果没有客户，工作就毫无意义，公司也无存在的必要，因此，客户是最重要的。

6. 把同事当做客户

作为服务顾问，要把与同事之间的关系看作自己与客户的关系一样的重要，把同事当做客户会提高企业内部人际的整体素质，提高内部人员工作主动性、积极性和协作互助精神，扩大企业经营能力。对个人来说，把同事当做客户，有利于业务范围的扩大，有利于工作开展得更加顺利。

例如，如果一位客户打电话向你的同事咨询相关事宜，而你的同事由于不知道该如何解答，可能会与你联系进行请教，若你的同事与你平时相处得很好，你就会很负责任地回复给你的同事。你向你的同事提供了很好的帮助，这时，你的同事就被看作是你的客户，电话那一端的客户也当然地得到了你所提供的服务。

7. 对客户表示理解

无论是服务顾问的服务技能多么娴熟，有时也难免会使客户产生不悦的情绪。在这种情况下，服务顾问要养成对客户表示理解的习惯，这是非常重要的。当遇到客户充满不悦时，尽管不同意他的观点，也要对客户表示理解。

> 需要记住用以下的话语来表示对客户的理解：
> 1)"我理解您为什么那样想"。
> 2)"我了解您的想法"。
> 3)"您说的我都听到了"。
> 4)"出了这种事，真对不起"。

8. 忍让在先

无论服务顾问的工作做得多么出色，也难免会遇到大发雷霆或喜欢吹毛求疵的客户。当这种情况出现时，要养成忍让在先的习惯，要以高度的涵养妥善处理好与这种客户的关系，即使自己本身并没有错。

在客户怒气冲天时，切记不可运用过激的语言与其针锋相对，否则，不但问题得不到解决，而且会越来越糟糕，让局面不可收拾。

9. 微笑服务

微笑会使人产生亲切、热情、平易近人的感觉，微笑服务是业务接待中最基本的服务手段，服务顾问必须养成微笑服务的习惯。作为服务顾问，在与客户面对面的情况下要做到微笑服务，在接听电话时也要做到微笑服务。

微笑会改变人的口形，使声波更流畅，声音更动听，容易被客户接受。接听电话时，虽然客户看不到，但凭借友好、温和的语气，会十分准确地感觉到跟他通电话的人是微笑的。大多数客户在评价一个服务顾问服务质量好坏时，常常以微笑服务做得怎么样来衡量。

10. 使用规范语言

服务顾问在与客户进行语言交流时，要养成使用规范语言的习惯。规范语言包括专业语言、礼貌语言和逻辑语言等。忌用语言包括粗鲁语言、庸俗语言和病句等。

当养成使用规范语言的习惯时，可在客户心目中形成一个有较高文化修养，很有亲和力、很专业、很有能力、很有才气的服务顾问形象。客户是非常乐意与这样的服务顾问打交道的。

> **知识小贴士**
>
> ### "一见钟情"的瞬间接待服务
>
> 作为服务顾问,在与客户的长期交往中,你一定会有这样的经历,面对某些问题,没容你多想,在刹那间而做出某种举动,却收到了以往花费很长时间也难以达到的效果。比如,当你见到一位新客户到来时,你很自然地微笑着欢迎他,他会感到受到了尊重,这会使你与这位客户交流沟通很融洽。或许这短暂的微笑,会给公司带来更多的回头客;或许这短暂的微笑,就是向客户提供了瞬间服务。
>
> #### 1. 瞬间服务
>
> 在一刹那之间,用短暂的行为向客户提供了某种帮助或是传递了某种友好信息,使客户在瞬间得到了他所需要的服务,称为瞬间服务。
>
> #### 2. 瞬间服务的作用
>
> 1)服务是有感觉的,瞬间服务是最真实的,因而客户最容易接受瞬间服务。
>
> 2)瞬间服务如果运用得好,就能事半功倍。瞬间服务有时会长久地影响客户对服务顾问所在的公司的看法。因此,服务顾问瞬间服务如果运用得当,会使花费很长时间都难以做到的事,瞬间就做到了。
>
> 如果忽视了瞬间服务,就会有类似"十年之功,毁于一旦"这样的情况发生。试想一下:当你给一家公司打电话,电话响了十几声才有人接,你还会与这样的公司打交道么,很可能你对与这家公司谈生意的想法产生了疑问,甚至会放弃这家公司。造成这种后果的原因是这家公司瞬间服务做得差,失去了一次获利的机会,或者从此你再也不和这家公司打交道了。
>
> 3)瞬间服务作用的延伸。作为服务顾问,恰当的瞬间服务会给下一次的成功铺平道路;不得当的或是忽视了的瞬间服务,不但会给客户留下极深的负面印象,而且会被客户无意识地将这负面印象转嫁到公司的头上。
>
> 4)瞬间服务是优质服务的重要组成部分,是对多种服务的重要补充。瞬间服务不能作为单一的、孤立的服务形式存在,只有实施多种形式的服务才能显示出瞬间服务的重要作用。
>
> #### 3. 作为服务顾问运用瞬间服务的时机
>
> 1)接听电话时,在自报单位名称和自己的名字之前先要问候对方。这样可以使对话一开始就比较顺利。
>
> 2)当客户接近你时,要更加注意自己的面部表情。客户经常根据你的表情来判断你的情绪和对公司的整体印象。
>
> 3)当一位客户投诉时,不要把它看作是针对你个人的,要把它看作是从客户那里获得有价值的反馈信息的一次机会。
>
> 4)当你无法为客户提供他所要求的产品或服务时,你要为他提供其他选择。客户接受了你为他们提供的选择时,客户原先的一些不满意是可以忍受的。
>
> 5)当你把一位客户转到另外一个部门之前,要确保那位服务提供者愿意提供服务。没有结果地"踢皮球"会产生消极的后果。

八、常用接待的语言与动作

言谈是人际间进行交流的主要形式，在业务接待中也占有主要位置。因此服务顾问认真学习和掌握好言谈的礼仪，强化在语言方面的修养是非常必要的。

1. 言谈的作用

1）言谈是表达思想感情，进行人际交往的主要形式。言谈是人们用口头语言进行交际的一种最基本、最常用的方式，是人们开展社交活动的主要手段。它的表现形式是两个人或若干人以口头语言为工具，以对话为基本形态，面对面地进行思想、感情、信息的交流。

2）言谈是建立良好人际关系的重要途径。言谈是连接人与人之间思想感情的桥梁，是增进友谊、加强团结的一种动力。离开了言谈，人们的交际活动将是十分困难的，甚至无法进行。

3）言谈是一门艺术。言谈的艺术性体现在人人都会，效果却大不一样。成功的言谈不仅能获得知识，而且感情上也会得到很多补偿，会感到是一种莫大的享受。而参与一场枯燥无味的交谈，除了是时间上的浪费之外，还会有一种受折磨的感觉。

2. 言谈的原则

运用言谈进行人际交往时，应遵循如下原则：态度真诚；谦恭适度；精神专注；内容适宜；语言得体。

1）态度真诚。人们用语言交谈，但语言并非是交谈的全部，人的态度能给对方产生视觉和听觉的效果。正确的言谈，谈话态度应是真挚、平易、稳重、热情的。而虚假、傲慢、慌乱、冷淡是不良的态度。彼此的信任是言谈的基础，只有诚心待人，才能换取对方的信任，唤起对方的好感，使对方乐意与你交谈，致使交谈获得成功。

2）谦恭适度。诚意是交往的前提，推心置腹、以诚相见的态度会使人感到和谐、融洽。作为服务顾问要做到诚恳，首先要把自己摆在与对方平等的位置，把互相交流切磋作为目的，而不是满口客套、假意应酬，更不是曲意逢迎、吹牛拍马；其次是言谈答对应真心实意、虚心讨教，而不应过分谦卑，也不应自以为是，更不应言过其实、盲目捧场；最后，言谈是双边或多边活动，不应旁若无人地只顾自己高谈阔论，而应学会"抛砖引玉"，让对方畅所欲言。

3）精神专注。专注是对人尊重的一种表示，会有助于对方更好地讲话。交谈时，有人习惯做小动作，眼睛东张西望，这种行为十分不礼貌，是缺乏修养的表现。双方交谈的兴趣主要在交谈内容和双方的表情上，如果一方能集中精力地听，那么，对方就会津津有味地讲，如果一方表现得心不在焉，就会打消对方谈话的兴致。因此，作为服务顾问，在与客户交谈时要克服不良习惯，做到精神专注、聚精会神。

4）内容适宜。一般来讲，任何言谈的内容都应是健康的、有益的。作为服务顾问，在与客户交谈时，谈话内容应避免涉及疾病、死亡等不愉快的事情；不谈那些荒诞离奇、耸人听闻、黄色淫秽的事情；不贸然询问对方履历、工资收入、家庭财产等私人生活方面的问题；一般不询问女性的年龄、婚姻状况、家庭状况、衣饰价格等私人生活方面的问题。服务顾问应根据不同的谈话对象，选择适宜的话题，对方不愿回答的问题不要追问，要避开让对方难堪的话题；不经意碰到对方反感的问题时，应表示歉意后即刻转移话题；谈话中不随便道人长短，散布"小道消息"，更不应搬弄是非、制造事端。

5）语言得体。首先，交谈的语言要简洁明了，用语准确，要说明的意思需明白无误地表达出来，不要含糊其辞或者喋喋不休，不得要领。其次，交谈的语言要文雅礼貌，不带口头病语，不带脏字。最后，交谈的语言应注意分寸，力求委婉、含蓄地表达出来，不要讲过头的话，不要讲引起对方不愉快的话。

3. 称谓

称谓也叫称呼，是对亲属、朋友、同志和社会有关人员关系的称呼。称谓属于道德范畴。称谓使用十分讲究，不同身份、不同场合、不同情况，在使用称谓时都有严格的区分。现代礼仪虽不必法古，但也不可全部推倒重来，要在前人的基础上推陈出新，表现出新一代礼貌称谓的新面貌。

人际交往，礼貌当先，与人交谈，称谓在先。称谓要表现出尊敬、亲切和文雅，使双方感情融洽，缩短彼此距离。正确地掌握和运用称谓，是人际交往中不可缺少的礼仪因素。称谓主要分为姓名称谓、亲属称谓和职务称谓等。

（1）姓名称谓

1）全姓名称谓，即直呼其姓氏和名字，如"刘宏伟""李建华"等。全姓名称谓有一种庄重、严肃感，一般用于学校、部队或其他郑重的场合。一般来讲，在人们的日常交往中，指名道姓地称呼对方是不礼貌的。

2）名字称谓，即省去姓氏，只呼其名字，如"宏伟""建华"等，这样称呼显得既礼貌又亲切，运用场合比较广泛。

3）姓氏加修饰称谓，即在姓氏前面加上一个修饰字，如"老刘""小李""大杨"等。这种称呼亲切、真挚，一般用于在一起工作、劳动和生活的相互比较熟悉的人们之间。

4）乳名，即小名。乳名的使用也很普遍，只限于亲属长辈称呼晚辈或亲属平辈之间使用，到成人后，便逐渐不再使用。

（2）亲属称谓

1）对亲属的长辈、平辈不得称呼姓名、字号，而应按与自己的关系称呼，如祖父、父亲、母亲、胞兄、胞妹等。

2）有姻缘关系的，前面加"姻"字，如姻伯、姻兄、姻妹等。

3）称别人的亲属时，加"令"或"尊"，如尊翁、令堂、令郎、令爱、令侄等。

4）对别人称自己的亲属时，前面加"家"，如家父、家母、家叔、家兄、家妹等。

5）对别人称自己的平辈、晚辈亲属时，前面加"敝""舍""小"，如敝兄、舍弟、舍侄、小儿、小婿等。

6）对亲属自己谦称，可加"愚"字，如愚伯、愚岳、愚兄、愚甥、愚侄等。

随着社会的进步，特别是新中国成立以后，人与人的关系发生了巨大变化，原有的亲属、家庭观念也发生了很大的变化。在称谓上，已没有那么多讲究，有的只是书面语言上偶用。现在在日常生活中，使用称谓时，十分简洁明了，不那么讲究了，如祖父——爷爷，父亲——爸爸，岳父——爸，姻兄——哥，姻妹——妹，尊翁——您爸，令堂——您妈，敝兄——我哥，舍弟——我弟等。不过，在书面语言上，文化修养高的人，还是比较讲究的，不少仍沿用传统的称谓方法，显得高雅、礼貌。

（3）职务称谓　职务称谓是指用其所担任的职务做称呼，以表示对对方的尊敬和礼貌，主要有以下5种形式：

1）用行政职务称呼，如"王局长""张处长""刘经理""李校长"等。

2）用党内职务称呼，如"陈书记"等。但一般使用名字加"同志"做称谓，如"兴国同志"等。

3）用专业技术职务称号，如"张教授""李工程师""王会计师"等。对于工程师、总工程师还可简称"李工""刘总"等。

4）职业尊称，即用其从事的职业工作当做称谓，如"韩老师""孙医生""郑会计""田师傅"等。

5）一些新的称谓，如"博士""阁下""先生""女士""老板"等。

（4）称谓使用中应注意的一些问题。在社会活动中，人们之间互相接触，称谓问题必然频繁地出现。称谓是否表现出尊重、是否符合彼此的身份和社会习惯，这是一个十分重要的问题。

> 当前，使用称谓应注意以下3点：
> 1）不能把剥削阶级道德观念当成社会新潮流，如"掌柜的""财主""少爷""马夫"等。
> 2）不礼貌的称谓在公共场合不要用，如"老头""老太婆""小子""丫头"等。至于在家庭或亲朋好友之间使用，反会产生亲昵的效果。
> 3）青年人称呼人要慎用或不用"哥儿们""爷儿们""姐儿们"之类的称谓，以免给人以"团伙"之嫌。

总之，称谓的使用应根据不同的对象，区别不同的场合，以文明礼貌为原则。要防止封建主义和其他腐朽思想的侵蚀，努力造成一个良好的社会主义的称谓新风。

4. 常用礼貌用语和禁忌语

（1）常用礼貌用语 常见礼貌用语见表2-3。

表2-3 常用礼貌用语

欢迎	问候	推托
欢迎您光临 欢迎惠顾 欢迎您光顾我们公司	您好 早安、午安、晚安 多日不见，您好吗	很遗憾，不能帮您的忙 承您的好意，但是…… 对不起，没法替您办这件事
祝贺	告别	征询
祝您节日愉快 祝您新年愉快 祝您春节愉快 祝您生日快乐 祝您圣诞快乐 祝您生意兴隆 恭喜发财	再见 晚安（晚上休息前） 明天见 祝您旅途愉快 祝您一路平安 欢迎您再来	需要我帮您做些什么吗 您还有别的事情吗 如果您不介意的话,我可以……吗 请您讲慢点好吗
应答	道歉	服务业礼貌用语
不必客气 没关系 这是我应该做的 我马上就办 我明白了 非常感谢 谢谢您的好意 照顾不周的地方,请多多指教	请原谅 打扰您了 实在对不起 谢谢您的提醒 是我们的错,对不起 请不要介意 我们立即采取措施,使您满意	欢迎您,先生 欢迎您,小姐 真对不起,您要的这种货刚好没有了 这件和您要求的差不多,您看可以吗 对不起,让您久等了 我很乐意为您服务 真抱歉,请再等几分钟

(2) 客套话　客套话也称谦敬语，是在人际交往中使用的表示谦虚、尊敬的礼貌用语。一个有教养的人应当掌握使用客套话的艺术，自如地运用于各种场合。

> 客套话的作用有以下几个：
> 1）客套话是社交中的润滑剂、黏合剂，能减少人际间的"摩擦"和"噪声"。
> 2）可以使互不相识的人乐于交往。
> 3）可以使初次见面的人很快亲近起来。
> 4）可使人乐于提供方便和帮助。
> 5）可以避免冲突，得到谅解。
> 6）洽谈业务时，使人乐于合作。
> 7）在服务工作中，可以给人以温暖亲切的感受。
> 8）在批评别人时，可以使对方易于接受。

客套话主要有以下几种：

1）谦敬称呼用语。称呼尊长可用"老先生""老同志""老师傅""老领导""老首长""老伯""大娘"等；称呼平辈可用"老兄""老弟""先生""女士"。

2）谦敬祈使用语。请人提供帮助可用"借光""劳驾""费心""麻烦您"等；托人办事可用"拜托"；求人解答可用"请问"；劝告别人可用"奉劝"；请别人可用"请大驾光临""欢迎光临""恭候光临"；请别人提意见可用"请指教""请赐教"；请别人原谅可用"请包涵""请海涵"；拜别可用"告辞""拜辞"；请别送可用"请留步""请回""不必远送"；中途辞别可用"失陪"。

3）谦敬欢迎用语。初次见面可用"久仰""久仰大名"；很长时间未见可用"久违"；访问可用"拜访""拜见""拜谒"；没有亲自迎接可用"失迎""有失远迎"；自责不周可用"失敬"。

4）其他谦敬用语。归还东西可用"奉还"；赠送东西可用"奉送"；陪伴可用"奉陪"；祝贺可用"恭贺"；请对方宽容可用"恕"。

以上这些客套话是比较固定而且是常用的。作为服务顾问，在使用客套话时要感情真挚、发自内心，再辅以表情、眼神和手势，以增强表现力，发挥更大的感染力。

(3) 服务禁忌语　服务禁忌语包括嘿；老头儿；土老冒儿；老黑；你吃饱了撑的呀；问别人去；听见没有，长耳朵干吗使的；我就这态度；有能耐你告去，随便告哪都不怕；有完没完；到底要不要，想好了没有；你买得起就快点，买不起就别买；叫唤什么，等会儿；没看见我正忙着吗，着什么急；交钱，快点；不知道；刚才和你说过了，怎么还问；靠边点儿；你买的时候，怎么不挑好；谁卖你的，你找谁；有意见，找经理去；到点了，你快点儿；那上边都写着呢，你不会自己看呀；不能换，就这规矩；不买就别问；你问我，我问谁；瞎叫什么，没看见我在吃饭；管不着；没上班呢，等会儿再说；我不管，少问我；不是告诉你了吗，怎么还不明白；要买快说，不买靠边，下一个；现在才说，早干吗来着；怎么不提前准备好；别装糊涂；我有什么办法，又不是我让它坏的。

情境二 客户沟通与接待

练一练

课堂演练：环检车辆问题的沟通

演练信息：环检时，服务顾问发现车辆右后轮胎有鼓包。

车辆信息：速腾 1.4T，进店做 2 万 km 维护。

车主信息：李女士，银行职员。

时间要求：准备 5min，演练 5min。

答题规则：服务顾问角色与客户角色表演。

加分规则：服务顾问酌情 1~2 分，客户酌情 1~2 分。有效补充发言 1 分。

5. 交谈中的礼节

交谈体现人的礼仪修养，因此，与人交谈时应注意文明礼貌。社交场合中对交谈的礼节要求，可以从以下一些方面把握。

1）在与别人交谈时，表情要自然，语气要和蔼、亲切。为了表达某些话的意思，可以适当地做一些手势，但动作不宜过大，不要手舞足蹈，更不要用手指着对方讲话。与对方交谈的位置要适度，不能离对方太远，使对方听不清你说些什么，但也不要离得太近，避免说话时拉拉扯扯，拍拍打打。应注意口腔卫生，对着别人说话时，不能唾沫四溅。

2）参加别人的谈话时，要先打招呼，不要随便插入别人的谈话。别人在进行个别谈话时，不要凑前旁听。当你欲与某人讲话时，应待别人讲完后，再与之交谈。有人主动与你交谈时，应乐于接受。在与众多人交谈时，不应只与其中一两位交谈，冷落他人，要不时地向其他人打打招呼，以示周全的礼仪，切不可目无他人。

3）在自己讲话时，要给别人发表意见的机会。在别人说话时，也应适时发表个人的看法。要善于聆听对方谈话，不能轻易地打断别人的发言。一般不提与谈话内容无关的问题，如果对方谈到一些不便谈论的问题，对此不宜轻易表态，可灵活地转移话题。

4）在交谈过程中，要始终保持热情。交谈中表示热情的方式有两种：一种是讲话的内容选择，多谈对方关心、对对方有益的内容；另一种是表情和举止行为，表情保持自然亲切，行为要适度得体。如果有足够的热情，就会激发对方的谈话兴致。否则，如果表情漠然，对方就会很快失去谈话的兴趣，一些该讲的话也不讲了。

5）要克服言谈中不良的动作、姿态。有些人在交谈中不顾对方的讲话，搞一些小动作，如左顾右盼、摸这摸那、看手表、打哈欠、伸懒腰等漫不经心的动作，是不礼貌的行为，会使对方厌烦。

6）在与人谈话时，不宜高声辩论，更不能出言不逊。谈话要心平气和，交流情况，增长见识。对一些问题如果有不同看法，即便发生分歧，不得已争执起来，也不要大声斥责，可以避开话锋，先谈其他的问题。

7）不要态度傲慢、趾高气扬地与人交谈。无论与谁都应平等相待，特别是与一些晚辈或学识水平不如自己的人交谈时，更应注意这一点。如果自视过高、目中无人，势必在交谈中出现不尊重对方的口气和动作，这都是应该避免的。

8）谈话结束时，不能不告而别。如果是与多人交谈，结束后应一一告辞。告辞语应简洁,尽可能用高度概括性的语言。不要把说过的话再重复一遍,更不要在结束时提出新的话题,应减少告别时的话语。

任务工单

(一)任务实施的环境

汽车实训中心维修业务接待大厅及停车场。

(二)任务实施的步骤

1)以小组为单位,各小组成员分别扮演不同类型客户、服务顾问和维修技师等角色。
2)设计多种对话场景进行演练。
3)小组成员对相关角色的各种语言及行为进行评价。
4)总结分析并演示正确的接待规范。

(三)技能训练及相关实践知识

技 能 训 练

【训练任务】 接车与预检服务接待。
【训练建议】 团队独立完成。
【评价建议】 可用如下技能训练评价表对学生的操作技能进行评价。

接车与预检服务接待技能训练评价表

学生姓名					
团队名称					
团队成员					
测评日期		测评地点			
测评内容					
考评标准	内　　容	分值/分	自　评	互　评	师　评
	接待场景的设计及演练	30			
	各不同类型客户角色扮演情况	10			
	接待行为及语言规范情况	15			
	小组内评价成效	15			
	总结分析报告	10			
	成果展示及介绍	20			
	合　　计	100			
最终得分(自评 30%+互评 30%+师评 40%)					

说明:测评满分为 100 分,60~74 分为及格,75~84 分为良好,85 分以上为优秀。60 分以下的学生,需重新进行知识学习、任务训练,直到任务完成达到合格为止。

情境二 客户沟通与接待

实践拓展

业务接待接车与预检服务的作业

1. 迎接客户

1）1min 内接待客户，并按维修项目分别处理。

2）预约客户的处理。

3）注意迎接礼仪。

2. 建立或查询客户档案、车辆档案及维修档案

1）倾听故障描述

① 倾听时间应在 6min 以上。

② 尽量描述清楚故障。

③ 尽量不打断客户说话。

④ 工单应记录客户描述症状和维修需求的原话。

⑤ 重复维修及返修的应填写新的工单，并在工单上标记。

2）确认来意。

3）积极问诊。

4）交换名片。

5）确认业务性质。

6）倾听车辆故障的描述并做好记录。

3. 环车检查（一般故障）

1）与客户一起环车检查。

2）查找过去的维修记录。

3）确认车辆原始状况的事项并填入预检表。

4）使用座椅防尘套、转向盘防尘套和脚踏垫等保护套件。

5）检查是否有贵重物品或遗留物。

6）试车。

4. 环车检查（较难故障）

1）利用客户以往修车档案。

2）车间主管陪同服务顾问、客户一同进行环车检查。

3）环车检查的结果填入"工单"，并请客户确认，同时对不良的部分建议客户进行修理。

5. 接待礼节评估表

考 评 要 点	评 估
1）要求统一着装,并保持良好的外表形象 2）胸牌佩戴 3）1min 内接待且态度积极 4）接待客户时的礼节适当(如微笑,姿态) 5）积极倾听 6）及时、尽量满足客户合理的要求 7）语音、语调恰当	评分标准： 1）全部执行　　　　　　5分 2）有 1 项未执行　　　　4分 3）有 2 项以上未执行　　2分 4）有 4 项以上未执行　　0分

6. 建立或查询客户档案、车辆档案及以往的维修档案评估表

考评要点	评 估
1）做好准备工作 2）对老客户，及时查看客户档案、车辆档案及以往的维修档案 3）建立新客户档案时征得客户同意，并说明好处	评分标准： 1）全部执行　　　　　　　　2分 2）有1项或以上未执行　　　0分

7. 倾听故障描述评估表

考评要点	评 估
1）将客户的描述记录在工单中 2）工单忠实于客户的描述，对于不清楚之处征求客户的意见 3）客户对工单中的描述进行确认 4）问诊时间是否充分 5）是否给客户足够的时间表述并引导 6）运用倾听和提问技巧 7）试车（如需要） 8）若诊断时间较长，向客户解释清楚	评分标准： 1）全部执行　　　　　　　5分 2）有1项未执行　　　　　3分 3）有2项未执行　　　　　1分 4）超过4项未执行　　　　0分

8. 环车检查评估表

考评要点	评 估
1）主动邀请客户一起进行环车检查 2）当着客户的面套上座椅防尘套、转向盘防尘套和脚踏垫等保护套件 3）环车检查是否仔细和按顺序，并给客户提出合理建议 4）确认有无贵重物品或遗留物 5）标明车身及内饰的损伤处 6）完整填写预检表（实际操作） 7）将所有检查结果告知客户，并解释 8）请客户签字	评分标准： 1）全部执行　　　　　　　6分 2）有1项未执行　　　　　5分 3）有2项未执行　　　　　4分 4）超过4项未执行　　　　0分

9. 评估你的能力（10min）

能力	数值	级别					
A 企业核心价值观	数值	1	2	3	4	5	6
责任感		○	○	○	○	○	○
诚信		○	○	○	○	○	○
忠诚		○	○	○	○	○	○
主动性		○	○	○	○	○	○
B 行为能力	数值	1	2	3	4	5	6
沟通能力		○	○	○	○	○	○
团队协作能力		○	○	○	○	○	○
服务营销能力		○	○	○	○	○	○
严谨细致		○	○	○	○	○	○

（续）

能力	数值	1	2	3	4	5	6
B 行为能力	数值	1	2	3	4	5	6
客户导向		○	○	○	○	○	○
故障诊断能力			○	○	○	○	○
观察力（敏锐理解客户需求）			○	○	○	○	○
组织协调能力			○	○	○	○	○
冲突应变能力			○	○	○	○	○
学习能力			○	○	○	○	○
质检能力			○	○	○	○	○
C 知识技能	数值	1	2	3	4	5	6
企业服务标准与流程知识		○	○	○	○	○	○
汽车理论知识			○	○	○	○	○
企业产品与备件知识			○	○	○	○	○
业务知识（备件价格/工时费）			○	○	○	○	○
计算机操作和汽车英语			○	○	○	○	○
专用工具的使用		○	○	○	○	○	○

分值
1 = 差
2 = 低于平均水平
3 = 略低于平均水平
4 = 略高于平均水平
5 = 高于平均水平
6 = 强

任务三　汽车维修客户意见处理

学习目标

通过本任务的学习，应懂得如何处理汽车维修客户的意见，掌握客户意见处理的方法和技巧，熟悉过失问题的补救措施，熟悉客户异议的原因。通过学习和训练，学生应能够：
➤ 针对客户异议进行良好的沟通。
➤ 对过失问题采取有效的补救措施。
➤ 正确接待和处理愤怒客户。
➤ 完成团队协作工作的目标。

任务分析

对客户意见进行处理是服务顾问的一项重要工作。倾听用户意见是一件很头疼的事情，可是，客户向服务顾问提意见，就是期待着能够将问题解决。服务顾问通过电话、微信、

QQ、信件或者直接在前台受理客户提出的意见，找出问题的原因，迅速地进行处理是非常重要的。

相关知识

一、客户意见处理的方法与技巧

1. 对客户意见处理的作用与原则

服务顾问对客户提出的意见，不能回避，应将其看做是与客户进行交流的一个机会，真心实意地进行解决。客户提出意见，服务顾问应该用"塞翁失马，焉知非福"的思维方式，将其当做汽车销售服务企业与客户建立更紧密联系的好机会而加以利用。意见处理是前台业务中最重要的一件工作，如果处理不当，就会使汽车销售服务企业失去一位客户。

> **标准话术：一汽大众接受客户意见话术**
>
> "×××女士/先生，感谢您的意见，我已经记录下来了。您的意见是……可能是因为……"。

服务顾问在处理客户意见时，重要的是尽量不要让客户有意见，而不是在客户有了意见之后再进行处理。因此，服务顾问要时刻注意与客户保持良好的关系，从接受委托开始到送还车辆为止，对工作的每一个环节都要认真去完成。

> **标准话术：一汽大众客户意见处理话术**
>
> "×××女士/先生，谢谢您，我会把您的意见反馈给领导和相关部门，并让他们在第一时间与您联系，告知您处理结果，您看可以吗？……那么请问何时再给您致电方便呢？……再次感谢您的宝贵意见。"。

另外，客户产生意见的原因是各种各样的，其解决的方法也各不相同。所有的意见处理工作的共同点就是，服务顾问对客户意见的最初接待方式是非常重要的，即在处理的开始阶段就要正确地掌握事实关系。

2. 客户意见处理的步骤

如果客户有了意见，应采用表 2-4 所列的 7 个阶段中的方法迅速地进行处理。其中，服务顾问准确地判断和自信地处理客户意见是很重要的。

表 2-4　处理客户意见的基本步骤

序号	基本步骤	具体做法
1	道歉	诚心实意地道歉（低姿态）。抚慰对方情绪的第一阶段（理解对方的心情，不找理由直接道歉）
2	倾听客户的意见，了解客户恼怒的原因	不能否定客户的话。服务顾问应该贯穿发问、倾听、随声附和的要领，作出一边提问一边倾听的姿态，客户的不满会在诉说中得到缓解（要等客户的心情平静下来之后，再说明我方立场）

情境二　客户沟通与接待

(续)

序号	基本步骤	具 体 做 法
3	分析原因(怎样回答客户才会满意,客户有什么要求)	了解情况,分析原因,采取分散注意力的方法,如运用身体语言。如果是对车辆的意见,则使用仪器设备进行检查,以显示企业的诚意
4	探讨解决办法	站在客户的立场上考虑解决方法(应该道歉的地方就要道歉,使用能使客户心情变好的词汇,例如"下次一定注意""让我学到了新的知识""十分感谢"等)
5	向客户说明解决的办法,然后进行处理	服务顾问应用亲切的态度进行通俗易懂的说明,在选择词汇时要防止招致误解,甚至请处理问题部分的负责者或维修主管一起详细说明
6	进行客户追踪活动	"过去的事情就过去了……"的处理方法是不行的,一定要通过客户追踪活动恢复客户的信任
7	检讨其结果(从失败中吸取教训)	对如何处理大多数客户所持的意见这个问题,应在公司内进行讨论,以统一全体员工的认识

3. 客户意见处理的常用方法与技巧

在处理客户意见时,倾听客户的述说固然重要,但如何根据不同的客户采取不同的处理方法使客户满意也是很重要的。

1) 换一个场所。服务顾问应避免让客户站着诉说,应将客户引到接待室坐下来听客户的述说。通过改变场所,向客户表示出真心实意的态度,会使客户的心情舒缓下来。

2) 换一个时间。当同样的事情翻来覆去地说也解决不了的时候,换个时间也是一个好办法。空出一段冷却时间,可使客户的心情得以舒缓,从而能找到解决问题的突破点。

3) 因人而异。这是最为有效的处理方法。例如,客户在面对服务顾问和面对维修技术人员时的态度是会有一些微妙的不同的。通过这些不同点,可以了解客户的真实意图。另外,如果是由维修主管、负责人或精通业务的维修工程师出面沟通,会提高客户的体面感,使谈话进行得更加顺利。在更换服务顾问时,要根据意见内容和客户要求来决定是否由上级来接待。另外,服务顾问一定要向新加入进来的人详细传达到目前为止的会谈进展情况,向客户当面引见新加入的人。

4. 运用好身体语言的方法

1) 尽管身体语言有着口头语言无法替代的作用,但它毕竟是无声的,在传递信息的功能上,口头语言要比身体语言更优越、更重要,只有二者完美结合才能声情并茂,全面、准确地表达思想感情,具体、深刻地传递信息。

2) 尽管身体语言的功能是巨大的,但在运用中必须恰到好处,做到多方面协调配合。例如,为使微笑发自内心、自然大方、显示出亲切的效果,必须要有眼神、眉毛、嘴巴、表情等方面一起协调来完成。

3) 尽管身体语言是一种美,有很大的感染效果,但它毕竟是外在的、表象的,不可刻意追求这种外在美而忽略了心灵美这个基础。只有真、善、美的心灵与优美的举止相结合,才能相辅相成、相得益彰,形成一个完美的自我。

4) 良好的身体语言表达能力不是天生就有的,是后天所得,但也是无止境的。只要积极、主动地参加一些形体训练,在职业实践中不断学习、积累有关身体语言表现技巧,不断矫正自身的不良习惯,就能逐步达到运用自如的程度。

二、客户投诉的处理

1. 客户投诉

在现代商务中,客户关系管理(Customer Relationship Management,CRM)处于越来越重要的地位,相应地,投诉的处理工作也越来越被各个商家所重视。有调查数据表明,在对商家不满的客户中,只有 1/15 的客户选择了投诉,这也意味着一次投诉,背后往往有 15 次失误。另有调查数据表明,对商家满意的客户,只有 6% 会告诉自己的亲友,而对商家不满的客户,则有 28% 会告诉自己的亲友。正所谓"好事不出门,坏事传千里"。随着信息传播手段的日益先进,这种现象会越来越凸显。还有调查数据表明,如果客户对投诉解决满意,80% 会继续选择原来的商家,而如果不满意,则只有 5% 还会选择原来的商家。

> **工作手册**
>
> **标准话术:一汽大众客户来电投诉处理话术**
>
> 对于客户的来电投诉,服务顾问应及时进行处理。若服务顾问本人不能处理,在收集完投诉意见后,应告知客户下一步处理步骤,并与客户约定好下次沟通时间,然后将投诉的内容记录在 DSCRM 系统"客户投诉抱怨登记表"中。投诉处理的方法可按照客户投诉处理流程执行。
>
> 如果客户接受服务顾问的投诉处理意见,服务顾问需在"客户投诉抱怨登记表"(表 2-5)中进行记录,并在 3 天内对客户再次进行电话回访。
>
> 注意事项:在处理投诉的电话时,服务顾问首先应耐心倾听,让客户感觉到自己很关注他的投诉意见。客户讲话时,切忌插话或打断客户,但需表示回应。结束回访前,要将客户投诉的信息与客户进行一一核对,寻找机会让客户接受下次答复投诉结果的机会,不要随意承诺客户任何结果。结束后。应立即将投诉情况向上级汇报,寻求帮助。

表 2-5 客户投诉抱怨登记表(一汽大众)

编号:						
客户姓名:		电话:	投诉受理人:		问题来源:电话/来店/其他	
车型:	委托书号:	服务顾问:	受理时间:		年 月 日 时 分	
车牌号:	行驶里程 万 km	维修技师:	问题发生日期:		最终解决日期:	
最近一次维修维护时间:		客户描述:				
问题类型: 　维修质量 □　服务态度 □ 　备件缺货 □　产品质量 □ 　等待时间 □　其他问题 □		总监批示:				
解决方案:		改进描述:	客服跟踪:		考核处理:	
			客户签字:		部门签字:	
			总监意见:			
部门签字: 日期		部门签字:				

投诉的起因有很多种，如产品质量、服务态度、价格分歧等，归纳起来就是客户的所得与所想发生了差异。投诉的分类有以下多种方式。

（1）按照投诉的原因分类　　投诉可分为对价格的投诉、对服务环境的投诉、对服务态度的投诉和对产品（服务）质量的投诉。

（2）按照投诉的诉求分类　　投诉可分为要求道歉的投诉、要求折扣（或者补偿）的投诉、要求退换（包括返工）的投诉和要求赔偿的投诉。

（3）按照投诉后的责任划分分类　　投诉可分为我方应负全责的投诉；我方应负主要责任，客户应负次要责任的投诉；双方责任基本相当的投诉；我方应负次要责任，客户应负主要责任的投诉；客户应负全责的投诉。

（4）按照投诉人的情绪和性格表现分类　　投诉可分为和善型投诉人的投诉、计较型投诉人的投诉、纠缠型投诉人的投诉、取闹型投诉人的投诉和暴怒型投诉人的投诉。

（5）按照可能造成后果的投诉等级分类　　投诉可分为轻微投诉，通常只要口头解释或者致歉即可；中等投诉，通常除了口头致歉之外，需要给客户进行折扣或者优惠；严重投诉，需要退换、无偿返工，被迫大幅减免顾客的费用；很严重投诉，除了上述处理之外，通常需要赔偿或者书面道歉，否则就会招致严重后果。严重后果通常包括媒体曝光、行业主管部门处罚、整车制造企业处罚、法律纠纷等。

通常来说，我方的责任越大，客户的情绪越激动，可能导致的后果就越严重，越需要慎重处理。

2. 投诉的处理

在应对客户投诉的工作中，每个企业、每位员工都有自己的方法，一些比较通用的办法可以总结成为"一个中心、三个基本原则、六个步骤"。

（1）一个中心　　应以解决问题为中心接待客户投诉，作为汽车维修服务企业必须知道，客户投诉是来要求解决问题的，否则客户就会直接选择向主管部门投诉、找整车厂投诉或者找媒体曝光甚至打官司。所以企业解决客户投诉的中心思想就是把问题化解，决不能逃避、推诿、拖延，要记住，任何消极手段，都只会导致问题越来越严重。

即使纠纷是由客户引起的，也要耐心、和气、不厌其烦地面对问题、解决问题。

（2）三个基本原则

1）首问负责原则。企业要遵从首问负责原则，接待投诉的员工一定要注意，既然接下这个"烫手山芋"，就得处理到底，切不可推三阻四。很多投诉，本来事情不大，但是在被推到多个部门轮番处理之后，客户就会被激怒。

2）自我批评原则。企业要遵从自我批评原则，无论客我双方谁负的责任大或小，绝不能上来就指责客户。正确的方法是，首先要说"感谢您选择了我们的产品和服务，对您在接受我们服务中遇到的麻烦，我和您一样感到难过，并向您致歉"，然后问"您遇到的麻烦，可以详细告诉我吗？我会尽力帮您解决的"。俗话说，"伸手不打笑脸人"，谦虚谨慎，是解决投诉的说话方式。

3）责任归人原则。在处理投诉中，企业经常遇到这样的情况：责任在己方，可能是产品的质量问题，也可能是员工的人为错误，那么企业应该怎样给客户交代责任的归属呢？大多数缺乏经验的员工都会这样说："我做的事情没有问题，是配件质量不好造成的。"因为揽功推责，乃人之常情，尤其是责任可能归结到本人的时候更是这样。可是，客户的信任首先来源于对产品的信任。如果员工的操作出了瑕疵，企业可以通过教育、培训、奖罚制度来提高员工的工作水平；如果产品质量不好，客户就会彻底丧失信心。

所以，正确的方法应该是向客户说："我们的产品质量是过硬的，请您放心。出现这个问题的原因是我们的员工经验不够，在操作上出了一点问题，我们会帮您解决，以后我们一定会注意，不断提高员工的水平"。也就是说，不管产品是否真的有质量问题，至少在口头上，企业要让客户保持对产品的信心。这样的说法，企业就能够给客户留下两方面的好印象：产品质量过硬，员工勇于承担责任。

（3）六个步骤

1）隔离，是处理投诉的必需的第 1 步骤。来投诉者，在心理上总想引起别人的注意，既想引起商家的重视，也想获得其他客户的认同，所以，很多投诉者都会选择在前台、柜台、会客室等地当众大声诉求并责备商家。如果企业任其在公众场合发表对己方不利的观点，后果是非常严重的，所以应该迅速把投诉者带离公众视线。

正确的说法是，"我们很抱歉给您带来了疑难，公司非常重视您的问题，请您随我来办公室商议一下好吗"，然后立即把投诉者带到单独的场合进行处理。对于情绪越是激动的客户，越早将其带离公众视线越好。

2）消气，是紧接着的第 2 步骤。把客户带到单独的场所之后，应该立即请客户坐下，让客户的情绪平静下来，这是解决问题的前提。

如果客户情绪激动，吵着要见领导。这时服务顾问应该说，"您来得不巧，经理外出了，他委托我来帮助您解决问题。"缺乏经验的服务顾问恰恰相反，他们可能会说，"既然您不愿意和我谈，我就去给您把领导找来吧"。这是最不好的做法，因为这样我方就处于两难境地了：如果这时领导不出面，客户的情绪往往是火上浇油；如果让领导直接出面，一来可能耽误重要工作，二来就失去了解决问题的回旋余地。

在"消气"的过程当中，服务顾问应该注意给客户沏茶，至少要倒一杯温水。

3）摸底，是解决问题的开始。投诉既然已经发生，十有八九包含着比较复杂的情况。当客户已经消气坐下来以后，服务顾问一定要仔细询问情况，认真倾听，并做好笔记。做笔记的目的一是真实记录第一手材料，二是让客户感觉我方的重视，三是有益于自己养成良好的工作习惯。

倾听是解决问题的良好开端。作为服务顾问在倾听客户投诉的时候，不但要听他表达的内容，还要注意他的语调与语音（语气），这有助于了解客户语言背后的内在情绪；同时，要通过解释与澄清确保真正了解了客户的问题。例如，听了客户反映的情况后，应根据自己的理解向客户复述一遍。认真倾听客户投诉内容，向客户解释他所表达的意思，并请教客户自己的理解是否正确，这是向客户显示尊重以及真诚地想了解问题。同时，这也给了客户一个机会去重申他没有表达清楚的地方。在听的过程中，服务顾问要认真做好记录（所要表达的意思一定不能理解有误），注意捕捉客户的投诉要点，以做到对客户需求的准确把握，为下一步对症调解打好基础；记录完客户的陈述之后，应该请客户坐着稍等，自己立即找到当事人（销售员、回访员等）核实情况。如果当事人的核实结果与客户陈述有较大出入，应该再次核实。但是如果几次核实之后，出入仍然较大，也可不必刨根问底，以免激怒客户。接下来应该是实际核查，也就是服务顾问亲自陪同客户去检查车辆实际情况，如果有必要，可带上专业技术人员同去。

综上所述，摸底有四方面的内容：认真倾听客户投诉；记录客户陈述；找当事人核对；亲临现场实际考证。

4）请示，是解决疑难投诉的重要步骤。当然，如果该次投诉解决难度不大，采取的措施在自己的职权范围之内，服务顾问不经请示能够直接处理，是最好的；反之，如果遇到疑难投诉，则应该请示相关领导。这样做有几个好处：第一，让领导知道这件事情的详情，询问处理办法的底线；第二，如果领导能够当即做出决定，则免去了很多麻烦；第三，如果问题过于棘手，也为在最后关头请领导出面埋下伏笔。

5）小优惠，是解决投诉的辅助手段。虽说是辅助手段，但是往往很有效。

在汽车销售公司、维修厂、配件店、4S服务站等处，常见的小优惠方式有赠送小礼品、小幅度减免客户费用、免费进行维护或检测等，不一而足。

企业在正面解决问题之外，如果能够对客户施以小优惠，往往可以大大缓解客户的对立情绪，甚至收到立竿见影的效果。

6）软硬兼施，是解决疑难投诉的"撒手锏"。如果企业的服务人员，能够熟练运用上述5个方法，相信一般的投诉都能妥善处理，但是也有个别情况很棘手。有的客户得理不让人，会提出让企业接受不了的要求，如要求退车、要求大幅度减免费用、要求高额赔偿等。这种情况的发生，往往发生在企业理亏的情况下，企业既不能拒绝处理，又不能完全满足客户的要求，而且如果满足客户要求，企业就要蒙受重大损失，所以服务人员请示领导也得不到或者不可能得到批准。这时，软硬兼施就成为必要手段了。

服务人员应该诚恳地表达企业处理问题的诚意和办法，然后要坚决地告诉客户，他的要求企业实在无法满足，而且，即便他采取媒体曝光、向上级投诉、起诉等办法，也得不到他想要的结果；如果客户一定要采取过激措施，很可能两败俱伤，得不偿失。必要时，也可以请律师出面与对方周旋。

服务人员在表达企业绝不让步的意思时，要注意两点：一是立场坚定，不要让对方再有非分之想；二是有理有据有节，语气和用词注意分寸，既要让对方知难而退，又要让对方保全面子。

工作手册

一汽大众客户投诉级别及处理时限

根据投诉级别，受理时限分别为一般投诉24h内，升级投诉8h内，重要投诉4h内。

根据投诉级别，处理时限分别为一般投诉3天，升级投诉5天，重要投诉8天。

投诉单关闭遵从"谁建立谁关闭"的原则，即一汽大众下发投诉单就由一汽大众建单人员关闭，经销商自建投诉单就由经销商内部建单人员进行关闭。

练一练

客户抱怨处理课堂训练

在交付客户车辆过程中，经常会遇到客户的一些质疑或者抱怨，碰到这种情况时，服务顾问不应选择忽视，而是应该积极回应，让客户感觉到服务顾问的负责和关注。那么，当面对客户质疑或者抱怨时，服务顾问如何才能做得更优秀呢？

以下列几种产品或服务为例，我们一起来讨论。

问题A：客户抱怨他的车与维护前相比转向费力了，如何应对？
问题B：客户抱怨4S店效率太低了，让他等了很长时间，如何应对？
问题C：客户怀疑他的车辆在维修站被使用过了，如何应对？
问题D：客户抱怨4S店收费太不合理了，远不如一般修理厂实惠，如何应对？
【时间要求】讨论时间10min。
【加分规则】该组发言人2分，组员1分；其他学员补充加1分。

3. 投诉的预防

处理投诉的最好办法是预防和减少投诉。预防投诉有以下3个要点。

1) 加强敬业精神教育，使企业的每一位员工都要牢记：不管是产品质量还是服务质量，自己都要精益求精；不论做好一件事情有多难，总比解决投诉要容易得多。

2) 加强质量控制，对质量问题，建立可行的奖罚制度；优化企业的工作流程和管理制度，把不合格发生率降到最低。

3) 保证信息畅通，反应迅速，把投诉解决在萌芽状态甚至在"可能"状态。

4. 投诉的预防案例

北京的一家4S店一向生意很好。下午，临近休息时间时，一位外籍客户走了进来。

"您好，请问您要什么？"一天忙碌下来，装饰品部的接待员赵玉早已疲惫不堪，但她依然笑容满面，用流利的英语和这位外籍客户打招呼。

"我想买一台××汽车上配置的CD音响，送给我丈夫的父母，请问哪种牌子的好？"这位客户问道。

"就买'××'牌的吧，音质好，失真度低，客户一般都愿意购买。"赵玉热心地向她推荐。

"好吧，请给我拿一台……"说着，她就准备掏钱，"多少钱？"

这时，她挎包里的手机响了，她拿出电话，赵玉听她说道："是的，我是布罗·杰丝……美国快递公司，请他们找我的父母好了，我有采访任务，我现在人在北京……好的，就这么办吧。"说完，她挂了电话。

赵玉随手从柜台上取出一台还未开封的CD机，用双手递给杰丝，微笑着说："谢谢，杰丝女士，一共9000元人民币。"

杰丝从挎包里取出钱，递给赵玉，说道："谢谢。"便抱着那台CD机出了门。

"您请走好！"赵玉在背后甜甜地喊道。

"××品牌的4S店的确名不虚传，果真如光立所说的那样，服务一流。"杰丝出了店，想起了自己的丈夫说过的话。

回到自己在北京的酒店，杰丝想打开欣赏一下，当她打开包装，取出CD机时，却发现其根本无法使用——这台CD机竟是一个没有机芯的空壳子。

杰丝火冒三丈，她决定第二天一早就赶到××4S店去交涉。

想到接待员当时的满面笑容、温柔细语，杰丝更感到自己受到了欺骗和愚弄。她气愤难平，立刻坐在桌前，写了一篇新闻稿，题目就叫做"笑脸背后的真面目"，批评××4S店不负责任的行为，准备第二天一早就送出发表。

> 第二天早晨，当杰丝正准备动身之际，忽然接到了一个电话，竟然是××4S店打来的，对方一再向她道歉，并请她留下地址，在酒店稍候，一会儿公司会来给她换一台合格的新CD机。
>
> 杰丝弄不清××4S店是如何知道自己的电话号码的，她正在胡乱猜疑之时，××4S店的汽车赶到了。
>
> 车上跳下来4S店的副经理和提着皮箱的职员赵玉，两人一进客厅便表示特来道歉，除了更换一台合格的CD机外，他们还加送了著名唱片1张、蛋糕1盒和毛巾1套。
>
> 杰丝的气消了，她请这两人坐下，谈话中，杰丝才知道，为了找到她，公司的几位负责人一夜未眠。
>
> 原来，昨天下午下班后，在清点商品时，赵玉才发现错将一个当做样品的空心机盒卖给了客户，于是她立即报告了经理，要求公司处理。
>
> 此事非同小可，直接影响着公司的信誉，但客户早已离去，茫茫人海，到何处寻找？
>
> 赵玉回忆起这位客户曾打过电话，从谈话内容可以知道：这个客户是一位美国记者，叫布罗·杰丝，好像和美国快递公司有关系，除此之外，没有别的线索可寻。
>
> 公司立即召集有关人员商议对策，并连夜开始了无异于大海捞针的寻人行动。他们先是给北京各大宾馆打电话查询，没有；接着打电话给美国快递公司在纽约的总部，根据布罗·杰丝这个名字查到了她父母家的电话号码；又打电话给她的父母，终于得知她的手机号码……为找到她，公司共打了35次电话。
>
> 杰丝得知了事情的原委后，非常感动，送走了两人，她立即将那篇稿子撕掉，重新写了一篇新闻稿，题目是"35次电话"。
>
> 报道发表后，多家报纸作了转载，××4S店的知名度大大提高，美誉度也大大提高。由于自身失误而引发的危机，就这样巧妙地被公司化解了。

案例点评：

这个4S店，在处理问题的过程中，充分展现出上面提到的投诉预防的3个要点。

第一，对工作质量认真负责，员工下班以后在疲惫状态中还能一丝不苟地检查自己的工作，实属难能可贵。如果是我们是否能像主人公那样一丝不苟呢？

第二，我们没有看到该公司对犯错误员工的处罚制度如何，但是看到了他们的以小礼品形式给客户进行补偿的做法。

第三，我们看到的是员工和管理层的信息畅通和及时反应，而不是掩盖问题或者拖延解决。

最难能可贵的是，该公司敬业者不止一个员工。我们看到的是，为了解决这个问题，该公司上下想尽了办法，也几乎调动了所有的能用到的资源。这样的企业、这样的员工，当然会赢得客户、赢得市场。

三、处理客户异议的技巧

1. 异议

异议是指服务顾问在提供服务过程中的任何一个举动，客户对他的不赞同、提出质疑或拒绝。

处理客户异议的技巧

工作手册

> **标准话术：一汽大众客户异议应对话术**
>
> "×××女士/先生，您刚才提到的问题，我已经明白了。我马上核实，请您稍等……"
>
> "×××女士/先生，您刚才提到的……是真实的。我们工作的疏漏给您增添了麻烦，非常抱歉。我们马上去弥补。请您再休息几分钟，待我们完成后再通知您，好吗？"

2. 异议的种类

1) 真实的异议。它是指有事实依据的异议。

2) 虚假的异议。它是指缺乏事实依据或与主题毫无关系的异议。

3. 处理客户异议的方法

处理客户异议的方法主要有以下几种：

1) 忽视法。当客户提出一些反对意见，这些意见和眼前的交易没有直接关系，其用意并非真的想要获得解决或讨论（这就是虚假的异议），这时服务顾问只需面带微笑地同意他就好了。

2) 补偿法。当客户提出的异议有事实依据时（即是真实的异议），服务顾问应该承认并欣然接受，强力否认事实是不智的举动。

3) "是的"与"如果"的巧用。用"是的"表达同意客户的部分意见；用"如果"表达在另外一种状况是否会比较好。

4) 成本细分法。把客户的注意力从庞大的总数，转化成细分化后的金额，让客户能客观地、清楚地衡量他能得到的。

四、维修业务过失补救

作为服务顾问，你是如何对待与你或你们公司有矛盾的客户的，这将直接影响客户是否再次与你或与你们公司打交道。当你或你们公司与客户产生误会时，补救性服务将使你重新恢复由于你的行为在客户心目中失去的信任。

需要进行补救性服务的情况，经常是因为那些小小错误或一时疏忽损害了公司在客户心目中的良好形象。需要进行补救性服务的常见原因有以下几个。

1) 未能按时修好客户的汽车。

2) 交车时还未能给客户结账。

3) 客户在业务大厅等了较长的时间（超过半小时）。

4) 工作单上打错了客户的名字。

1. 补救的 3 个步骤

设想，一位客户在电话中对你大发雷霆，因为本应昨天交车，现在车还没修好。你认为解决这问题很简单，通知车间连夜抢修出来，明天保证让客户取到车就可以了。

从表面上看，修车的问题很快得到了解决，但却未必能使你的客户再青睐你。他可能在明天取到车后再也不来你们公司了，因为他对你们公司的承诺有所担心。

这就启示我们，仅仅只采取适当的行动是不够的，同时还要有相应的补救性服务。你需要实施补救性服务的 3 个步骤，以此来消除客户的不满。

1）说声对不起。当你面对的是一位心情很不好的客户时，一句道歉就可以平息他心中的怒火。即使他的怒气不是由于你造成的，你也应该进行道歉，因为他是你的客户，而你所代表的是你们公司的形象。

道歉并不是主动承认错误，而是让客户知道你很在意引起他不满的事，并且想尽快地改正过来。

有些服务顾问反对向客户道歉，认为向客户承认错误会使公司"丢面子"。试想一下，你向客户道歉，客户认为你是真诚的，就可能相信你的话。否则，客户认为你素质欠佳，会对你产生反感，甚至于会进一步激怒客户，最终导致失去言归于好的机会。

2）解决问题。不要争论客户是对是错的问题，即使是客户错了，但花费大量的时间去弄清究竟谁对谁错又有什么意义呢，因为最后还是要解决问题，而不是怎样分担责任。

你需要倾听客户对问题的评价，在你听清楚了客户的问题后，很显然，紧接着是要解决它。客户方面需要解决的问题大致可分为两类：一类是比较简单的问题，如修改工单、更换发票、更换次品等问题，可以轻而易举地得以补救；另一类是比较复杂的问题，如由于损坏或者错误几乎不能补救的问题。出现这类问题时，需要双方达成都愿意接受的协议。不管问题多么复杂，这是补救这类问题、满足客户基本要求和解决问题时必须进行的步骤。

3）给予客户关照明示。关照明示是你对客户采取的一种具体行动，目的是让客户知道你对你所犯的错误的改正是真实的、彻底的，让客户知道这种事情不会再次发生了，并且让客户知道你非常在意与他继续保持业务联系。

> 一些公司可能采取的关照明示的做法：
> ① 当客户赶到公司已经是13：00了，客户没有吃中午饭，食堂给客户单炒两个菜，并送上一杯热饮料，让他吃好。
> ② 因为没有按时修好客户的车，暂借给客户一辆车使用。
> ③ 由于公司的原因，没有按期到货，公司免费为客户送货上门，并免费安装与调试。
> ④ 取车时客户发现座椅套上有一处油滴，公司将全部座椅套换成新的。

关照明示所花费的成本多少并不重要，它当然不必太昂贵，但它需要以一种有形的方式来表达企业或服务顾问的歉意。

2. 如何进行补救性服务

服务顾问不仅要敢于正视工作中的不足和失误，还要认真考虑补救性服务如何进行。通常至少有5种基本服务不足和失误形式急需进行补救性服务。

1）错过期限。当服务顾问没能按预定时间实现某种约定或提供某种服务时，其结果是有可能使客户心绪烦乱。

> 错过期限常见的情况有：
> ① 交车日期已超过1天了，客户仍不能取车。
> ② 没能履约与客户见面。
> ③ 约定了提供服务的具体日期或时间范围而没来。
> ④ 约定10：00给客户发传真，客户等到中午才收到。
> ⑤ 告诉客户拿着电话稍等一会儿，结果30min后才回来接电话。

作为服务顾问，要尽量避免不准时和取消约定的事情发生。一旦这种事情发生了，首先是要考虑客户的心情和如何补救。你取消约定的期限越晚，客户就越不安。反过来，你取消约定的期限越早，客户就会少一分焦虑。

例如，如果你在 9：00 打电话告诉客户 12：00 的约会你会迟到。此时客户作出的反应与你在 11：59 分打电话会截然不同。

2）填写工作单有误。客户都希望工作单上所有项目准确无误，如果某些项目出现问题，如维修项目错项、漏项，客户名称写错，工时、价格不准等，客户也会对服务顾问的工作不满意。这种情况的补救方法相比之下比较简单，错在哪里改哪里就可以了。

3）粗暴或外行地接待客户。服务顾问粗暴或外行地接待客户这类事情的发生，往往是因为双方缺乏良好的沟通造成的，客户对这种接待方式非常反感。这种接待方式的典型事例包括不回复客户的电话；冷落客户，对客户爱答不理；见到客户不耐烦；指责客户；与客户争吵。

4）给客户提供了错误的信息。服务顾问向客户提供的信息要准确，如果稍有马虎，哪怕小小的疏忽，都可能会给客户带来不必要的麻烦。想象一下下列情形：你接到由广州打来的长途电话，一位客户要来你们公司让你在明天 16：00 到机场接他。由于你一时疏忽，将 16：00 错记成 18：00，结果会惹得这位客户非常生气，甚至有可能耽误了这笔生意。

> 类似需要补救的例子有：
> ① 具体事情没有提供准确的日期和时间。
> ② 向客户推荐的产品说明书中信息不全，尤其是客户最需要的信息，如该产品适用于哪些车型、在同类产品中具有哪些优点等。
> ③ 向客户提供的地址有错或不详。
> ④ 估价与报价误差太大。

5）客户对产品或服务不满。当客户对维修企业的产品或服务不满时，企业或服务顾问不可一味地找理由来推卸责任，最好的办法是补救性服务。在产品或服务方面出现以下这些情况时，会引起客户不满：缺货；次货；误解客户的需求；计算机失灵；修车质量差；服务态度差。

3. 采取补救性服务内容

在进行补救性服务时，可为客户提供一些实际的、有形的服务内容。

> 常见的补救性服务内容：
> 1）补救性免费赠品。
> 2）补救性折扣。因为服务失误，对这位客户下次购件或修车优惠（通常在 10%～25%）。
> 3）补救性吸纳额外成本。对客户造成不便时，为补救，公司应吸纳相关的额外成本。
> 4）补救性个人交往。

五、处理愤怒客户的方法与技巧

在你面前的是一位怒气冲冲的客户，如果你失去理智，也气冲冲地对待他，你就会失去这位客户。不管客户的态度是粗鲁的还是正处在愤怒的情绪中，作为服务顾问一定要处理好与客户的关系，要学会运用"六步法"渡过愤怒的客户这一难关。

六步法的步骤包括：让客户发泄、避免陷入负面评价、移情于客户、主动解答问题、双方协商解决方案和跟踪服务。

1. 让客户发泄

1）保持冷静，闭而不言。不要在客户开始发泄时就试图解决问题，这是难以奏效的，只有在客户发泄完后，他才会听你要说的话。因此，最好的办法是保持冷静，闭而不言，而不是打断客户的发泄使他恼羞成怒。

> 下列的话应当避免使用：
> 您好像不明白……
> 您肯定弄混了……
> 您真糊涂……
> 您搞错了……
> 我们不会/从没/不可能……
> 这不是我们的政策……

2）关注客户。虽然你不想在客户发泄时打断他，但是，你要让客户知道你正在关注着他，在听他说话。这时，你应该做到以下3点：不时地点头；不时地说"嗯""噢"；保持眼神的交流。

3）不要太当真。当客户发泄的时候，他可能会表现出一些过火的行为或过激的语言，而这种过火的行为常常针对具体个人，甚至客户会把愤怒冲你发泄。但你一定要记住，你仅仅是他倾诉的对象，不要针对客户的行为回应过激的反应，不要把它当真。

2. 避免陷入负面评价

对待愤怒的客户，往往是因为你对他的行为评价不当，而造成事态进一步恶化。如果你强压怒火，在心里默默地骂着："让我碰到这么个混蛋"，这就是你对客户产生了负面评价。

一般的负面评价的称呼有混蛋；混球；家伙；不是东西；不是玩意儿；废物；蠢货等。

一旦你给客户头上贴上一个这样的标签，就是对客户的负面评价的开始，并且这种负面评价依然会进行下去，这将会使你对客户的看法越来越坏，会造成你与客户沟通困难甚至无法沟通的后果。

3. 移情于客户

不可避免地，有时你可能会对愤怒的客户有一些偏见，但不要陷入负面评价中去。消除这种偏见的方法是把负面影响转变成积极的服务态度。

当客户发泄完怒气后，就有可能会逐渐平静下来，你要抓住这个机会用简短而又真诚的移情作用的表达方式，使客户逐步进入沟通状态，这是颇有成效的。

> 对客户移情表达的措辞有：
> 1）我能明白您为什么觉得那样。
> 2）我明白您的意思。
> 3）那一定非常难过。
> 4）我理解那一定使人生气。
> 5）我对此感到遗憾。

移情作用不是同情。同情是你过于认同他人的处境。例如，如果有一位愤怒的客户向你走来说:"你们公司的修车质量太差了!"一个同情的回答是:"您说得对,我们就知道赚钱!",一个移情的回答则是:"我能明白您为什么觉得那样。"

4. 主动解答问题

当你通过移情作用的表达方式达到了已能与客户对话这一目的时,那就可以通过提问的方式主动帮助客户解答问题。

1)不要自作结论。当你问客户问题时,一定要注意听他所讲的每个细节,不要自作结论。不要因为你以前也可能有过相同的经历,就误以为已经知道答案了,从而疏忽了一些对客户来说很重要的细节。

2)防止主题的转移。客户有时会省略一些重要的信息,因为他以为这不重要,或者忘了告诉你,而这些信息对于你来说非常重要,这些信息很有可能是解决问题的关键。

遗漏重要信息的情况常常发生在客户述说中主题转移时和客户正要离开时。当这两种情况之一出现时,你就要运用一个具有移情作用的话题,实行跳跃式的谈话,使谈话主题回到原来的轨道上来。例如,客户可能会说:"你们给车子补的漆这样差,以后再也不来你们这里修车了。你怎么知道我是上海人?你是从我的驾驶证上了解到的吧,我来北京好几年了,可开车经常走错了路,让警察截住好几回了,真烦人,……"这时,你可以立刻有礼貌地说:"王先生,我非常理解您开车中遇到的烦恼,为了处理好您的车子的问题,我能知道您的联系电话么?"客户很可能会马上回到原来的主题,为你提供你所需要的信息。

5. 双方协商解决方案

在收集了所有信息后,你需要与客户一起拿出一个双方都能接受的解决问题的方案,在确定解决方案时,你要做到以下几点。

1)解决问题的每项内容、多长时间,必须客户同意。

2)不要承诺你做不到的事。

3)要留有余地。

6. 跟踪服务

对客户进行跟踪服务,核实解决方案实施得如何,一般会有两种回答:一种是属于大多数的情况,客户对解决方案的实施很满意,这一成绩理所应当地记在你的头上;另一种是属于少数的情况,个别客户对解决方案不满意,遇到这种情况,你不要有到此为止的想法,而是尽快地继续寻求一个更可行的解决方案。

熟能生巧,你会发现使用六步法越多,你的成功率越高,你就越能够应对愤怒的以及各种难以处理的客户。

🔧 任务工单

(一)任务实施的环境

汽车实训中心维修业务接待前台。

(二)任务实施的步骤

1)以小组为单位,各小组成员分别承担不同类型客户和服务顾问、维修技工、财务结算人员等角色。

2)设计多种对话场景进行演练。

3)小组成员对相关角色的各种语言及行为进行评价。

4）总结分析并演示正确的接待规范。

（三）技能训练及相关实践知识

技能训练

【训练任务】 愤怒客户的接待。

【训练建议】 团队独立完成。

【评价建议】 可用如下技能训练评价表对学生的操作技能进行评价。

抱怨及愤怒客户接待技能训练评价表

学生姓名					
团队名称					
团队成员					
测评日期		测评地点			
测评内容					
考评标准	内容	分值/分	自 评	互 评	师 评
	接待场景的设计及演练	30			
	各种不同类型客户角色扮演情况	10			
	接待行为及语言规范情况	15			
	小组内评价成效	15			
	总结分析报告	10			
	成果展示及介绍	20			
	合　　计	100			
最终得分（自评30%+互评30%+师评40%）					

说明：测评满分为100分，60~74分为及格，75~84分为良好，85分以上为优秀。60分以下的学生，需重新进行知识学习、任务训练，直到任务完成达到合格为止。

任务四　汽车维修车辆交付及结算

学习目标

通过本任务的学习，应懂得汽车维修完成后如何引导客户进行结算，掌握维修费用解释的方法，熟悉常用的维修票据，知道如何将完好车辆交付客户。通过学习和训练，学生应能够：

➢熟练地完成维修车辆的结算和交车工作。

➢向客户解释维修内容。

➢正确处理常见的价格异议。

➢完成团队协作工作的目标。

任务分析

随着汽车工业的飞速发展，汽车保有量的迅猛增加，汽车维修业得到了快速发展。一辆汽车有成千上万的零配件，难免会有这样那样的问题，作为车主，都希望自己能够多了解一些汽车的常见故障和汽车的基本维修知识；在自己的爱车遇到故障的时候，能自己进行应急处理，解决发生的故障；在维修发生纠纷不知所措时，能找到相应的解决办法；在交车时服务顾问能够清楚地解释费用组成，并且将完好的车辆交到自己手中。所以，维修完成后的价格结算、维修内容解释和完善的交车服务对客户同样重要。

作为服务顾问要掌握车辆交付和结算的方法和流程，同时具备维修结算知识和良好的客户沟通能力，将完好的车辆交到客户手中，把好客户离店的最后一道关口，这样才能提高客户满意水平，获得更多的客户。

相关知识

一、结算交车工作流程及要素

车辆维修完成并且按照客户要求清洗完毕后，就到了结算交车工作流程。该流程主要工作步骤如图 2-7 所示。其中每个步骤的工作要素如下。

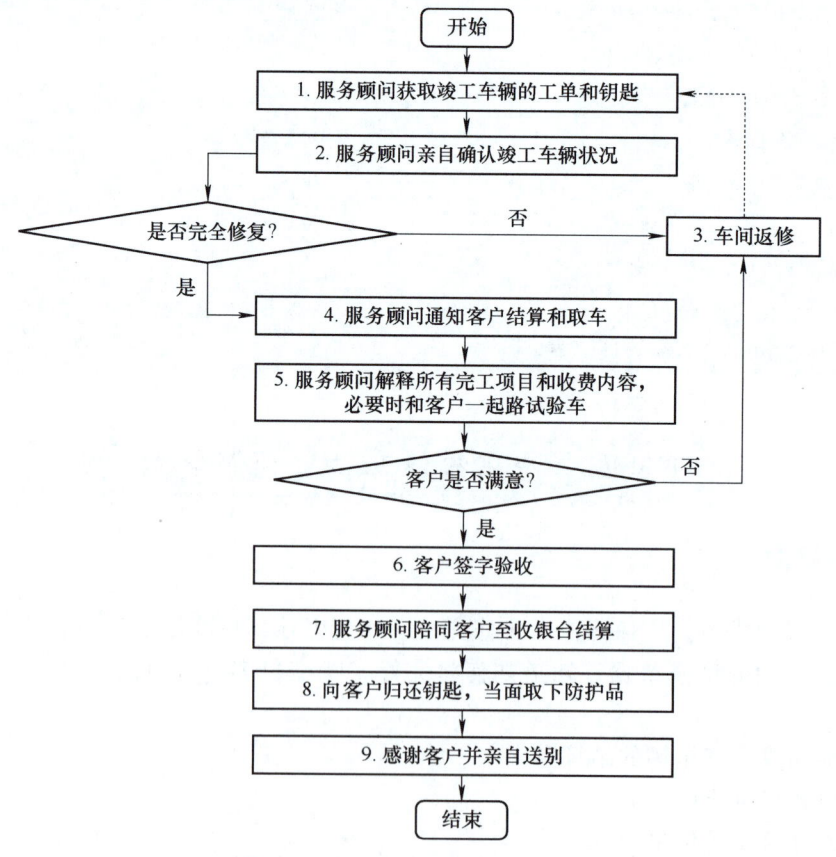

图 2-7　车辆交付及结算工作流程

1. 服务顾问获取竣工车辆的工单和钥匙

服务顾问从车间调度处获取竣工车辆的"维修工单"（财务联）和钥匙。

2. 服务顾问亲自确认竣工车辆状况

1）亲自确认"维修工单"（服务顾问联和财务联）上的项目已经完成。
2）亲自确认车辆已经清洗干净。
3）若车辆完全修复，符合交车标准，进入步骤4。
4）若车辆未完全修复，不符合交车标准，进入步骤3。

3. 车间返修

1）服务顾问通知车间调度安排返修。
2）执行维修作业和质量检验流程。

4. 服务顾问通知客户结算和取车

1）服务顾问准确完成"维修工单"（服务顾问联和财务联）计价（区分保修和客户付费）。
2）将维修信息输入维修管理系统（针对软件辅助管理的4S店），并打印"结算单"。
3）备妥该车辆拆换下来的废旧零配件。
4）通知客户结算和取车。

工作手册

一汽大众通知客户操作标准

对于正在休息区休息的客户，服务顾问在完成交车准备后，应整理自身服饰，携带"服务包"前往客户休息区，告知客户维修维护已结束，并引领客户一同验车。引领客户去交车区时，服务顾问应走在客户左侧，保持半步领先。

对于收到"透明车间"系统发出的维修维护结束信息后，主动前往服务顾问工作台的客户，服务顾问在见到客户后，应立刻放下手上工作，起立问候客户，并引领客户一同验车。

对于不在休息区或已经离店的客户，服务顾问应通过客户期望的联系方式，如短信、电话等，告知客户维修维护完毕，请其验车，并约定等待客户的时间，同时告知客户服务顾问本人的联系方式，以便客户到店后与其联系。

注意事项：非客户本人取车时，须凭客户本人的身份证原件、接/交车单和任务委托书的客户联，并由服务顾问与客户本人进行电话确认后才可取车，而且电话必须录音。

5. 服务顾问解释所有完工项目和收费内容，必要时和客户一起路试验车

1）从维修作业看板的等待交车栏取下该车辆的看板管理标签。
2）根据"维修工单"（服务顾问联和财务联）和/或"结算单"详细地向客户解释所完成的维修项目、更换的零配件信息和相应的费用明细。
3）向客户出示该车辆拆换下来的废旧零配件，由客户决定是否带走。

工作手册

标准话术：一汽大众展示车辆及旧件话术

1. 展示完工车辆

"×××女士/先生，您的爱车已经完工（如果清洗过车辆也需逐一解释并说明）……您看还满意吗？"

2. 展示旧件

"×××女士/先生，这是您车上换下来的旧件，一共×××件，已经放到……"

"×××女士/先生，您车上换的配件都是原厂配件，质量保证期为×××km 或×××个月。"

4）陪同客户验收车辆，必要时一起进行路试验车。

5）询问客户对维修质量是否还有疑问；若客户未完全满意，进入步骤3；若客户满意，进入下一步骤。

工作手册

一汽大众陪同客户验车操作标准

服务顾问引领客户到达交车区后，向客户展示完工后的车辆。

服务顾问向客户展示并核对旧件，告知客户所更换备件为原厂备件及其质量保证期。

服务顾问向客户介绍车辆上的设定参数已经恢复，请放心使用。

服务顾问按任务委托书上的项目，逐项告知客户维修已经完成，并询问客户是否还有其他的需求。服务顾问讲话时，需吐字清晰，语速适中。

维修项目发生变更时，若客户不在店也没有签过字，应向客户展示维修项目变更申请表，并提醒客户事先用其他方式确认，再请客户当面签字。

客户提出需要试车时，服务顾问应接受客户要求，并陪同客户开始试车。

在验车过程中，客户对本次维修维护洗车项目的质量以及漏项提出异议时，服务顾问应首先表示接受客户的问题。

经过再次验车后，若客户的疑义属实，服务顾问应首先向客户道歉，然后根据客户反映的质量问题及漏项作相应处理：若经检查发现维修项目未全部完成，服务顾问应通知质量检查员核实情况，若属实，则由质量检查员安排内部返工；若车辆清洗不合格，服务顾问应通知洗车班组取回车辆重新清洗。

服务顾问按照如下顺序将车辆的五件套逐一取下：驻车制动杆套、变速杆套、转向盘套、座椅套、脚垫。

服务顾问引领客户回到服务顾问工作台。

注意事项：服务顾问陪同客户验车时，交代要详尽，对客户提出的所有问题必须逐一回复，清楚解释。

6. 客户签字验收

1）请客户在"维修工单"（服务顾问联和财务联）的客户签字栏的结算取车位置或"结算单"上签字验收。

2）若"维修工单"（服务顾问联和财务联）存在配件短缺或客户原因的未维修项目，且客户愿意现场预约的，执行客户预约工作流程的现场预约程序。

3）向客户说明销售服务店的售后服务跟踪回访制度，询问客户是否愿意接受回访，以及客户方便接受回访的时间段，在"维修工单"（服务顾问联和财务联）的其他栏标明客户的意愿。

7. 服务顾问陪同客户至收银台结算

1）服务顾问陪同客户前往结算台。

2）收银员根据"维修工单"（财务联）和/或"结算单"进行结算。

3）收银员开具发票、备齐找零，双手递给客户并表示感谢。

8. 向客户归还钥匙，当面取下防护品

1）服务顾问为客户打开车门，当面取下转向盘套、座椅套、变速杆套、脚垫等车辆防护用品。

2）向客户归还车辆钥匙。

3）提醒客户下次车辆维护的时间。

9. 感谢客户并亲自送别

1）感谢客户的光临。

2）热情送别客户。

3）将"维修工单"（服务顾问联）移交给客户管理员进行跟踪回访并存档。

4）服务顾问交车服务流程结束，进入维修服务跟踪流程。

二、结算交车服务

1. 结算服务

1）在服务过程中，制作结账清单就是确定收费的过程。

> 良好的计费应达到以下3个目标：
> ① 精确。服务部门应在估价范围内计算费用。
> ② 迅速。当车修好后，收款单也应马上准备好。
> ③ 清楚。客户能够从结账清单中很容易地了解维修服务企业做了哪些工作，用了什么零件，这些工作和零件收费多少。

2）服务顾问应在客户交款前与其沟通，如果做不到，那么至少要在客户离开之前与其交流。

3）服务顾问应对维修项目和维修费用作出解释。

4）服务顾问应回答客户的任何问题，并对客户在维修或费用方面所存在的不满立即做出响应。

5）服务顾问应把必要的附加服务通知客户。

6）服务顾问应对客户来店进行车辆修理或维护等表示感谢。

7）积极交车还涉及财务人员，财务人员应努力搞好与客户的关系，友善的、乐于助人的态度有助于客户及时付款。

2. 交车服务

1）当客户前来取修好的车时，服务顾问应尽量在客户交款前与其进行个别交流；和客户一起审阅"结账单"，向其解释维修情况与费用。

2）当客户完全理解所有服务与费用时，服务顾问应该和客户一起审阅修理卡；对维修、维护中发现的新项目，应征求客户意见，尽量说服客户继续对新增加项目进行维修；若客户不同意此次维修，应尽量与客户商定下次维修的时间，以便为客户提供必要的附加服

务；提醒客户车辆下次维护时间（基于时间或里程数）。

3）为了使这次服务有一个好的、积极的结果，服务顾问应该对客户来店表示感谢；告知客户如果有任何疑问或需求都可直接与自己联系；将客户带到收银处。

4）当客户付款时，财务人员不要试图解释维修工作或收费；除了付款方式或计算方面，将所有其他问题转交给服务顾问；如果客户表现有些不安，立即通知服务顾问，由服务顾问与客户进行询问解释；在服务的整个过程中，要表现得有礼貌、友好；对客户表示感谢。

5）送别客户，陪同客户到停车场。

工作手册

一汽大众礼貌送别客户操作标准

1）结算完毕后，服务顾问应引领客户前往交车区。打开车门后，将车钥匙交给客户。

2）待客户上车后，微笑向客户道别，并为客户关上车门，后退一步，示意客户朝出口驶去。服务顾问挥手致意，待客户走远后才可离开。

3）当客户的车辆驶近门卫室时，门卫应主动向客户微笑点头示意，示意客户停车。然后，门卫应走向客户，双手从客户手中收回出门证，检查无误后，后退一步，示意客户朝向出口方向，挥手道别。

三、维修内容解释

1. 耐心地说明每个维修/维护项目的工作过程及结果

汽车服务顾问应该向客户说明的维修/维护项目主要包括车辆故障原因分析及故障处理方法；维修更换的零件。若有必要，邀请客户一同进行路试。

2. 详细说明维修费用

服务顾问要详细解说车辆维修/维护的费用，包括总费用；总零件费、总工时费；每项工作分别包含的零件费、工时费；优惠或免费费用（套餐项目、质量担保项目、预防行动项目等）。

工作手册

一汽大众解释单据项目操作标准

1）服务顾问引领客户到服务顾问接待区域后，应首先邀请客户入坐，然后回到自己的座位。

2）服务顾问将"接/交车单""维修项目变更申请表"（如果有变更维修项目）"任务委托书""定期维护单"（定期维护客户）和"结算单"一并置于客户面前，逐一向客户进行解释，对"结算单"的项目及费用作重点介绍，请客户确认。同时，服务顾问需向客户说明本次维修或维护的增值服务项目（如免费清洗空调等）。

3）若客户有疑义，服务顾问应注意安抚客户情绪，耐心地复述，再次逐一解释。

4）服务顾问解释说明后，若客户无疑义，服务顾问应双手递笔给客户，然后五指并拢指向"结算单"中客户签名处请客户签字。

5）若客户车辆进行过维修项目变更，服务顾问还需请客户在新开具的"任务委托书"上签字,并存档。

注意事项:

1) 服务顾问在解释项目时,应注意解释材料费、工时费和合计金额3项。

2) 若有维修项目及时间的变更,服务顾问必须按照"维修项目变更申请表"向客户逐一进行解释。

3. 应该向客户说明的其他情况

除了解释维修项目和费用,服务顾问应该依据"维护表单",对"保修手册"上的记录进行说明(如果有),简要介绍保修条款和定期维护的重要性;向客户介绍增值服务项目(如果有),说明已经完成且是免费的(如优惠活动等);利用"维修维护质检单",向客户建议近期要做的维修;提醒客户下次维护的里程或时间。

知识小贴士

1. 车辆维修发生纠纷,如何处理

托修人与机动车维修经营者因维修质量、维修价格等履行合同方面发生纠纷时,可以选择下列方式解决:双方当事人协商;向机动车维修管理机构投诉或申请调解或向消费者协会投诉;根据合同申请仲裁;依法向人民法院起诉(建议托修人送修车辆时签订书面合同)。

2. 机动车维修记录制度包含哪些内容

机动车维修记录是车辆维修信息依法公开的载体,它可以监督机动车维修过程,同时是解决维修纠纷的依据。机动车维修经营者对承修的机动车应当进行修前诊断、确定故障,制订维护和修理方案,所诊断的故障、维护和修理方案、维修项目等内容应当填写机动车维修记录(相当于病人的病历)。

四、维修票据服务

1. 票据

(1) 发票 发票是单位和个人在购销商品、提供或者接受服务,以及从事其他经营活动中,开具、取得的收付款凭证。发票根据其作用、内容及使用范围的不同,可以分为普通发票和增值税专用发票两大类。

1) 普通发票。开具发票有如下的一般规定:发票限于领购单位和个人自己使用,禁止买卖、转借、转让、代开。向消费者个人零售小额商品可以不开发票,但消费者索要发票时不得拒开。

开具发票要按规定的时限、顺序、逐栏、全部联次一次性如实开具,并加盖单位财务印章或者发票专用章。未经税务机关批准,不得拆本使用发票。

填开发票的单位和个人必须在发生经营业务确认经营收入时开具发票,未发生经营业务一律不准开具发票。发票只能在工商行政管理部门发放的营业执照上核准的经营业务范围内填开,不得自行扩大专业发票使用范围。填开发票时,不得按照付款方的要求变更商品名称和金额。

开具发票应当使用中文。民族自治地方可以同时使用当地通用的一种民族文字,外商投资企业和外国企业可以同时使用一种外国文字。

开具发票有如下的特殊规定：用票单位和个人在整本发票使用前，要认真检查有无缺页、缺号、发票联有无发票监制章或印刷不清楚等现象，若发现问题，应报告税务机关处理，不得使用。整本发票开始使用后，应做到按号顺序填写，填写项目齐全，内容真实，字迹清楚，填开的发票不得涂改、挖补、撕毁。若发生错开现象，应将发票各联完整保留，书写或加盖"作废"字样。

开具发票后，发生退回的，在收回原发票并注明"作废"字样或取得对方有效证明后，可以填开红色发票；发生销售折让的，应收回原发票并注明"作废"字样，然后重新开具销售发票。

2）增值税专用发票。增值税专用发票是为加强增值税的征收管理，根据增值税而设计的，专供增值税一般纳税人销售货物或应税劳务使用的一种特殊发票。增值税专用发票只限于经税务机关认定的增值税一般纳税人领购使用。

> 一般纳税人在填开增值税专用发票时的注意事项如下：
> ① 使用国家税务总局统一印制的专用发票，不得开具伪造的增值税专用发票。
> ② 按规定的使用范围、时限填开。
> ③ 字迹清楚、项目填写齐全、内容正确无误。
> ④ 不得涂改。如果填写有误，应另行开具增值税专用发票，并在填写错误的专用发票上标明"误填作废"4个字。如果专用发票填开后因购货方不索取而成为废票的，也应按填写有误办理。
> ⑤ 1份发票应1次填开完毕，各联内容、金额应完全一致。
> ⑥ 发票联、抵扣联加盖开票单位的财务专用章或发票专用章。
> ⑦ 不得折撕。

开具增值税专用发票的具体要求如下：

"销售单位"和"购货单位"栏要写全称，"纳税人登记号"栏必须填写购销双方15位登记号码，否则不得作为扣税凭证。

"计量单位"栏应按国家规定的统一"计量单位"填写，"数量"栏按销售货物的实际销售数量填写，"单价"栏必须填写不含税单价，纳税人如果采用销售额和增值税额合并定价的方法，应折算成不含税价。

"金额"栏的数字应按不含税单价和数量相乘计算填写，其计算公式为

"金额"栏数字＝不含税单价×数量

"税率"栏除税法另有规定外，都必须按税法统一规定的货物的使用税率填写。

"税额"栏应按"金额"栏和"税率"栏相乘计算填写，其计算公式为

"税额"栏数字＝金额×税率

或 "税额"栏数字＝单价×数量×税率

税务所为小规模企业代开增值税专用发票，应在专用发票"单价"栏和"金额"栏内分别填写不含其本身应纳税额的单价和销售额；"税率"栏填写增值税征收率6%。

"税额"栏填写其本身应纳税的税额，即按销售额6%征收率计算的增值税额。

增值税专用发票的开具时限：采用预收货款、托收承付、委托银行收款结算方式销售货

物的，增值税专用发票的开具时间为货物发出的当天。

采用交款提货结算方式销售货物的，增值税专用发票的开具时间为收到货款的当天。

采取赊销、分期付款结算方式销售货物的，增值税专用发票的开具时间为合同约定收款日期的当天。

采用其他方式销售货物、应税劳务或按税法规定其他视同销售货物的行为应当开具专用发票的，应于货物出库、转移或劳务提供的当天填开增值税专用发票。

纳税人销售货物并向购货方开具发票后，发生退货或销售折让时，应根据具体情况办理。

购货方尚未付款，并且未做账务处理的情况下发生退货时，销货方应收回原填开的增值税专用发票的发票联和抵扣联，在各联上都注明"作废"字样，作为扣减当期销项税额的凭证。

购货方尚未付款，并且未做账务处理的情况下发生销售折让时，销售方收回原填开的增值税专用发票，该折让后的货款重新填开增值税专用发票。

购货方已付货款，或者货款未付但已做账务处理的情况下发生退货或销售折让、发票联及抵扣联无法退还时，购买方必须取得主管税务机关开具的进货退出及索取折让证明单，送交销货方作为其开具红字专用发票的依据。红字专用发票的存根联、记账联作为销货方扣减退货当期销项税额的凭据；发票联和抵扣联作为购货方扣减进项税额的凭证。

(2) 税票　税票是税务机关征收税款时所用的专用凭证。它是一种可以无偿收取货币资金的凭证。税票填用后成为征纳双方会计核算的原始凭证。税票是纳税人履行纳税义务的唯一合法凭证。

1) 税票的种类。2019年修订的《税收票证管理办法》中规定，税收票证是指税务机关、扣缴义务人依照法律法规，代征代售人按照委托协议，征收税款、基金、费、滞纳金、罚没款等各项收入（以下统称税款）的过程中，开具的收款、退款和缴库凭证。税收票证是纳税人实际缴纳税款或收取退还税款的法定证明。

> **知识小贴士**
>
> **税收票证**
>
> 税收票证有纸质形式和数据电文形式两种。数据电文税收票证是指通过横向联网电子缴税系统办理税款的征收缴库、退库时，向银行、国库发送的电子缴款、退款信息。
>
> 税收票证包括税收缴款书、税收收入退还书、税收完税证明、出口货物劳务专用税收票证、印花税专用税收票证以及国家税务总局规定的其他税收票证。

2) 税票的填写。首先应了解各种票证的内容、用途及填写规定，然后逐项逐栏如实填写。

> **知识小贴士**
>
> **遗失已完税税收票证**
>
> 《税收票证管理办法》规定，纳税人遗失已完税税收票证需要税务机关另行提供的，如税款经核实确已缴纳入库或从国库退还，税务机关应当开具税收完税证明或提供原完税税收票证复印件。

（3）支票　支票是出票人签发的，委托办理支票存款业务的银行在见票时，无条件支付确定金额给收款人或持票人的票据。支票无金额起点。

1）支票的种类。支票按支付方式，可分为现金支票和转账支票。

① 现金支票。支票上印有"现金"字样的支票，它只能用于支取现金。

② 转账支票。支票上印有"转账"字样的支票，它只能用于转账，不能支取现金。

2）支票的填写。

① 填写要求。为了防止涂改支票，必须做到标准化、规范化、要素齐全、数字正确和字迹清晰。签发支票应使用墨汁或碳素墨水填写。为了防止编造票据的出票日期，必须用中文大写。

② 填写日期。填写日期时，月为壹、贰和壹拾的，日为壹至玖和壹拾、贰拾和叁拾的，应在其前加"零"；日为拾壹至拾玖的，应在其前加"壹"。填写日期时填写位置要规范，不得出现错位、挤压现象，否则就是无效支票。

③ 金额。大写应用正楷或行书填写。大写填写时应紧接"人民币"字样填写，不得留有空白。数字到"元"为止的，在"元"之后必须加"整"；数字到"角""分"为止的，"角""分"后不可以加"整"。小写应使用阿拉伯数字填写，均应在小写数字前填写人民币符号"￥"。

3）支票的有效期。支票自出票日起10日内有效，超出有效期的支票为无效支票，银行不予以受理。

4）支票的背书。

① 持票人向其开户行提示付款的，不需做委托收款背书（又称主动付款，出票人主动到自己的开户行送交支票，付款给收款人）。

② 委托收款背书。被背书人栏填写收款人开户银行的名称；签章栏填写"委托收款"字样并签章。

③ 支票转让背书。背书应当连续，也就是指在转让中，转让支票的背书人与受让支票的背书人在支票上的签章，依次前后衔接。

5）支票的挂失。丢失支票之后，可以依据《中华人民共和国票据法》的规定，及时通知付款人或代理付款人挂失止付。

挂失支票的条件是支票的各项要素必须齐全。在挂失时，应填写挂失止付通知书并签章。填写内容包括支票丢失的时间和事由，支票的种类、号码、金额、出票日期、付款日期、付款人名称和收款人名称，挂失止付人的名称、营业场所、住所及联系方法。需要交纳票面金额1%但不低于5元的手续费，并立即到人民法院办理挂失止付。银行暂停止付权限为12日，在这12日内银行没有收到人民法院的止付通知书，自第13日起，挂失止付通知书失效。

在失票人到银行办理挂失止付之前，若支票已经依法向持票人付款了，就不再办理挂失止付了。

6）支票的交存。

① 收款人交存支票时应填写二联银行进账单，然后连同支票一并交付银行办理，银行签章后退回一联。

② 收款人和出票人在同一行开户的，收款和付款都是当时入账。

7）支票的有效性。出票日期、受款人名称和出票金额，这3项记载缺一不可，否则就是无效支票，银行不予以受理。

8）禁止签发的支票。

① 签发支票的金额不得超过付款人实有的存款金额（空头支票）。

② 支票的出售人预留银行签章是银行审核支票付款的依据。因此，出票人不得签发与其预留银行签章不符的支票。

③ 银行可以审核与出票人约定的使用支付密码，出票人不得签发密码错误的支票。

以上3种情况，即签发空头支票、印鉴不符和密码错误，根据中国人民银行的规定，银行应予以退票，并收取票面金额的5%但不低于1000元的罚款。

（4）银行汇票　银行汇票是出票银行签发的，由其在见票时按照实际结算金额无条件支付给收款人或者持票人的票据。银行汇票的出票银行为银行汇票的付款人。单位和个人任何款项结算，均可采用银行汇票。银行汇票可以用于转账，填写"现金"字样的银行汇票可以用于支取现金。

1）银行汇票的要素。要标明"银行汇票"字样、出票金额、付款人名称、收款人名称、出票日期、出票人签章、无条件支付的承诺等，欠缺诸要素之一的银行汇票无效。

2）银行汇票的有效期是自出票日起1个月。持票人超过付款期限提示付款的，代理付款人可不予以受理。

3）银行汇票的办理。申请人使用银行汇票，应向出票银行填写"银行汇票申请书"，填明收款人名称、汇票金额、申请人名称、申请日期等项目并签章，要预留银行的签章。若申请人和受款人均为个人，需要使用银行汇票向代理付款人（兑付行）支取现金的，申请人应在"银行汇票申请书"上注明代理付款人名称，在"汇票金额"栏先填写"现金"字样，然后填写汇票金额。

申请人或收款人为单位的，不得办理"现金"汇票。

签发转账银行汇票，不得填写代理付款人（兑付行）名称；签发现金银行汇票，申请人和收款人必须均为个人，在银行汇票"出票金额"栏填写"现金"字样后，填写出票金额，并填写代理付款人名称。

4）银行汇票的解付。

① 收款人收到银行汇票之后，应在出售金额之内，将实际结算金额和多余金额准确、清晰地填入银行汇票和解讫通知的有关栏内。未填写实际结算金额和多余金额，或者实际结算金额超出票面金额的银行汇票，银行不受理。

② 银行汇票实际结算金额不得更换，更改实际结算金额的银行汇票无效。

③ 持票人向银行提示付款时，必须同时提交银行汇票和解讫通知，缺少任何一联，银行不予受理。

④ 持票人向银行提示付款时，应在汇票的背面"持票人向银行提示付款签章"处签章，签章须与预留银行签章相同，并将银行汇票、解讫通知和进账单一同送交银行。

⑤ 持票人是未在银行开立账户的个人，可以向选择的任何一家银行提示付款。提示付款时，应在汇票的背面"持票人向银行提示付款签章"处签章，并填写本人身份证名称、号码及发证机关，由其本人向银行提交本人身份证及其复印件。

银行汇票的实际结算金额低于出售金额，即有多余金额的，其多余金额由出票银行退交申请人。

⑥ 申请人因银行汇票超过付款提示期限或因其他原因要求退款时，应将银行汇票和解讫通知同时提交到出票银行，作未用退回处理。申请人为单位的，应出具该单位的证明；申请人为个人的，应出具本人的身份证件。此证明或证件同时提交出票银行。

⑦ 银行汇票的背书和挂失与支票相同。

2. 税收

（1）税务登记　税务登记是税务机关依法对纳税人与履行纳税义务有关的生产经营情况及其税源变化情况进行的登记的管理活动。

1）税务登记的范围和时间。凡经国家工商行政管理部门批准，从事生产、经营的纳税人，都属于税务登记的范围，均应按规定向当地税务机关申报，办理税务登记。

2）税务登记的内容包括以下几项：开业税务登记，从事生产经营的纳税人，应当在规定的时间内向税务机关书面申报办理税务登记；变更或注销税务登记，当税务登记内容发生变化时，纳税人在工商行政管理机关办理注册登记的，应当自工商行政管理机关办理变更登记起 30 日内，持有关证件向原税务机关申报办理变更税务登记；纳税人不需要在工商行政管理机关办理注册登记的，应当自有关机关批准或者宣布变更之日起 30 日内，持有关证件向原税务机关申报办理变更税务登记。

（2）纳税申报　纳税人办理纳税申报时，应当如实填写纳税申报表，并根据不同情况相应报送有关证件和资料。

> 纳税人办理纳税申报时，根据不同情况相应报送的有关证件和资料：
> 1）财务、会计报告表及其说明材料。
> 2）与纳税有关的合同、协议书。
> 3）外出经营活动税收管理证明。
> 4）境内或境外公证机构出具的有关证明文件。
> 5）税务机关规定应当报送的其他有关证件、资料。
> 6）纳税申报的时间和期限。

（3）适用税种与税率　我国现行使用的税种有增值税、消费税、营业税、资源税、外国投资企业和外国企业所得税、固定资产投资方向调节税、城市维护建设税、城镇土地使用税、房地产税、车船使用税、印花税、土地增值税、契税和进出口关税等。税率是应纳税额与征税对象之间的比例，是计算税额的尺度，反映了征税的深度。在征税对象数额已定的情况下，税率的高低决定了税额的多少。

我国税率分为 3 种，即比例税率、累进税率和定额税率。

比例税率是对同一征税对象，无论数额多少，按照所需税目，都按同一个比例征税。这种税率在税额和征税对象之间的比例是固定的。

累进税率是按照征税对象的数额大小或比率高低，划分为若干等级，每个等级由低到高规定相应的税率。税率与征税对象数额或比率成正比，征税对象数额越大、比率越高；反之，税率越低。

定额税率是按征税对象的一定计量单位直接规定一定数量的税额，而不是征收比例。

3. 财务结算

（1）同城结算与异地结算　按国内转账结算交易双方所处的地理位置划分，财务结算分为同城结算与异地结算两种。

1）同城结算是指同一城镇内各单位之间发生经济往来而要求办理的转账结算。同城结算有支票结算、委托付款结算、托收无承付结算和同城托收承付结算等。其中，支票结算是最常用的同城结算。

2）异地结算是指异地各单位之间发生经济往来而要求办理的转账结算。异地结算的基本方式有异地托收承付结算、信用证结算、委托收款结算、汇兑结算、银行汇票结算、商业汇票结算、银行本票结算和异地限额结算等。其中，异地托收承付结算、银行汇票结算、商业汇票结算、银行本票结算和汇兑结算是最常用的异地结算手段。

（2）现金结算与转账结算　货币结算按其支付方式的不同，可分为现金结算和转账结算。

1）现金结算是发生经济行为的关系人直接使用现金结清应收应付款的行为。

2）转账现金是发生经济行为的关系人使用银行规定的票据和结算凭证，通过银行划账方式，将款项从付款单位账户划到收款单位的账户，以结清债权债务的行为。转账结算是货币结算的主要方式。转账结算的主要工具有支票、汇兑、委托受款、银行汇票、商业汇票、银行本票和信用卡7种。支票结算是最常用的同城结算方式。

（3）支票结算流程

1）开立账户办理结算。

2）付款人根据商品交易、劳务供应或其他经济往来向收款人签发支票。

3）收款人将商品发运给付款人，或向付款人提供劳务服务。有时，根据实际情况，收款人在未接到支票的情况下，也可先提供商品或劳务服务，后收取支票。

4）收款人将支票送交开户银行入账。

5）收款人开户银行向付款人开户银行提出清算。

6）付款人开户银行根据有关规定计划转货款或劳务服务款。

7）收款人开户银行给收款人收妥款项后，通知收款人入账。

8）付款人与开户银行定期对账。

五、汽车维修价格结算常用单据

当前，我国汽车维修行业的收费主要是采用国家指导价。在汽车行业的价格体系中，价格之间的相互关联、相互制约的主要因素有维修技术及劳务、维修材料及流通环节、生产规模及修车数量、维修质量及装备和地区差别等。这些因素间的相互作用，相互影响，把所有的价格因素互相联系起来，就构成了汽车维修行业的完整的价格体系。

为了加强汽车维修企业价格结算工作的管理，规范汽车维修企业价格结算行为，保护汽车维修承托双方的合法权益，在进行维修价格结算工作时，把以下单据作为结算工作的依据。

1. 汽车维修合同文本

汽车维修合同是一种契约。它是托修方和承修方当事人为了协同其汽车维修活动，达到按规定标准和约定条件维修汽车的目的，而协商签订的相互制约的法律性契约。

汽车维修合同依法签订后,即具有法律约束力。承托修双方必须对合同中的权利和义务负责,必须承担由此而引起的一切法律后果。

2. 维修检验单及机动车维修竣工出厂合格证

(1) 维修检验单 维修检验单是签订汽车维修合同和填写施工单或派工单的重要依据,样式见表2-6。

表 2-6 ××汽车维修检验单

单位(章):   合同号: 厂编号:

单位			联系人		联系电话			
牌号		车类	厂牌车型		进厂	年	月	日 时
里程		维修类别	维修小组		出厂	年	月	日 时
维修车辆进出厂交接内容								
名称	进厂	出厂	名称	进厂	出厂	名称	进厂	出厂
1. 驾驶证			10. 喇叭			19. 坐垫		
2. 道路运输证			11. 收放音机			20. 备胎		
3. 车辆技术档案			12. 冷热风机			21. 备胎架		
4. 牌照			13. 空调装置			22. 挂钩		
5. 空气滤清器			14. 门锁及钥匙			23. 保险杠		
6. 蓄电池			15. 门把			24. 轮胎装饰盖		
7. 散热器盖			16. 遮阳板			25. 工具箱		
8. 燃油箱盖			17. 后视镜			26. 燃油箱存油		
9. 刮水器			18. 座椅靠背及套			27. 灭火机		
检查点符号:有(√) 缺(0) 无(×)								
车辆进厂方式:开进( ) 拖进( ) 装进( ) 事故( )								
车辆出厂方式:接走( ) 送达( )								
车辆检测及出厂手续签发记录								
检测报告单		上线检测次数		初检不合格项		竣工出厂合格证号		签发人
维修发票号		工时费/元		材料费/元		合计维修费用/元		接车人

(2) 机动车维修竣工出厂合格证 机动车维修竣工质量检验合格的,维修质量检验人员应当签发机动车维修竣工出厂合格证,未签发机动车维修竣工出厂合格证的机动车,不得交付使用,车主可以拒绝交费或接车。

机动车维修竣工出厂合格证由省级道路运输管理机构统一印制和编号,市级汽车维修管理机构统一管理,县级汽车维修管理机构负责发放,并对其监督管理,机动车维修企业管理本单位机动车维修竣工出厂合格证的签发。

3. 施工单(或称派工单)

汽车维修施工单样式见表2-7。

112

表 2-7　××修理厂施工单

工作单号		车主电话				
车主		接车日期				
车牌		预约交车日期				
车型		完工交车日期				
派工		工时费合计				
序号	维修类别	作业项目	工时/h	单价/元	工时费/元	修理工(签名)	备注

由业务部门根据维修合同中的"维修类别及项目"栏中的内容开出实施维修工作的单据，是维修车间进行维修工作的依据。业务人员填写施工单时，必须依据维修合同的"维修类别及项目"进行。施工单中的维修项目必须符合维修合同的"维修类别及项目"，不能超越维修合同所规定的维修范围。

车辆的维修过程中，施工单在维修车间应随车一起流动。维修人员若在维修过程中发现新的问题需要增加维修项目的，必须反映给服务顾问。新增维修项目，由服务顾问与车主取得联系，经车主同意后方可增加，否则，进行该项目所发生的工时费、材料费等一切费用在结算时无法律效力，即未经车主同意增加的维修项目不能进行结算计费。

车辆维修竣工后，施工单交业务部门。价格结算员进行工时费计算时，按施工单和维修合同，对照施工单中的维修项目是否超出维修合同中"维修类别与项目"一栏中所列出的范围，做出工时结算。

4. 工时、材料费结算清单

车辆维修竣工，最后回到业务部门。价格结算员进行工时费计算时，必须提供工时、材料费结算清单。

1）工时费结算清单样式见表 2-8。

表 2-8　××汽车维修工时费结算清单

委托单位/人						
工作单号						
厂牌车型						
序号	维修项目	施工单/份	单价/元	工时/h	工时费/元	备注
工时费合计						
单位			维修合同号		发票号码	
签字			制单			

2）材料费结算清单样式见表2-9。

表2-9 ××汽车维修材料费结算清单

工作单号				车牌		
车主				车型		
序号	材料名称及规格	单位	数量	单价/元	材料费/元	备注
材料费合计						
单位 签字			维修合同号 制单		发票号码	

任务工单

（一）任务实施的环境

汽车实训中心维修业务接待前台。

（二）任务实施的步骤

1）抽取案例。
2）案例分析。
3）角色扮演案例处理过程。
4）案例反思。

（三）技能训练及相关实践知识

技 能 训 练

【训练任务】 小组对案例分析后，写出处理意见，并模拟处理过程。

【训练建议】 团队分析并模拟案例，个人独立完成总结工作。

【评价建议】 可用如下技能训练评价表对学生的操作技能进行评价。

维修车辆结算与交车技能训练评价表

学生姓名						
团队名称						
团队成员						
测评日期			测评地点			
测评内容	1. 角色扮演 2. 案例处理方法 3. 心得体会					
考评标准	内　　　容		分值/分	自　评	互　评	师　评
	角色扮演		40			
	案例处理方法		20			
	心得体会		40			
	合　　计		100			
最终得分（自评30%+互评30%+师评40%）						
说明：测评满分为100分，60~74分为及格，75~84分为良好，85以上为优秀。60分以下的学生，需重新进行知识学习、任务训练，直到任务完成达到合格为止						

情境二 客户沟通与接待

任务五 汽车维修客户回访

📖 学习目标

通过本任务的学习，应懂得汽车维修企业客户回访的相关内容，包括回访流程、注意事项，维修企业客户档案的管理，客户忠诚度的培养方法和客户开发的知识。通过学习和训练，学生应能够：

➤ 对汽车维修客户进行电话回访。
➤ 管理维修客户的档案。
➤ 掌握提高客户满意度的方法。
➤ 完成团队协作工作的目标。

📖 任务分析

对汽车维修企业来说，客户是非常重要的经营资源。在客户维修车辆后的几天内，维修服务企业对客户进行电话回访，可以了解客户对维修过程的满意程度，及时发现问题并采取补救措施，同时通过与客户的交流，可以增进与客户的感情，大大提高客户的满意度。

汽车维修服务的目的就是让客户满意，客户回访工作是增加客户满意的一个重要环节，所以服务顾问应该掌握客户回访的方法，同时能够维系好企业与客户的关系，并且具有一定的新客户开发能力。

📖 相关知识

一、汽车维修客户回访工作流程

汽车维修客户回访是汽车维修服务流程的最后一个环节，是汽车维修企业与客户接触沟通和交流的重要环节，一般通过电话回访的方式进行。在较大的汽车维修企业里由专职的信息回访员来做这项工作，在一些较小的维修企业可由服务顾问来负责回访工作。电话回访的目的不仅在于体现出企业对客户的关心，更重要的是通过回访可以了解客户对本企业的维修质量、服务质量等方面的反馈意见，有利于企业发现不足、改进工作。

汽车维修企业的客户回访工作流程如图 2-8 所示。

二、汽车维修客户回访要素

1. 维修工单信息整理

1）服务顾问应根据销售部门新的销售用户资料建立车辆维修档案，填写"车辆信息"和"用户信息"栏；每天整理前 1 天完成结算的"维修工单"（服务顾问联）信息。

2）"维修工单"（服务顾问联）中使用下画线标志的新的车辆/客户信息，要在车辆维修档案的"车辆信息"和"用户信息"栏更新。

115

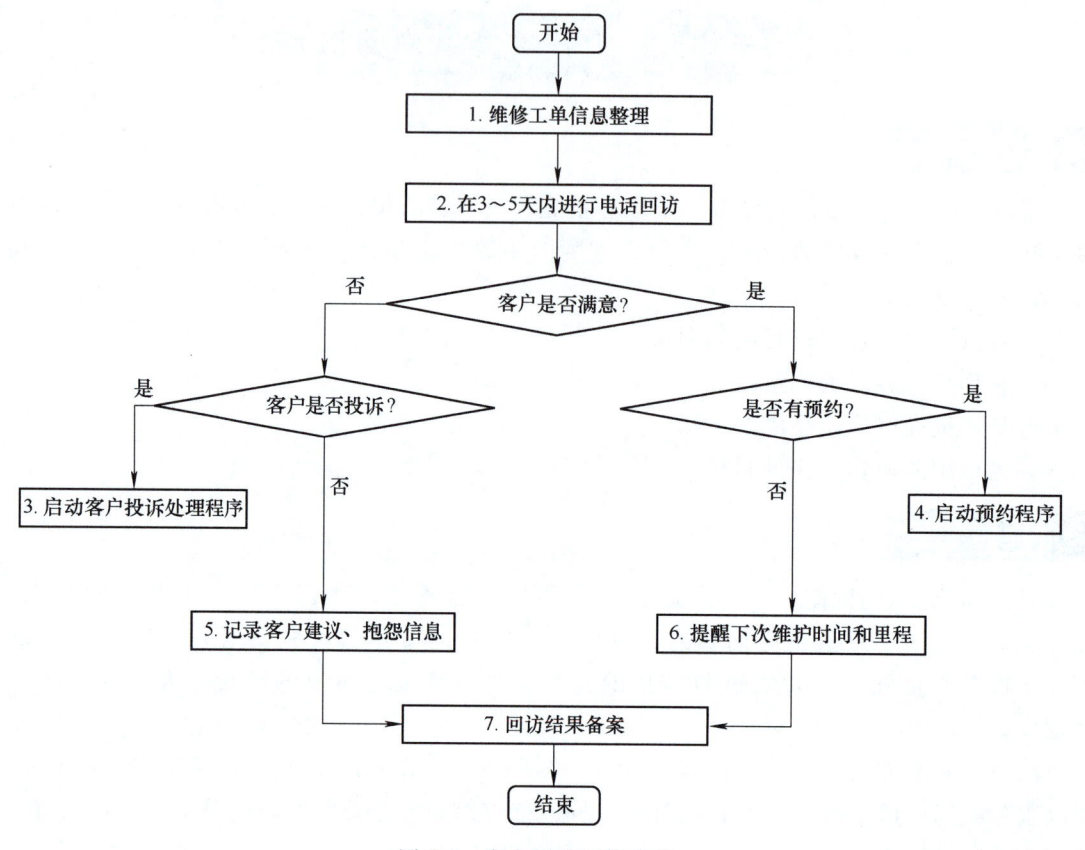

图 2-8 客户回访工作流程

> **工作手册**
>
> **标准话术：一汽大众询问是否接受回访话术**
>
> "您好！我是一汽大众×××4S店的客户顾问×××，请问您是×××女士/先生吗？"
>
> 得到确定回答后：
>
> "×××女士/先生，根据我们的记录，您爱车的车牌号为×××，于××××年×月××日在我店进行了×××维修。我们想对您做一次关于您本次服务体验的回访，大概需要您×××分钟，请问您现在方便吗？"

3）根据"维修工单"（服务顾问联）的内容填写车辆维修档案的"来店维修日期""维修内容""行驶里程""服务顾问"和"维修工单号"栏。其中，"维修内容"栏填写实际维修项目和未维修的建议项目（如"未修：……"）。

2. 在3~5天内进行电话回访

1）选择3~5天前的"维修工单"（服务顾问联），在维修服务跟踪回访表上按照单号顺序填写"维修工单号"栏。

2）在客户方便的时间电话联系客户进行跟踪回访。

3）至少在不同时间做3次联系尝试，争取联系到客户，否则采用跟踪卡等方式进行跟踪回访。

4）电话连通之后，先礼貌地自我介绍："您好！我是××店的客户管理员××"；确认对方身份，感谢客户选择销售服务店的服务，说明本次电话回访的主要内容和大概所需时间；如果客户不方便，向客户表达抱歉打搅之意，并询问客户方便的时间，使用铅笔记录在"维修服务跟踪回访表"的"客户意见"栏，结束此次回访。

5）若客户接受回访，则询问客户是否满意：如果满意则询问是否有预约，有预约则进入步骤4，无预约则进入步骤6。如果不满意则判断是否为投诉，若为投诉，则进入步骤3；若不是投诉，则进入步骤5。

6）根据"维修工单"（服务顾问联）向客户了解维修质量和接待质量的感受，结果记录在"维修服务跟踪回访表"的"客户感受"栏（使用"√"在相应栏目进行标记）。

7）针对"维修工单"（服务顾问联）上的"其他"栏建议项目内容，询问客户是否预约，或者客户是否有主动预约内容。

工作手册

> **一汽大众联系回访客户操作标准**
>
> 　　服务顾问准备完毕后，拨打客户电话，接通后，向客户介绍本次回访的目的以及所需要的时间，然后询问客户是否同意接受本次满意度回访。
>
> 　　若客户同意接受回访，服务顾问将DSCRM系统中的满意度回访问卷准备好，依据问题的次序，开始进行电话回访。结束后，确认回访的内容已录入系统。
>
> 　　若客户不同意接受回访，查明原因后，服务顾问须尽力与客户另约回访时间，并在电话结束后向客户发送提醒短信。
>
> 　　若一时无法接通客户，服务顾问应重复拨打；若重复多次后仍不成功，服务顾问应向客户发送信息，告知与客户联系目的，邀请他方便时回电。
>
> 　　回访客户：
> 　　1）电话接通后，电话回访过程中，服务顾问应询问客户的满意度。
> 　　2）根据客户的回复，服务顾问应将回复内容录入DSCRM系统。
> 　　3）在了解客户的满意度时，服务顾问需重点了解客户不满意的方面以及原因。

3. 启动客户投诉处理程序

1）使用"√"在"维修服务跟踪回访表"的"是否投诉"栏进行标记。

2）将投诉内容记录于"投诉跟踪处理表"中。

3）安抚客户的情绪，并向客户表明销售服务店将尽快处理。

4）结束通话后，根据"维修工单"（服务顾问联）填写完整"投诉跟踪处理表"的客户信息和车辆信息及相应的"维修工单号"。

5）启动投诉处理程序。

4. 启动预约程序

1）在"维修服务跟踪回访表"（表2-10）的"是否预约"栏使用"√"进行标记。

2）进入客户预约工作流程，在"预约信息传递表"上记录预约内容和初步确定的预约时间等信息，并递交服务主管安排给服务顾问。

5. 记录客户建议、抱怨信息

1）将客户的建议、抱怨事项记录在"维修服务跟踪回访表"的"客户意见"栏中。

2）安抚客户的情绪。

3）客户管理员每天将客户抱怨信息向服务主管反馈。

4）服务主管汇总客户抱怨信息，每周向服务经理汇报1次。

5）服务经理根据需要召集主要管理人员共同研究改进措施，进入步骤7。

6. 提醒下次维护时间和里程

1）若有客户咨询的信息，则记录在"客户意见"栏。

2）向客户提醒下次维护车辆的时间和里程以及本店将要举行的服务活动信息。

3）使用"√"在"服务提醒"栏进行标记。

4）在"回访员"栏填写回访人员的姓名，进入步骤7。

7. 回访结果备案

将跟踪回访的记录资料和出现问题的处理结果进行备案。

知识小贴士

1."维修服务跟踪回访表"使用方法和填写规范（见表2-10）

1）"序号"栏：填写回访记录的顺序号。

2）"维修工单号"栏：填写回访对应的维修工单单号，如"1217088"。

3）"客户意见"栏：记录满意、咨询、建议和抱怨4类信息；满意的记为"OK"，其他类记录其内容。

4）"服务提醒"栏：使用"√"号标记已经提醒客户相关即时信息，如销售服务店自行举行的服务活动、经销商举行的服务活动等。

5）"客户感受"栏：使用"√"号标记客户对上次服务中的接待质量和维修质量是否满意。

6）"是否投诉"栏：使用"√"号标记在跟踪回访中是否发生客户投诉。

7）"是否预约"栏：使用"√"号标记在跟踪回访中是否出现客户预约信息。

8）"回访员"栏：填写此次回访操作者的姓名。

2."投诉跟踪处理表"使用方法和填写规范（见表2-11）

（1）基本信息

1）"客户姓名"栏：填写发生投诉的客户姓名。

2）"联系电话"栏：填写发生投诉的客户的有效联系电话。

3）"车辆型号"栏：填写发生投诉的车辆的具体型号，如"HMC6432、HMC7161"等。

4）"购车日期"栏：填写发生投诉的车辆的购买时间，格式为"2009年12月17日"。

5）"车牌号码"栏：填写发生投诉的车辆的牌照号码，如"粤A-12345"。

6）"行驶里程"栏：填写发生投诉时车辆的里程表显示的数值和单位，如"18000km"。

（2）投诉内容

1）"投诉内容"栏：填写客户投诉信息的详细内容。

2）"第一接待人"栏：填写客户投诉时第一接待人的姓名。

3）"接待日期"栏：填写第一接待人收到投诉信息的时间，格式为"2009年12月17日"。

（3）投诉处理记录 在投诉跟踪处理表（表2-11）中进行如下记录。

1)"处理记录"栏:由投诉处理责任人填写所采取的关键措施和客户意见及处理结果等。

2)"处理责任人"栏:填写处理责任人的姓名。

3)"处理时间"栏:填写对应的处理时间,格式为"2024年12月17日"。

表 2-10 ××销售服务店维修服务跟踪回访表

序号	维修工单号	客户意见	服务提醒	客户感受		是否投诉	是否预约	回访员
				满意	不满意			

表 2-11 投诉跟踪处理表

销售服务店投诉跟踪处理表						
基本信息	客户姓名		联系电话			
	车辆型号		购车日期	年	月	日
	车牌号码		行驶里程			km
投诉内容						
处理记录	第一接待人		接待日期	年	月	日
			处理责任人：		处理时间：	
			处理责任人：		处理时间：	
			处理责任人：		处理时间：	

三、汽车维修客户管理

1. 客户关系管理的概念

企业的竞争重点已经从以产品为中心向以客户为中心的转移，众多企业将客户看做其重要的资产，不断地采取多种方式对企业的客户实施关怀，以提高客户的满意度。客户关系的管理由此产生，也就是以客户的满意为中心，一切从客户利益出发，目的就是为了维持客户的忠诚。

客户关系管理（Customer Relationship Management，CRM）指的是企业通过有意义的交流沟通，理解并影响客户的行为，最终实现提高客户获取、客户保留、客户忠诚和客户获利的目的。

市场是由需求构成的，需求的多少决定了企业的获利潜力，而企业对需求满足的品质高低决定了企业获利的多少。客户对产品和服务是否满意成为企业发展好坏的决定因素。

客户的满意就是企业效益的源泉。因此"以客户满意为中心"成为当今企业管理的中心和基本观念，它替代了传统的"以利润为中心"的观念。为了实现以"以客户满意为中心"这种管理中心的改变，克服传统市场营销中的弊病，现代市场营销理论的核心已由过去的"4P"，即产品（Product）、价格（Price）、渠道（Place）和促销（Promotion），发展演变为"4C"，实现了真正以客户满意为中心。

> "4C"理论的内容如下：
> 1）满足消费者欲望与需求（Consumer's wants and needs）。企业应努力研究消费者的需求，不要销售自己所能制造的产品或所能提供的服务，要销售消费者确实想购买的产品或服务。
> 2）降低满足消费者欲望与需求的成本（Cost to satisfy wants and needs）。企业应了解消费者要满足其需求所能付出的费用，降低满足消费者欲望与需求的成本。
> 3）购买的便利（Convenience to buy）。企业应积极思考如何给消费者提供方便，以使消费者能更便利地购得商品或获得服务。
> 4）沟通（Communication）。企业应加强同消费者的联系沟通，了解消费者对产品或服务的真实想法。

一切从客户利益出发，目的是维持客户的忠诚。因为只有长期忠诚的客户才是企业创造利润的源泉，所以企业关注的焦点应从企业内部运作转移到客户关系上来。

2. 客户关系管理的意义

客户关系管理的核心是企业将"以客户为中心"的理念体现在企业运营的每一个环节，处处为客户着想，为客户提供满意的服务，将企业的客户转变成为忠诚客户。汽车维修企业为客户服务，就是要提供高质量的维修服务，这包括与客户交谈、迅速而又礼貌地回答客户的电话、树立专业的形象等，使企业的每一次服务对客户来说是将一件不愉快的事（汽车维修是因为车辆故障，是客户所不希望发生的事情）变为一件愉快的事的过程。

为客户提供优质服务是企业在今天的激烈竞争中站稳脚跟、走向繁荣的基础。无论是汽车维修企业的管理者，还是普通员工，为客户提供优质服务都是非常重要的，这影响着公司是盈利还是亏损。

如果因为服务质量差而失去客户，其损失是难以估量的，这意味着企业失去了大量其他没有见面的客户——该不满意的客户的所有朋友和熟人。一次不满意的服务将带给企业极大的负面效应。

经营理念和认识上的落后是实施客户关系管理的最大障碍。汽车维修企业应从企业发展战略的高度认识实施客户关系管理的重要性，用先进的理念教育员工，使企业上至决策层，下至一线员工都深刻认识到"客户资源是企业最重要的资源"，客户是公司生存和发展的基础，自觉地将"以客户为中心"的经营理念贯彻到工作的每个环节中，真正做到"想为客户所想、急为客户所急"，把客户视做自己的衣食父母。

3. 汽车维修企业客户档案管理的方法

（1）客户档案的建立 客户档案是企业的重要资源，通常利用客户档案可以建立客户群、扩大业务、提高企业的知名度等。客户档案的建立通常有两种方式：一是客户基本资料的建立；二是客户业务资料的建立。

1）客户基本资料的建立。客户基本资料的建立包括客户基本资料的获取、整理、录入、保存、更新、取用和应急处理等。对于不同的企业来说，对客户基本资料的内容要求各不相同，应该根据需要制订有关的规章制度细则，当然这些制度一般来说大同小异，一般客户的资料分为4个部分。

> ① 车辆的基本信息：车牌号、VIN、发动机号、钥匙号、出厂日期、首次维护日期、车型等。
> ② 车辆的扩展信息：购买日期、档案登记日期、保险公司名称、保险联系人、续保日期、下次应维护日期、上次业务日期、行驶证年检日期等。
> ③ 车主的基本信息：姓名、性别、出生日期、身份证号码、住址、邮政编码、联系电话和手机号码等。
> ④ 车主的扩展信息：车主的其他联系人、开户银行、开户账号、税号、所在地区和类别等。

需要说明的是，车型的分类和客户的分类都有很多种分类办法。例如，可以按照年龄、地区、车辆用途、客户来源、业务大小分类，甚至还有的企业要求记录客户的兴趣爱好等。

2）客户业务资料的建立。客户业务资料的建立包括客户的来访记录、购车记录、购买配件记录、修车记录、维护记录、跟踪回访记录和投诉记录等。

① 销售记录。如果一个企业刚刚开始建立客户档案，查阅企业销售记录是一个最为直接、简单的方法。从销售原始记录中，可以看到现有客户和曾经进行交易的客户的名单，以及企业客户的类型。

② 维修服务登记。利用客户维修服务时进行的登记是建立客户档案的一个最简单的办法。这可以采取请客户自己登记的办法，以获得更多、更准确的客户信息，不过这需要得到客户的配合。但很多客户不愿花费时间和精力填写登记卡，即使填了也难以保证准确性。企业可以以某种方式对自愿登记的客户进行奖励，如通过赠送小礼品等方式来提高填写质量。

（2）客户档案的分析　在掌握了客户的基本信息后，就要积极着手分析客户档案。客户档案分析的内容取决于客户服务决策的需要，由于在不同企业、不同的时期这种需要的不同，所以进行客户档案分析利用的内容也不同。一般说来，常用的客户档案分析内容有客户信用度分析、客户资产回报率分析、客户收入构成分析和客户地区构成分析等方面。

1）客户信用度分析。它是利用客户档案记录内容，详细、动态地反映客户的行为及状况的特点，从而确定不同客户的付款条件、信用限度和价格优惠等，还可以对客户的信用进行定期的评判和分类。对于信用分析中信用等级较高的客户，可作为业务发展的重点，并给予一定鼓励或优惠，如优先服务、特殊服务、优惠价格和信用条件等。这对于加速企业资金的周转和利用，防止出现呆账、坏账十分有效。

2）客户资产回报率分析。客户资产回报率分析是判断客户获利多少的有效方法之一。该方法是从客户的毛利中减去直接客户成本，包括维修费用、服务费用和送货费用等，而不考虑企业的研究开发、设备投资等费用，从而求出客户资产回报率。

3）客户收入构成分析。它是统计分析各类客户及每位客户在企业总收入中所占的比重，及这一比重随时间推移的变动情况，用以表明企业服务的主要对象，从而划分不同规模的客户。这对于明确促销重点、掌握渠道变动情况是十分重要的。

4）客户地区构成分析。利用客户档案分析客户地区构成是一种最为普遍、简单的档案分析方法，分析企业客户总量中各地区客户分散程度、分布地区和各地区市场对企业的重要程度，是设计、调整分销和服务网络的重要依据。值得指出的是，这种构成分析至少要利用5年以上的资料，才能反映出客户构成的变动趋势。

除以上档案分析内容外，在实践中一些企业还利用客户档案进行关系追踪与评价、客户与竞争者关系分析、客户占有率分析、开发新客户与损失客户分析、企业营销效果分析、合同履行分析等。建立客户档案、收集客户资料的目的是为了利用这些信息，使其在实现企业的客户导向中真正发挥作用，实现信息的价值。因此，要在建立客户档案的基础上，不断开发利用档案信息内容。客户档案不仅在客户关系管理中发挥作用，而且在企业面向客户服务的各项工作中都具有广泛而重要的作用。

（3）客户档案的管理　客户档案管理是汽车维修的基础管理工作，也是企业生产、技术管理的基础工作，具体工作包括以下内容。

1）客户进厂后业务接待人员当日要为其建立业务档案；客户档案由业务部门负责收集、整理和保管。汽车大修、总成大修、汽车二级维护的客户档案一车一档，一档一袋。档案内容包括维修合同、检验签证单、竣工证存根、工时清单、材料清单等；汽车一级维护、小修的资料在维修登记本中保存。

2）客户基本信息应进行整理，并利用计算机存档。纸质档案应保持整齐、完整，不得混杂乱装，档案袋应有明确的标志，以便检索查询，同时防止污染、受潮、遗失。

3）车辆维修竣工后，检验员应在车辆技术档案中记载总成和重要零件更换情况及重要维修数据（如气缸、曲轴直径加大尺寸）。

4）单证入档后除工作人员外，一般人员不得随意查阅、更改、抽换。若确需更正，应经有关领导批准同意。

5）档案内容有客户有关资料、客户车辆有关资料、维修项目、修理维护情况、结算情况、投诉情况，一般以该车"进厂维修单"的内容为主。老客户的档案资料表填好后，仍存入原档案袋。

6）客户维修档案应保存两年或两年以上。

知识小贴士

汽车维修企业客户会员管理

1. 会员折扣管理

吸引到客户之后，商家需要持续的努力，才能够长期留住客户，使其成为忠诚客户。会员制度就是留住老客户的常用办法之一，也是客户关系管理的一种有效手段。一套完善的会员制度是与客户建立良好关系的纽带与桥梁。会员制度的管理内容很多，下面首先介绍一下会员制度中的重点知识之一——会员折扣制度。

折扣就是厂商在向客户提供商品或服务时，在普通定价的基础上，以一定的优惠价格收取费用。会员折扣就是为客户建立会员档案，然后为会员客户提供比普通客户优惠的消费折扣。在维修管理中，折扣可以使用在维修项目和维修用料两个方面。例如，在维修企业中，维修项目的工时费折扣优惠措施，就会使客户感觉到实惠，从而增加客户对修理企业的好感，留住客户。有的汽车维修企业对配件的价格进行优惠，也有的采取工时、配件双优惠。

因为维修工时费和配件费的性质有所不同，因此，在一般的汽车维修企业，会将维修工时费和配件折扣分开，即一单业务中会有两个折扣率。不同级别的客户享受的双折扣率会有所区别，客户级别的划分也就成为会员制度的一个重要内容。一般来说，级别越高的会员，得到汽车维修企业优惠的折扣越多。

2. 会员积分管理

会员折扣制度可以让会员每次来店都立即享受到优厚的待遇，而会员积分制度则是让会员通过消费累积积分，享受长远的优惠待遇。其方法是为会员建立消费积分制度，当积分累积到一定分值的时候，可以把积分用于交换礼品，或者获得某种折扣优惠等。

会员积分制度与会员折扣制度相辅相成，成为汽车维修企业最常用的会员优惠方法。

积分回报是会员制度的一种典型方式之一。通过积分可以促进客户消费，客户如果要积累更多的积分，就需要不断地进行消费，商家和客户通过积分纽带能达到双赢的结果。

通常，商家会根据积分给会员一定的回馈，或者为会员提供增值服务，或者向会员发放礼品，激发客户的持久的消费积极性。当然，伴随这些回馈，通常要进行积分的扣减。

在汽车服务企业中，采取的积分制度通常比较简单易懂，以便操作者和客户都容易领会。最常见的会员积分制度如下。

$$本次消费积分 = 自费金额 \times 自费积分率 + 索赔金额 \times 索赔积分率 + 保险金额 \times 积分率 + 免费金额 \times 免费积分率$$

从公式可以看出，客户在汽车维修企业修理车辆所进行的消费，无论是何种收费类别方式，都可以进行积分。

积分制度一般有两种：一个是会员阶梯制度，即根据积分多少确定会员的阶梯等级；另一个是"积分抵金"制度，会员可以用积分冲抵下次消费时的部分应付款项，或者通过扣减积分换取商家提供的礼品。

四、汽车维修客户忠诚度的培养

客户忠诚度又称为客户黏度，是指客户对某一特定产品或服务产生了好感，形成了"依附性"偏好，进而重复购买的一种趋向。

客户忠诚是指客户对企业的产品或服务的依恋或爱慕的感情，它主要通过客户的情感忠诚、行为忠诚和意识忠诚表现出来。其中，情感忠诚表现为客户对企业的理念、行为和视觉形象的高度认同和满意；行为忠诚表现为客户再次消费时对企业的产品和服务的重复购买行为；意识忠诚表现为客户做出的对企业的产品和服务的未来消费意向。由情感、行为和意识3个方面组成的客户忠诚营销理论，着重于对客户行为趋向的评价，通过这种评价活动的开展，反映企业在未来经营活动中的竞争优势。

> **知识小贴士**
>
> **品牌行为由员工的行为决定**
>
> 　　在竞争越来越激烈的今天,要想保持产品本身的个性已经越来越难。因为每当推出一个新的产品亮点,很快就会被其他品牌模仿。但是服务不一样,服务是理念,别人学也只能学表象,学不到精髓。所以要想保持个性,就要通过服务让客户感受到区别。有研究表明,80%的品牌体验(导致客户愿意付款的行为)是由员工的行为所决定的。因此,规范统一的品牌行为可以强化品牌的形象以及对品牌的希求,突出与竞争对手的差异,实现更高的客户满意度/保有率并赢得潜在客户。因为客户在享受售后服务时,是和人打交道,而不是公司。

1. 客户忠诚的原因分析

(1) 优异的质量　众所周知,长期稳定的优异质量是维系客户忠诚的根本所在。质量的含义不再仅仅停留在硬性的标准上,而有了更高的要求,需要企业更加注重客户的个性化需求。从某种程度上讲,客户的要求就是质量的标准。汽车维修企业应积极适应现代消费者个性化的要求,向客户尽可能多地提供其所需要的产品或服务,以此来留住客户。

(2) 较好的价格竞争力　现在的消费者对价格的敏感性大大加强,因此,汽车维修企业应充分审视价格结构及竞争对手的价格体系,理性地拟定产品价格,以尽可能低的价格向消费者提供良好的产品和服务,让客户真正感觉到实惠,得到客户的价值认同。

(3) 优质的服务。据某咨询公司的调查,客户从一家转移到另一家,70%的人认为是服务质量的问题。随着科学技术的进步和市场竞争的加剧,汽车维修企业的产品在价格和质量方面的差距越来越小,服务质量的高低已成为企业竞争优势的重要组成部分。面对消费者个性化和快捷的服务要求,企业只有建立完善的客户服务系统,创建服务优势,让客户真正体验到"上帝"的感觉,这样才能留住客户,从而建立客户对企业的忠诚。

(4) 沉没成本的影响　在与企业交往一段时间后,老客户通常会发现:如果更换品牌或卖方,会受到沉没成本和只能从现在的卖方获得到延迟利益的限制。例如,一些汽车公司在会员购买汽车备件金额达到一定的数量后,在其继续购买的时候会给予一定的价格优惠。这样,频繁购买产品的客户就加强了对这家汽车公司的忠诚度。一般来讲,企业会建构转移壁垒,使客户在更换品牌或卖方感到转移成本过高(原来获得的利益会因转移而流失),这样可以加强客户对企业的忠诚。

(5) 感情投资　在企业提供产品的同时,亲和友善的客户关系能够满足客户感情上的需要,通过心理作用,提升产品价值和企业形象。很多汽车维修企业注重对员工进行教育,鼓励员工在服务过程中与客户建立融洽、牢固的关系,并对这种关系的维护进行持续的感情投资。

2. 客户忠诚度的培养方法

(1) 确定客户价值取向　要提升客户忠诚度,首先要知道哪些因素会影响客户的取向。客户取向通常取决于3个方面:价值、系统和人。当客户感觉到产品或服务在质量、数量、可靠性或者适合性方面有不足的时候,他们通常会侧重于价值取向。期望值受商品或服务的成本影响,对低成本和较高成本商品的期望值是不同的。但当核心产品的质量低于期望值时,他们便会对照价格来进行考虑。

（2）让客户认同"物有所值" 只有保持稳定的客源，才能为品牌赢得丰厚的利润率。但是，当商家把打折、促销作为追求客源的唯一手段时，降价只会使企业和品牌失去它们最忠实的客户群。促销、降价的手段不可能提高客户的忠诚度，价格战只能为品牌带来越来越多的毫无忠诚可言的客户；当商家、企业要寻求自身发展和高利润增长时，这部分客户必将流失。培养忠诚的客户群不能仅做到价廉物美，更要让客户明白这个商品是物有所值的。由于经营同质化，企业只有细分产品定位、寻求差异化经营、找准目标客户的价值取向和消费能力，才能真正培养出属于自己的忠诚客户群。

（3）提高客户的转换成本 "转换成本"（Switching Cost）指的是当消费者从一个产品或服务的提供者转向另一个提供者时所产生的一次性成本。这种成本不仅仅是经济上的，也是时间、精力和情感上的，它是构成企业竞争壁垒的重要因素。如果客户从一个企业转向另一个企业，可能会损失大量的时间、精力、金钱和关系，那么即使他们对企业的服务不是完全满意，也会三思而行。

（4）树立"客户为中心"的服务意识 良好的客户服务是建立客户忠诚度的最佳方法，包括服务态度，回应客户需求或申诉的速度，退换货服务等，让客户清楚了解服务的内容以及获得服务的途径。因为客户变得越来越挑剔，并且在购买了产品后会非常敏感，他们在与企业进行交易时，希望能够获得足够的愉悦，并且能够尽量减少麻烦。当这些客户获得了一个很好的客户服务（大服务）体验时，他们自然会形成第二次购买；当他们获得了一个不好的体验时，他们会向周围更多的人宣传他们的"不幸"。因此，企业要想提升客户体验，必须要把与产品相关的服务做到位，然后才是真正的产品销售。

（5）获得和保留客户反馈，及时化解客户抱怨 客户反馈与客户对优质服务的感知是密切相关的。对于大多数公司而言，心存抱怨的客户中只有10%的客户可以有机会向公司明确表述出来；而剩下的90%是客户没有机会向公司表述出来的，企业解决客户抱怨时，应从两方面入手：一是为客户投诉提供便利；二是对这些投诉进行迅速而有效的处理。

（6）针对同一客户使用多种服务渠道 有研究发现，通过多种渠道与公司接触的客户的忠诚度要明显高于通过单渠道与公司接触的客户。不过这个结论的前提是，客户通过进入实体商店、登录网站或者是给呼叫中心打电话都可以获得同样的服务。为了实现这种多渠道的产品交付和产品服务，企业必须要能够整合这些多种渠道的资源和信息，只有这样才能清晰地知道客户到底在何时喜欢何种渠道，并且无论客户使用何种渠道，企业相关的与客户接触的人员都能够获得与客户相关的、统一的信息。客户的善变性、个性化追求，使得企业不得不改变渠道，别无选择，否则，客户只会流向竞争对手。另外，企业应该与客户建立多层联系。企业所具有的和与客户接触的知识决不应该来自单一的联系（如客户服务人员），这种狭窄的接触会使企业易于造成信息失真，并产生不准确的判断，而且这种委托关系是很脆弱的，当联系发生变化时，会为竞争者敞开大门，理想的情况是客户与企业之间有多层的联系，并且多层联系的信息能够得到整合。

（7）集中力量服务于"最可能忠诚的客户" 企业应该好好用一下80/20法则。概括地说，企业80%的收入来源于20%的客户，这20%的客户可以称为企业"最可能忠诚的客户"。所有的客户对于企业来说价值都不是一样的，其中一些客户能为公司带来长期的价值。富有竞争意识的公司应该能够跟踪客户、细分客户，并根据客户的价值大小来提供有针对性的产品和服务。因此，企业应该把重点放在20%~30%的"最可能忠诚的客户"上，同

情境二 客户沟通与接待

时企业应该关注一些有价值潜力的客户,并采取相应的策略。

五、汽车维修客户开发

客户开发工作是销售工作的第一步,通常来讲是业务人员通过市场调查初步了解市场和客户情况,对有实力和有意向的客户进行重点沟通,最终完成目标区域的客户开发计划。但以上只是一个企业客户开发工作的冰山一角,要成功做好企业的客户开发工作,企业需要从企业自身资源情况出发,了解竞争对手在客户方面的一些做法,制订适合企业自身的客户开发战略,再落实到销售一线人员使客户开发战略得到执行。这是一个系统工程。

在激烈的市场竞争中,能否通过有效的方法获取客户资源往往是企业成败的关键。现在的客户越来越清楚如何满足自己的需要和维护自己的利益,客户是很难轻易获得与保持的。因此加强客户开发管理对企业的发展至关重要。

1. 确定大客户开发的对象

一般选择 20 人以上的公司、企事业单位、机关等,通过电话号码本或是派人实地收集他们的基本资料,包括单位名称、地址、电话、大约人数等。

2. 开发大客户

通过电话预约,派专业人员上门洽谈,向大客户说明价格方案、服务优势等,有促销活动时,一定要用促销吸引大客户,服务人员拜访完后要做访谈记录。

3. 关联店的联合

联合与店铺相关联的店,互相交换同等数量的基本客户资料,相互寄放或联合寄发直邮广告,举办区域性联合促销活动或是共同举办社区休闲、公益活动,提升店铺形象。关联店的选择一般考虑商圈范围 1km 以内,客户层与本店有互补作用,消费频率高,而且主力客户为本店的目标客户层,可以优先考虑连锁企业。

> **知识小贴士**
>
> **影响客户满意度的因素**
>
> 有学者提出,客户满意度(CS)等于 QVS。Q 代表品质(Quality),V 代表价值(Value),S 代表服务(Service),所以客户满意度是品质、价值和服务 3 个因素的函数。其用公式可以表示为
>
> $$CS = f(Q, V, S)$$
>
> 式中 CS——客户满意度;
> Q——品质;
> V——价值;
> S——服务。
>
> 企业竞争优势要在品质、价值和服务上体现。
>
> 1. 品质
>
> 品质包括如下因素:
>
> 1)人员素质,包括基本素质、职业道德、工作经验、教育背景、观念、态度和技能等。
>
> 2)设备工具,包括完不完善、会不会用、愿不愿用。

3）维修技术，包括一次修复合格率、质量。

4）服务标准化，包括接待、维修、交车、跟踪。

5）管理体制，包括质量检验、进度掌控、监督机制。

6）厂房设施，应顺畅、安全、高效。

2. 价值

价值包括以下因素：

1）价格合理，包括工时费、配件价格合理。

2）品牌价值，包括知名度、忠诚度。

3）物有所值，包括方便、舒适、安全、干净。

4）服务差异，是指服务品质与其他企业的差别。

5）附加价值，包括免费检测、赠送小礼品。

3. 服务

服务包括信任和便利性等要素。

(1) 信任要素

1）厂房规划：CI 形象、区域划分、指示牌。

2）专业作业：标准程序、看板管理、专业人员负责、5S 管理、专业分工。

3）价格透明：常用零件价格、收费标准。

4）兑现承诺：交车时间、维修时间、配件发货、解决问题。

5）客户参与：寻求客户认同，需求分析，报告维修进度，告知追加项目，交车过程，车主讲座。

6）专业化：语言专业，热忱、亲切。

(2) 便利性要素　它主要考虑时间、地点、付款。

1）地点：与客户居住地的距离、客户进厂的路线、天然阻隔、接送车服务、指示牌。

2）时间：营业时间、假日值班、24h 救援、等待时间。

3）付款：付款方式、有人指引或陪同、结账时间、单据的整理。

4）信息查询：维修记录、费用、车辆信息、配件、工时费。

5）商品选购：百货等的选购。

6）功能：车辆保险、维修维护、紧急救援、车辆年审、汽车俱乐部、接送车服务。

任务工单

（一）任务实施的环境

汽车实训中心维修业务接待前台。

（二）任务实施的步骤

1）制订客户维修回访计划。

2）根据计划进行电话回访。

3）填写回访登记表。

（三）技能训练及相关实践知识

技　能　训　练

【训练任务】　制作客户维修回访计划，明确回访目的，制订回访内容，结合回访计划完成客户回访任务。

【训练建议】　团队独立完成回访计划。

【评价建议】　可用如下技能训练评价表对学生的操作技能进行评价。

维修客户回访技能训练评价表

学生姓名						
团队名称						
团队成员						
测评日期			测评地点			
测评内容	1. 汽车维修客户回访计划书 2. 客户回访表 3. 客户回访模拟					
考评标准	内　　容	分值/分	自　评	互　评	师　评	
	汽车维修客户回访计划书	40				
	客户回访表	10				
	客户回访模拟	40				
	合作精神	10				
	合　　计	100				
最终得分（自评 30%＋互评 30%＋师评 40%）						
说明：测评满分为 100 分，60~74 分为及格，75~84 分为良好，85 分以上为优秀。60 分以下的学生，需重新进行知识学习、任务训练，直到任务完成达到合格为止						

情境三

汽车维修车辆服务

任务一　汽车维修车辆初检

学习目标

通过本任务的学习，应懂得汽车维修车辆的预检内容，掌握日常维护内容与常见故障处理方法，具备从事汽车维修车辆初步检查、车辆诊断、分析以及与客户沟通交流等工作的能力。通过学习和训练，学生应能够：

➡ 确认交修前车辆各部分状况，避免客户不实指责。
➡ 提高客户对服务企业信赖感及交修意愿。
➡ 提高服务企业营业收入。
➡ 熟练地完成维修车辆的初步检验工作。
➡ 体现对客户的关怀与服务价值。

任务分析

为了确认客户所需的维修项目是否还有遗漏并确认车辆入厂时的状态，服务顾问应建议客户一起进行车辆预检，这样不仅可以拉近客户与服务顾问的关系，展现服务顾问的热忱和细心，而且可以根据车辆预检的结果向客户建议必要的修理或维护项目，促进维修业务的开展，增加售后收益。

相关知识

一、车辆日常维护

在维修业务接待的日常工作中，所受理的业务类型主要有日常维护、车辆常见故障维修、质保期和质保范围内索赔、车辆返修、保险车辆发生事故后定点维修、新车交车前检查（Pre-Delivery Inspection，PDI），以及车辆新增设备加装等，其中以前两种最为常见。

1. 车辆日常维护内容

车辆的日常维护内容包括清洁、紧固、润滑，其目的是保持车辆的干净、整洁、防止水和灰尘腐蚀车身及零件。在车辆行驶一定的里程后，要对车辆各部件连接处的螺栓进行检查、调整；若发现有松动的地方，要按要求及时拧紧，防止事故隐患，保证行车安全。润滑包括发动机润滑、变速器润滑、差速器润滑、轮毂润滑等，从而保证车辆各运动部件正常运转、减小运转阻力、降低温度。

车辆维护时，要严格按照各汽车生产厂家的要求更换和加注润滑油、脂。润滑油、脂品质的好坏对发动机的正常运转与否有着非常重要的影响。如果选择不当或只图一时便宜购买品质低劣的产品，会造成发动机早期磨损、降低发动机的使用寿命，严重时还会造成拉缸、抱瓦等恶性事故。

2. 车辆日常维护的类型

车辆的日常维护主要分为首次维护、定期维护和行至一定里程数后的维护等。车辆在不同维护周期进行的维护项目是不同的。

(1) 首次维护　首次维护也叫首保，是保证汽车正常顺利运行而强制性实行的维护。

首次维护的时限：新车行驶到随车提供的维护手册中规定的首次维护里程时，必须进行首次维护。一般车辆在行驶 1500km 或 3000km 左右后要进行首次维护。首次维护有免费的也有自费的，售后服务站对有的车型首次维护限定了时间，如果超出限定时间还未进行首次维护，就必须要自费进行维护，而且如果没有进行首次维护，将被视为自动放弃保修资格。另外，有的车型在出厂的润滑油里含有磨合剂，可以使车辆磨合的效果更好，因此，应该尽量在首保期内将车辆行驶够磨合里程数。

首次维护实施单位：首次维护必须到特许服务站进行，由服务站免费为客户进行首次维护。这也是用户进行质量担保的必要条件之一。

首次维护的主要内容：

1) 检查、添加机油。
2) 检查或者添加冷却液、风窗洗涤液、制动液、动力转向液。
3) 检查 ECU 记录（包括 ABS、BVA、BSI 等）。
4) 检查管路、发动机及变速器壳体的密封状况。
5) 检查底盘各部件的密封状况和固定情况。
6) 检查轮胎状况，调整轮胎气压和车轮螺栓拧紧力矩，检查蓄电池状况。

以上海大众汽车为例，首保共有以下 19 项内容。

1) 车内外照明电器用电设备功能检查。
2) 安全气囊（包括安全带）。
3) 自诊断（用专用设备 VAS5051/5052 计算机检测）。
4) 刮水器/喷水装置。
5) 前风窗玻璃漏水槽排水孔（清洁）。
6) 目测发动机各零件是否损坏和泄漏。
7) 空气滤清器（罩盖和滤芯）清洁。
8) 用专用设备检测蓄电池。
9) 用专用设备检测防冻液。
10) 助力系统检查。
11) 制动系统检查。
12) 驻车制动检查。
13) 机油和机油滤清器更换。
14) 转向横拉杆检查。

15）车身底部检查。

16）底盘螺栓检查。

17）车轮固定螺栓检查。

18）前照灯检查。

19）试车。

（2）定期维护　定期维护是为保证汽车正常运行而对汽车进行定期的维护。定期维护可以更好地保证汽车的性能和运行情况。

定期维护的时限：汽车行驶到随车提供的维护手册中规定的定期维护里程时，必须进行维护。一般日系车每行驶 5000km 进行一次定期维护，德系车每行驶 7500km 进行一次定期维护。

定期维护实施单位：定期维护必须到特许服务站进行，由服务站免费为客户车辆进行定期维护。这也是用户进行质量担保的必要条件之一。

定期维护的主要内容：

1）定期检查或更换机油、机油滤清器、空气滤清器滤芯。

2）定期检查或者添加冷却液、风窗洗涤液、制动液、动力转向液、变速器油。

3）定期检查或清洁空气滤清器滤芯、油气分离器、进气压力传感器集油罐。

4）定期检查、调整或者更换轮胎、轮毂。检查轮胎的磨损情况，对轮胎实施定位。检查轮毂、轴承预紧情况，若有间隙，应调整预紧度。

5）定期检查、调整制动摩擦片的磨损状况、传动带的张力状况。

6）定期检查、调整底盘各部件的固定情况和密封情况。

7）定期检查、调整发动机及变速器壳体的密封状况。

8）定期检查轮胎状况、轮胎气压和车轮螺栓拧紧力矩。

9）定期检查各种灯光、喇叭、刮水器、蓄电池的状况。

此类维护以更换润滑油和滤清器为主，同时检测车辆的各油液面，如制动液、变速器油等，检查其有无渗漏，同时着重对车辆的灯光、底盘及轮胎的气压和磨损情况进行检查。如果车辆曾经上过路肩或者发生过底盘磕碰现象，可以提醒技师注意。

（3）一定里程数维护

1）2万km维护——清洗燃油系统，在车辆行驶1年左右或2万km时，日常维护升级为大保，要更换润滑油和三滤。另外，要对各进气口和燃油系统进行清洗，并将轮胎进行换位。有的车内的一些部件是长效的，如一般的火花塞在这时候需要更换，但也有白金火花塞是在8万~10万km后才需要更换；同样，虽然一般的防冻液这时也需要更换，但是长效防冻液是在10万km或4年之后才需要更换，因此，要因车而异。

2）3万km维护——换制动片，这时维护除了例行检查外，要对全盘的制动蹄片进行检查更换。一般的车主在车辆行驶3万~3.5万km的时候更换制动蹄片，但对于使用制动频繁和强度大的车辆，则要在2万km时进行更换。

3）4万km维护——调整四轮定位，这时车辆一般已经行驶2年左右，需要对全车油液（除长效油液外）进行更换，并对传动带，如空调传动带、助力泵传动带等着重进行检查。另外，建议车主进行一次四轮定位和轮胎动平衡调节。一般车主都是在发现车辆有跑偏现象或者车辆发抖时才会进行这两项调整，但其实最好应在这次维护时就进行预防，因为在车辆使用2年之后，行驶方向就会产生偏差，直行性和操纵性就会下降，并造成轮胎早期磨损。

4）8万~10万km维护——换胎换带，这时车辆一般已行驶4~5年的时间，由于传动带（如发动机传动带和正时带等）已经老化，应该进行更换。另外，轮胎的磨损已比较明显，也需要更换。

在行驶8万km之后，维护周期就按以上规定轮回重复。

二、新能源汽车日常维护

1. 作业要求

根据国家标准、行业标准和新能源汽车厂家维修手册等相关技术要求，应按照"新能源汽车维护作业记录表"的作业内容对车辆进行指定维护作业，要求操作规范、安全、环保，对设备、工具、量具使用正确。

熟练掌握安全防护用具的检查和使用，适时使用和悬挂安全标识标牌。按照新能源汽车维护技术标准，在规定时间内完成作业流程。作业过程中要求熟练查阅维修手册，正确地使用工、量具和仪器设备，准确测量技术参数，按照要求在记录表上记录作业过程和测试数据，做到安全文明作业。

2. 作业工单（参考国赛标准工单）

新能源汽车维护作业工单见表3-1。

表3-1 新能源汽车维护作业工单

序号	作业类型、作业对象与作业内容	数据或异常情况记录	维修措施
举升位置1(举升机在最低位置)			
1	作业准备:安全防护 安装车轮挡块、设置隔离栏和警示牌 检查绝缘手套、护目镜和安全帽 穿着绝缘鞋(进入工位前提前穿好)	绝缘手套耐压等级:0级,1000V	
2	作业准备:外检作业 检查车身外观是否有明显的碰擦痕迹		
3	作业准备:车辆参数 记录车辆型号、车辆识别代号、驱动电机型号、驱动电机峰值功率、动力蓄电池容量、额定电压、里程表读数	记录车辆型号:FV6465BBBEV 车辆识别代号: 驱动电机型号:EBN 驱动电机峰值功率:150kW 动力蓄电池容量:241A·h 额定电压:352V 里程表读数:	
4	作业准备:安全防护 安装座椅套、转向盘套和地板垫		
5	作业准备:安全防护 安装翼子板布和前格栅布		
6	检查作业:前机舱附件 检查前机舱盖锁扣润滑情况(口述)		
7	检查作业:辅助蓄电池 检查固定情况及电压	实测电压:12.00~15.00V	

(续)

序号	作业类型、作业对象与作业内容	数据或异常情况记录	维修措施
	举升位置1(举升机在最低位置)		
8	检查作业:风窗玻璃刮水器 检查液面高度,必要时添加		
9	检查作业:制动系统 检查制动液液位,必要时添加		
10	检查作业:冷却系统 检查冷却液液位、凝固点	冷却液型号:G13 凝固点: 标准值:≤35℃ 实测值:-25℃左右	
11	检查作业:冷却系统 检查各冷却系统软管的安装、连接情况及有无裂纹、损伤和泄漏		
12	检查作业:高压维修开关(TW插头) 检查高压维修开关外观是否变形,是否有油液,是否松动		
13	检查作业:高压组件 检查高、低压线束或插接器是否松动	前机舱插头连接情况:☑正常 □异常	
14	检测作业:警告标签是否完好		
15	检查作业:仪表板 检查高压起动指示灯	1)READY指示灯 ☑亮 □不亮 □亮后熄灭 2)系统故障指示灯 □亮 ☑不亮 □亮后熄灭	
16	检查作业:空调系统 检查风量、模式、内外循环;分别打开AC和AUTO键,调节温度检查冷暖功能、除霜功能		
17	检查作业:安全气囊和安全带状态及安全气囊保护壳是否完好		
18	检查作业:车内所有开关、车内照明、用电器 检查功能是否正常		
19	检查作业:车外灯光 检查功能是否正常		
20	检查作业:刮水器 检查功能,必要时调整喷嘴		
21	检查作业:天窗 检查天窗遮阳帘功能		
22	检查作业:故障诊断 检查高压管理系统,故障码(记录后清除) 检查低压管理系统,故障码(记录后清除)	□无DTC □有DTC	

(续)

序号	作业类型、作业对象与作业内容	数据或异常情况记录	维修措施
举升位置1(举升机在最低位置)			
23	检查作业:动力蓄电池	蓄电池模组温度:16.75~15.875℃ 动力蓄电池温差范围:16.75~15.875℃ 动力蓄电池压差范围:3.592~3.587V 动力蓄电池总电压:344V 绝缘阻值:∞ 冷却液进口温度:16℃ 冷却液出口温度:16℃ 动力蓄电池电量:29.6%	
24	检查作业:充电系统 检查各充电插接器插口处是否有异物、烧蚀等情况	1)充电枪应急解锁 ☑正常　□不正常 2)充电时指示灯 □白色　☑绿色　□红色　□黄色　□蓝色 所亮指示灯的含义:正在充电	
25	检查作业:充电系统 检查车辆能否正常充电及充电时仪表显示是否正常	充电线连接指示灯 □亮　□不亮 □亮后熄灭 充电指示灯 □亮　□不亮 □亮后熄灭	
26	检查作业:检查轮胎 检查轮胎气压,预松螺栓	气压 左前: 左后: 右前: 右后:	
27	检查作业:高压系统 车辆维修安全(标准断电)	辅助蓄电池电压:　V 读取相关电控单元高压数据流 断电前　　断电后 A19:　V　A19:　V AX2:　V　AX2:　V JX1:　V　JX1:　V AX4:　V　AX4:　V	
举升位置2(升起举升机至合适高度)			
序号	作业类型、作业对象与作业内容	数据或异常情况记录	维修措施
28	检查作业:冷却系统 目视检查散热器有无泄漏、变形等		
29	检查作业:空调系统 目视检查冷凝器有无脏污、变形及泄漏等		
30	检查作业:主销球头防尘罩,前后桥、连接杆、稳定杆橡胶金属支座 检查是否损坏		
31	检查作业:前、后部螺旋弹簧和缓冲块、塑料防尘罩 检查是否损坏		
32	检查作业:转向系统 检查球头间隙、紧固程度及防尘套状况 检查转向机外表面有无杂物		

（续）

举升位置 2（升起举升机至合适高度）			
序号	作业类型、作业对象与作业内容	数据或异常情况记录	维修措施
33	检查作业：变速器、主减速器及等速万向节防护套 检查有无泄漏或损坏		
34	检查作业：检查轮胎 检查花纹深度、轮胎换位（裁判指示）	花纹深度 左前：　　　　右前： 左后：　　　　右后：	
35	检查（测）作业：制动系统 检查（测）前轮制动摩擦片和制动盘	前制动摩擦片厚度 左前： 右前： 标准厚度：	
36	检查作业：制动系统目测是否有泄漏和损坏		
37	检查作业：动力蓄电池系统 检查动力蓄电池防撞保护装置有无变形、动力蓄电池高低压插接器	防撞保护装置固定螺栓标准紧固力矩： 插头连接情况：□正常　□异常	
38	紧固作业-动力蓄电池系统 检查动力蓄电池固定螺栓紧固情况、电位均衡线紧固情况	1）动力蓄电池固定螺栓标准紧固力矩： 2）动力蓄电池电位均衡线标准紧固力矩：	
39	检查作业：电驱动总成系统 检查电驱动总成系统是否漏液、磕碰；驱动电机安装支架有无损坏；电驱动总成、电位均衡线	1）电驱动总成紧固力矩： 2）电驱动总成电位均衡线紧固力矩：	
40	检查作业：高压组件和高压管线 检查是否有损坏、布线是否正确、安装是否牢固 检查绝缘性	插头连接情况 □正常 □异常	
41	检查作业：变速器油油位 拆下检查变速器油油位的螺栓，检查油位	变速器油油位检查 □正常 □异常 加注螺栓紧固力矩：	
42	检查作业：高压系统 检查车辆维修安全（验电）	1）高压母线动力蓄电池端 HV+与HV-电压值：　V HV+与搭铁电压值：　V HV-与搭铁电压值：　V 高压母线断电是否成功 是□　否□ 2）辅助装置高压线 ①动力蓄电池端 HV+与HV-电压值：　V HV+与搭铁电压值：　V HV-与搭铁电压值：　V ②高压连接线端 HV+与HV-电压值：　V HV+与搭铁电压值：　V HV-与搭铁电压值：　V 辅助装置高压线断电是否成功 是□　否□	

（续）

举升位置 2（升起举升机至合适高度）			
序号	作业类型、作业对象与作业内容	数据或异常情况记录	维修措施
43	检查作业：高压系统（含附件系统） 高压线束状态（接触面有无烧蚀、绝缘性）	绝缘性（绝缘电阻值） 1）绝缘测试仪选择电压： 2）高压母线动力蓄电池端 HV+与搭铁 实测值：　　标准值： HV-与搭铁 实测值：　　标准值： 3）辅助装置高压线 ①动力蓄电池端 HV+与搭铁 实测值：　　标准值： HV-与搭铁 实测值：　　标准值： ②高压连接线端 HV+与搭铁 实测值：　　标准值： HV-与搭铁 实测值：　　标准值：	
举升位置 3（落下举升机至车轮接地）			
序号	作业类型、作业对象与作业内容	数据或异常情况记录	维修措施
44	作业准备：安全防护 安装车轮挡块		
45	检查作业：高压系统（含附件系统） 检查高压线束状态（接触面有无烧蚀、绝缘性）	绝缘性（绝缘电阻） 1）绝缘测试仪选择电压： 2）交流充电口 ①L 对车身 实测值：　　标准值： ②N 对车身 实测值：　　标准值： 3）直流充电口 ①HV+对车身 实测值：　　标准值： ②HV-对车身 实测值：　　标准值：	
46	检查作业：粉尘及花粉过滤器 清洁外壳，更换滤芯		
举升位置 4（升起举升机至合适高度）			
序号	作业类型、作业对象与作业内容	数据或异常情况记录	维修措施
47	检查作业：冷却系统 检查驱动电机冷却液排液管路有无泄漏		
48	检查作业：变速器 检查变速器油油位的螺栓有无泄漏		
49	检查作业：相关维修作业 检查高低压插接器、电位均衡线（底盘部件）		

(续)

序号	举升位置 5（落下举升机至最低位置）		
	作业类型、作业对象与作业内容	数据或异常情况记录	维修措施
50	作业准备:安全防护 安装车轮挡块		
51	竣工检验:整车 检查整车上电状态、仪表状态;各系统故障码读取	1) READY 指示灯 □亮　□不亮 □亮后熄灭 2) 系统故障指示灯 □亮　□不亮 □亮后熄灭 3) 故障码 □无 DTC □有 DTC	
52	整理作业:安全防护 拆卸翼子板布和前格栅布		
53	整理作业:安全防护 拆卸座椅套、地板垫、转向盘套		
54	整理作业:工具和量具、设备、场地 清洁整理工具和量具、设备、场地		

车辆问诊

三、车辆问诊时常见问题与解答

1. 为什么冷车噪声大

一般来讲，凉车起动时（尤其是在冬天），车辆的噪声会比较大。如果车辆冷却液温度升高后声音恢复正常，一般不是故障问题，车主可以放心使用。这是由于在凉车时，发动机内部的润滑较差，各个摩擦面的摩擦阻力较大引起的。尤其是当润滑油未充满液压挺柱内腔时，刚起动时气门的响声会比较大，有比较明显的"哒哒哒哒"声音，待热车后响声会消失，这属于正常现象。有实验表明，发动机的机械磨损有60%以上是在冷起动期间造成的。所以为了车辆能够长期保持优良的工作表现，服务顾问应建议车主养成在冷起动的时候热车的习惯，还有就是一定要按照规范按时做换油维护。

2. 维护之后车辆噪声是否会变小

按时维护是正确使用车辆的一个基本要点，但是维护与维修的性质并不一样，它的重点是保证车辆性能、及时发现故障隐患，而不是改变车辆现有状况。所以如果客户希望的是做完维护，车辆的性能马上发生改进，甚至连声音都出现变化，服务顾问应告知客户可能他的期望值有点太高了。现实中维护并不会马上降低发动机的噪声。有时因为心理作用，有人会在维护之后感觉发动机的噪声变大了，这同样是不太可能并且没有任何因果关系的。

3. 为何冬天不开空调也不省油

有很多人都认为夏天开空调费油，冬天不用空调汽车的油耗就一定会低，而实际情况未必是这样的。

首先这是因为汽油机本身的热效率比较低，冬天环境温度低，车辆会散失大量热量，热效率降低，燃料的部分能量被用于保证平衡发动机的正常运行温度。况且冬天为了保证车内温度，需要开暖风，还有部分燃油的热量用于取暖。

其次低温下，润滑油的黏度增大，机件的运行阻力增大，冷车起动阻力增大，燃油消耗量也会有一定增大，并且热车时间长，燃油消耗会增大；并且冬天温度低，燃油的挥发性差，雾化差，燃烧效率会下降。

还有就是冬天风多，空气阻力增大，同样会消耗燃油。如果赶上雪天路滑，路况和行驶条件差，更加耗费燃油，路滑同样会导致部分燃油做了无用功。冬天日照时间短，需要较早地使用前照灯，电量的消耗同样导致燃油的增加。低温条件下，蓄电池的效能会下降，发动机的起动及运行要求更高，需要更多的燃料转化为电能为蓄电池充电。

所有这些方面，虽然单独某一项都只会对油耗造成微量影响，但是综合起来对油耗的影响是比较明显的。

4. 为什么实际行驶与买车的时候所说的油耗不一样

为了评价车辆的燃油经济性，目前比较公认使用的油耗（燃油经济性）评价指标为90km/h等速油耗（L/100km），也被称为广告油耗。这是在一定的实验条件下测算而得到的，只是燃油经济性的一个衡量比较指标，是车辆经济性的参考，可以使购买者能够比较容易地比较各车型的油耗。毕竟车辆是在各种条件、各种环境下使用，产生的实际油耗不会等同于90km/h等速油耗（L/100km）。通常测算油耗的方法是累计的燃油使用量/累计的行驶里程。这是将各种条件下的油耗都计算进去了，但实际上，车辆停驶，发动机在运转，同样会消耗燃油，但这部分燃油在行驶里程上无法体现。同样，车辆的油耗与很多条件有关。例如，路面情况、装载质量、交通状况、驾驶习惯、燃油质量、加油站实际燃油加注量、轮胎气压、天气情况等都会影响燃油经济性。所以，不必追求车辆的实际油耗低于或等于车辆参数提供的油耗值。如果出现油耗较大，首先要考虑计算方法是否合适，然后考虑是否存在以上各因素的影响。

5. 为何车辆油耗高

影响车辆油耗的因素非常多，首先计算方法就很容易产生误差或是错误。例如，百公里油耗的计算方法为燃油消耗量/行驶里程，有的客户却用行驶里程/燃油消耗量。例如，40L油行驶了500km的计算油耗应为8L/100km，错误的计算结果为12.5L/100km。如果计算公式正确，燃油消耗量和行驶里程的计算也存在很大的误差。对油耗有影响的因素主要有以下几个。

如何解释汽车油耗高

1）轮胎气压。轮胎气压过高会使车轮直径变大，使行驶的实际里程多于里程表上的显示里程，使计算油耗偏高；若轮胎气压过低，增大了轮胎与路面的阻力，也会使油耗增加。

2）油品质量和加油站的实际加注量。品质差的汽油的燃烧能量不足，肯定会增加燃油消耗，而且有的加油站加注量不准。

3）急速着车。急速着车时，燃油产生消耗而里程数不增加必然导致油耗增加。空转1min需10~30ml的燃料，5min怠速可以行驶1km路程。

4）热车时间。怠速热车时的喷油量很大，冬季行驶前需要长时间的热车，会导致油耗上升。

5）行驶路况。在堵车的情况下经常起步停车，必然导致燃油的浪费。选择良好的行车路线是降低油耗的最有效方法。

6）驾驶习惯。不良的驾驶习惯对油耗影响极大，急加速和紧急制动会浪费大量的燃油，并会增加制动片、制动盘的磨损。

7）附加设备的使用。车辆上的用电器和设备的使用都会增加油耗，如空调、大功率音响等都会增加发动机的输出功率。

8）环境因素的影响。夏天空调的使用会直接增加油耗，不开空调开窗降温通风会加大行驶阻力从而增加油耗，尤其是高速行驶中，开窗比开空调更费油。冬天的环境特点也会导致油耗增加。

9）车辆负重：车上应该尽可能地减少不必要、不常用的负重，因为车辆越重油耗必然就越大。负载增加100kg（城市），耗油增加0.5L/100km。

10）不定期维护。每隔一定的时间，就需对润滑系统、燃油系统或点火系统进行维护，否则就能引起油耗升高。

6. 为何有时车灯内有水汽

汽车灯具在使用中会散发大量的热量，如果不能散掉会影响灯泡和灯具的使用寿命，所以它们并未设计成密封的，以利于散热。前照灯还专门设计了通气孔。在雨天或寒冷季节行驶时，前照灯开启时一直是保持通风散热状态，会有大量水汽进入灯具中。一旦熄火或关灯之后，灯内温度急剧下降，水汽开始冷凝，并且附近的空气中的水分也会进入灯具凝结，水分会附着在前照灯内侧，形成结露现象。结露不是故障，结露现象一般在远光灯打开 30min 后会消散。

有时汽车会涉水行驶，大量的水可能会直接溅入或浸入灯具之中，严重时可能会使灯具中充满存水。

7. "玻璃水"有什么用，加水行吗

专用的玻璃清洗液（俗称玻璃水）有清洗效果好、不易结冰、无腐蚀性等优点。所以服务顾问应建议客户尽量使用"玻璃水"清洗而不要用水来代替。尤其是在冬天，用水清洗可能造成结冰，会损坏喷水系统的零部件。夏季长期用水清洗会造成喷水系统内形成水垢、锈蚀等问题，导致清洁效果差，有可能会造成驾驶中危险情况的发生。当然，只要不是在冬天，如果急需清洗又没有"玻璃水"时可以临时用水代替，只要及时换成"玻璃水"就可以了。

8. 防冻液亏了能加水吗

防冻液出现亏损，实际上是一个比较严重的问题，如果损耗过快，表明存在泄漏故障，需要检查维修。防冻液亏了加水主要有以下两点不妥之处：

1）加水会稀释防冻液，从而改变或降低防冻液的防冻能力。

2）带入杂质，使防冻液变质或引起冷却液管道堵塞。

所以，防冻液出现亏损不可加水。如果外界温度在冰点以上，为了保证车辆正常行驶，可以添加纯净水或蒸馏水。但是，要在外界温度低于冰点之前（入冬前）更换防冻液。如果情况紧急，条件有限，需要应急处理。例如，在野外，只能找到自然水添加，应在事后尽快清洗冷却系统，更换防冻液，以免产生水垢，阻塞冷却液管道。

9. 新车的磨合要注意什么

汽车的磨合期如同运动员在参赛前的热身运动，目的是使机体各部件机适应环境的能力得以调整提升。汽车磨合的优劣会对汽车使用寿命、安全性和经济性产生重要影响，不可小

看。做好检查维护，提高磨合质量应注意以下几个方面的问题：

1）磨合期的车辆行驶里程不应少于2000km，这是保证机件充分接触、摩擦、适应、定型的基本里程。在此期间车辆别跑太快避免节气门全开，一般前500km时速不要超过80km/h，2000km前时速不要超过110km/h，要保持发动机的正常工作温度。

2）切不可在此时演练车技，狂奔猛跑。车速应控制在规定以内，避免急加速或紧急制动，也不要总是以一种速度（高或低）行驶，当然更不要去牵引任何其他的车辆，使新车各部件适应环境的能力得到调整提升。

3）手动变速磨合中的车辆在行驶时应循序渐进，以最低档起步，逐步升高档位，切不可使用高档位低速行驶，或低档位高速行驶，并且应勤换档位，不要长时间使用一个档位行车。

4）行进中要注意发动机、变速器、驱动桥的工作状况及温度变化，掌握车况。当车辆行驶到2000km之后，需要做第一次维护。在经过维护之后，就可以正常使用并且高速行驶了。

10. 要走高速跑长途之前应该检查什么

高速长途时，车辆的各部件需要长时间大负荷运转，如果车辆平时的维护检查不规律，或者车辆行驶里程较长，需要进行一个比较细致的检查，对于不可靠的部位一定要修理。需要检查车辆的各油、水液面（机油、变速器油、防冻液、转向助力油、制动油）是否正常，并且一定要检查机油、变速器油、防冻液、转向助力油、制动油是否存在泄漏或渗漏之处；检查制动管路及其他液体管路的完好情况，布置是否得当，不松旷、不干涉；底盘的重要紧固螺栓是否紧固有效；转向系统的传动连接是否可靠有效。轮胎外观状况，有无破损或老化，胎压是否正常，备胎和随车工具是否齐全完好。此外，对于发动机和变速器的运行情况进行检查，制动系统和转向系统的性能进行检查。最后，应加满"玻璃水"。

另外，服务顾问应提醒客户带好各种证件以备沿途检查。

11. 为什么用了一阵后，发动机和变速器上有一些油印

发动机和变速器的密封垫不可能起到绝对密封的作用，总会有少量的油、气窜出，冷凝之后与尘土混合成油泥使发动机和变速器表面看起来有一层油印。在新车使用一段时间后出现的这种情况是正常的油气现象。但在短时间内产生大量的油泥甚至有油或水流出的痕迹是不正常的，需要进行检查和相应的维修。

12. 刚刚验过车，为何ABS灯亮了？怎么办

在检测厂的检测线上进行车辆检测时，会由于检测的需要，使车辆的前后轮转速不一致，导致车辆的ABS检测到轮速不一致，认为有故障，使故障灯亮起。ABS灯亮时，ABS是不会起作用的。出现此情况，不必紧张，这并不表明ABS真的有故障。ABS在进行几次系统自检，未检测到同样故障后会自动熄灭故障灯。可通过关闭或起动几次发动机，或是行驶一段时间然后停车关闭点火开关，然后再次起动车辆行驶一段时间，反复几次，使ABS进行自检测，然后就会自动熄灭故障灯。或者通过专用诊断仪器，使故障灯熄灭。通常情况下，在使用很短一段时间后（几次停车/运行循环），故障灯会自动熄灭。

13. 为什么车辆几天没开就没电了

在车辆的使用过程中，有时会出现这种情况：车辆放置了较长一段时间之后，再起动时发现没电了无法着车。这一般不是故障，因为虽然车辆不开，但是车上仍然有一些设备会消

耗电量，如计算机、音响、时钟等，蓄电池本身也有一个内部放电的问题。而很长时间发动机不起动，发电机也无法对蓄电池充电，就造成了亏电现象。所以服务顾问应建议客户即使是很长时间都不用车，最好也每隔几天就起动车辆一次，最好是能够行驶一段时间，以保证车辆的性能。如果客户的车是新车并且只是两三天就没电了，服务顾问应建议客户首先检查车辆有无用电设备未关闭；车辆是否加装过其他电器装置；如果不存在这些情况，最好到维修站检修一下，检查是否存在漏电或者蓄电池性能下降，或者发电机发电性能不良等。

14. 为什么要做四轮定位

简单地说，四轮定位是为了保障汽车在行驶、转弯状况下的安全性、稳定性。轮胎安装都是有一定的倾斜度（称四轮定位），以达到最佳行驶的效果。车辆经过一段时间的使用，特别在车辆运行时发生行驶跑偏、行驶稳定性差、轮胎偏磨或发出尖锐声响时，维修技师需要对这个数值进行重新检测、调整，确保客户车辆始终处在良好的行驶状态，以及减少轮胎、悬架系统零件的摩擦，所以服务顾问应建议客户根据自己爱车的使用情况，适时地到维修站调整四轮定位。

15. 为什么要做轮胎换位动平衡

由于轿车的驱动方式一般为前驱，前轮负荷大于后轮，汽车行驶一定里程后，各不同部位的轮胎在疲劳和磨损程度上就会出现差别，因此服务顾问应建议客户根据行驶的里程数或道路情况适时地进行轮胎换位；由于道路情况复杂，在道路上的任何情况都可能对轮胎及钢圈产生影响，如碰撞路肩，高速通过坑洼路等，容易引起钢圈变形，因此服务顾问应建议客户在换位的同时做轮胎动平衡。

16. 为什么有的轮胎不能补

当轮胎被异物穿刺时，首先应该检查轮胎受损的部位及损伤程度，根据实际情况确定维修方案。如果轮胎的侧面被异物穿刺或者轮胎的胎面被异物穿刺的孔直径较大，此时为了客户的安全，服务顾问应建议客户更换轮胎而不是补胎。如果对这种轮胎进行修补，会极大地增加车辆行驶爆胎的危险性。

17. 为什么要定期更换发动机正时带和张紧轮

正时带和张紧轮是发动机上非常重要的一对相互配合的旋转件，随着车辆的使用逐渐会磨损或老化，当发动机负荷突然增大或高速运转时，正时带有可能断裂，将会对发动机和驾驶人的安全造成非常严重的后果，因此服务顾问应建议客户严格按用户手册的规定定期更换正时带与张紧轮。

18. 轮胎充氮气有什么好处

轮胎充氮气的好处主要有以下几个：

1）加氮气的轮胎，水分含量较少，所以铝合金钢圈和铁钢圈不容易生锈、腐蚀，轮胎也不容易氧化。

2）对轮胎的不利影响较少，轮胎温度不易上升，在高速行驶的状态下，不易爆胎。

3）添加氮气的轮胎减少了对地面的摩擦力，也可减少燃料消耗，在凹凸路面减少振动，行驶更平稳。

4）声音在氮气中传播速度比空气中慢，因此车厢内噪声较少，可提高车内人员的舒适感。

5）据权威机构认证，使用添加氮气轮胎的使用寿命要比添加压缩空气轮胎的使用寿命长 26%。

19. 使用氙气灯有什么好处

氙气灯的光亮强度相当于普通卤素灯的近 3 倍，耗电量是普通灯的一半，使用寿命是目前使用的普通灯的 5 倍。氙气灯亮度大，消耗能量小，使用寿命长，不受电压波动影响。氙气灯可以在限制地面照明的同时，改善横向分布；限制最大照度的同时，扩大亮区范围。使用氙气灯可提高驾驶的舒适性和安全性，特别是在弯道上，能够尽早地观察到路边行人、汽车及障碍物。

四、常见故障的诊断方法与步骤

1. 故障的诊断的步骤

汽车维修业务接待时进行车辆的故障诊断又称为对车辆的"问诊"，具体步骤如下。
1）认真听取客户对故障的描述，了解客户的要求并作记录。
2）了解到尽可能多的细节，更好地判断故障原因（利用 5W/2H 方法）。
3）系统地检查客户的车辆。
4）必要时请客户陪同进行路试。
5）请求技术专家帮助检查车辆并判断故障原因。
6）查阅是否有相关的技术维修通告。
7）运用各种信息资料对车辆故障进行判断。

2. 故障的问诊的方法

问诊时尽量采用开放式的提问，作结论时可以采用封闭式提问。

开放式提问	封闭式提问
5W/2H	是不是
	有没有
	这类提问的回答只有一种可能
Where	故障发生的位置
When	什么时候开始
Who	当事人是谁
What	有什么故障现象
Why	故障原因
How	建议维修项目
How much	工时费、材料费

通过问诊，客户可以清楚地知道自己的车到底哪里有故障，同时服务顾问也向客户展示了自己的专业性，客户可以放心地将车辆交给服务顾问处理，从而对服务企业产生信赖，增加客户忠诚度。

五、常见故障分析与诊断

1. 常见故障一：汽车出现起动故障

发动机能正常起动必须具备 3 个要素：压缩、火花和混合气。如果某一要素工作异常便会引起发动机不能起动或起动困难。起动故障一般表现为不能起动和起动困难，其中起动困难分为冷起动困难和热起动困难。

【诊断】

发动机不能起动且无着火征兆，一般是由于燃油没有喷射引起的，其原因主要有以下几点。

1）转速信号系统故障。发动机转速和曲轴位置传感器在发动机工作时检测其转速信号，提供曲轴位置信号，并作为控制系统进行各项控制的主要依据和基础。如果传感器或其电路出现故障，电控单元不能接收到速度信号和曲轴位置信号，就无法正确地控制燃油喷射和点火正时，就会出现喷油器不动作，火花塞不跳火的现象。用听诊器和正时灯进行检查，便可确认喷油器和火花塞是否工作。

出现上述故障时，一般自诊断系统可显示出故障码，应对转速传感器、1号和2号凸轮轴位置传感器及其电路进行全面检查。首先断开各传感器的接线器，检查它们的电阻值，若电阻值不正常，则需更换；若正常，再检查电控单元（ECU）与各传感器的配线和接线器是否正常。

2）燃油泵及控制电路故障。如果燃油泵或控制电路出现故障，会造成供油系统没有燃油压力。即使喷油器工作正常，燃油也不能正常喷射。检查方法是用跨接线连接诊断插头端子+b和fp，然后接通点火开关，检查进油软管中有无压力。如果软管中有压力且可听到回油声，说明燃油泵本身没有问题；否则，应检查燃油泵，可用万用表测量端子4和5之间的电阻值，如果与规定不符，则需更换燃油泵。如果燃油泵工作正常，则应检查其控制电路，主要包括熔丝、EFI主继电器、燃油泵继电器、电阻器以及各配线和接线器。

3）燃油压力调节器故障。燃油系统的油压对混合气浓度有直接的影响，因此首先应检查燃油压力。方法是先将燃油压力表接入燃油管路中，然后起动发动机，测量燃油压力。若燃油压力过高，则应更换压力调节器；若压力过低时，可夹住回油软管，若燃油压力上升到正常值说明燃油压力调节器损坏，否则可检查燃油泵和燃油滤清器。停机后检查燃油压力应保持在规定值5min，否则说明喷油器渗漏，导致混合气过浓。

4）燃油泵及燃油滤清器故障。起动困难时，一般燃油泵是能正常工作的，其故障多是油泵滤网堵塞致使油泵不能足量吸入燃油或燃油滤清器不畅通引起供油系统压力不足。

5）冷起动系统故障。在有些车型中设有冷起动喷油器，在冷起动时将混合气加浓以改善冷起动性能。冷起动喷油器由起动开关和热敏时控开关控制，喷油持续时间取决于热敏时控开关加热线圈电流和冷却液的温度。

【解决措施】

对以上故障的诊断应遵循先电后机、先简后繁的原则进行。电喷车之所以会出现冷起动故障，原因多为进气门背部、进气管内积炭过多，喷油器内部杂质过多。以上故障若发生在新车上，如行驶里程在6万km以内的车，则服务顾问应建议用户在车辆每行驶2万~3万km时进行发动机免拆清洗。另外，发动机在完成免拆清洗后，应以较高的车速（80km/h以上）行驶20km以上，以使溶化的胶质和积炭在高温下燃烧从尾气排出。若做完免拆清洗后车辆放置到第二天早上再起动，气门被溶化的胶质粘连，起动更困难和发动机怠速更加抖动，也就是俗称的"粘气门"现象。一旦出现了这种现象，需重新进行免拆清洗。

2. 常见故障二：动力下降；怠速不稳；油耗增加；冷车着车费劲；间歇有灭车现象

【诊断】

造成以上故障有可能是维护不及时造成的发动机内部机油变质或油脂沉积，或节气门、油路不畅，严重的有可能部分机件已经损坏。劣质的油品也是发生上述故障的根源之一，由于国内的油品状况参差不一，如果加了不过关的油极易导致发动机缸内的混合气燃烧不完全，产生积炭，粘在气门的周围就影响了进气门与排气门的密封性，进而压缩比降低，结果会表现为车辆动力下降，怠速不稳。

【解决措施】

依照使用说明书的要求按时按里程维护、清洁相关部位；加油尽量到信誉好的加油站；加满油后在燃油箱中添加一些清积炭的汽油添加剂，跑一段路看看情况是否有所改善；到特约维修站清洗喷油器和气门；检查车辆点火模块是否损坏，如果点火时间不对，每当急加速时会产生回火、发动机抖动等现象。

3. 常见故障三：散热器开锅、冷却液温度居高不下

散热器开锅、冷却液温度居高不下是在夏季经常会遇到的麻烦，此时要具体情况具体分析。

【诊断】

1）冷却液温度升高，但没有蒸汽或冷却液从散热器中溢出。这种情况一般是由于发动机超负荷造成的，此时应关闭空调，减小发动机的负荷。如果在行驶中，则应将档位推到最高档，以降低发动机的转速。此外，冷却风扇故障、发动机混合气过稀、点火时间过迟、离合器打滑以及汽车长时间顺风行驶均会出现冷却液温度过高现象。

2）冷却液或蒸汽自散热器盖口或副散热器中沸腾溢出。这种情况通常是由冷却系统故障引起的，最常见的原因是缺少冷却液，遇到这样的情况时首先应该停车，但不应该关闭点火开关，应让发动机继续运转，利用冷却风扇冷却，待发动机冷却后再关闭点火开关，用布盖住散热器盖，缓缓将其打开，尽量将身体及头部远离发动机，以防热水喷出烫伤人。若缺少冷却液，应加入冷却液，冷却液应尽量选用"软水"，最好不要使用"硬水"，防止在散热系统内形成水垢影响散热。之后，进行其他的检查。

【解决措施】

检查发动机的传动带是否断裂或有明显的松动，检查散热器或冷却系统是否渗漏。如果副散热器中冷却液不足或管路轻微渗漏，应补充冷却液至标准液面。然后检查冷却系水垢状况，按随车手册中规定的量加入冷却液，如果有剩余，则说明冷却液的容积被水垢所占据，水垢过多会大大降低发动机的冷却效率，此时应该加入水垢清洁剂清除水垢后再加入冷却液。

检查节温器，打开散热器盖，观察液面。如果在低温下液面有滚动现象，说明节温器卡在半打开状态；如果发动机过热，液面依然平静，表明节温器完全卡在关闭状态，而只有小循环状态。若此时触摸散热器，会明显感觉到温度低于机体温度，这种情况说明节温器完全失效，需要进行更换。

检查散热器，如果进、出水管破裂，可将肥皂涂在布上，绑扎在漏水处，起到止漏的作用。如果散热器漏水轻微，可以用肥皂涂抹堵漏；如果漏孔较大，可用棉花、棉纱塞住漏孔，也可以使用化学堵漏剂进行堵漏。如果进、出水管发生老化、凹瘪，影响进、出水流量，可将铁丝绕成圈状伸入管内进行支撑。如果散热器连接管破裂，应当及时更换。

4. 常见故障四：手动档汽车在挂档时有发自变速器顶部"咔哒"的一声异响

【诊断】

发生以上故障一般是挂档支架发生损坏。

【解决措施】

手动变速器在挂档时动作不宜过猛、过快，否则会损伤挂档机构。尤其在挂倒档之前，要等车完全停稳后再踩下离合器挂倒档，这样会降低齿轮和档位支架的损坏概率。

六、典型案例分析与诊断

1. 典型案例一：发动机不易起动，起动后怠速较高

【故障现象】

一辆日本三菱越野车发动机冷机起动，需踩几下加速踏板，起动后不需要踩加速踏板，车速能达到70km/h，但怠速居高不下。

【检修】

该车发动机采用电控燃油喷射系统，根据故障现象分析，故障原因可能有以下几点：

1）发动机怠速调节螺钉调整不当。

2）节气门开度过大，或节气门位置传感器调整不当。

3）怠速控制阀卡死，或进气管漏气。

电控燃油喷射式发动机的怠速是通过一个电控怠速控制阀来保证发动机的正确怠速转速，而不是由人工调整节气门开度大小来决定的。电控单元根据发动机的冷却液温度、节气门的位置来决定发动机的怠速。通常情况下，怠速稳定转速应为 700r/min 左右。当电控单元接收到节气门的位置、发动机负荷、冷却液温度及转速信号后，经过运算，指令怠速控制阀进行调节。

当怠速转速低于设定转速值（700r/min）时，电控单元指令怠速控制阀打开进气旁道，使进气量增加，以提高发动机怠速。当怠速转速高于设定转速值时，电控单元便指令怠速控制阀调节小进气旁通道，使进气量减少，降低发动机转速。怠速转速值的调节是在发动机工作情况下进行的。当节气门位置传感器调整不当或节气门开度过大时，节气门开关无法将正确的怠速转速工况信号传给电控单元，因而电控单元无法调节发动机正确的怠速转速值，怠速转速就会出现过高或过低的现象。

当节气门积炭过多时，会引起节气门关闭不到位，怠速控制阀卡死或进气歧管破裂。为此，测量了节气门位置传感器的电压，结果正常，也没有发现其歧管接头有松动及破裂情况。

随后清洁节气门体并调整节气门开度，发现怠速控制阀卡死在打开位置。这样一来，当怠速控制阀接收到电控单元指示关小旁通气道时，由于旁通气道大开，进气较多，相对油量较少，混合气较稀，因而发动机不易起动，需多踩几次加速踏板才行。而起动后，由于进气量较多，故发动机转速较高。将该怠速控制阀更换后，发动机工作正常。

2. 典型案例二：发动机加油不畅

【故障现象】

客户反映曾因发动机故障灯亮而将车开去维修厂检查，维修以后便出现了加不上油的现象。

【检修】

用专用检测仪对发动机 ECU 进行调码,却发现调码根本无法实现。仔细一看,发动机故障灯一直没亮。找来修理手册按图索骥,发现发动机和自动变速器 ECU 的端子 W 至故障灯和自诊盒的连线被剪断了。先恢复接线,按程序读取故障码为 21、28 和 52,分别为左、右列气缸的主氧传感器和 1 号爆燃传感器工作不良。将这些元件更换并消码后试车,发现情况有所好转,但加油还是不畅。检查点火系统,没有问题。检查油路,测得油压仅为 200kPa,明显不足。在确认油路无泄漏以及压力调节器正常的情况下,更换燃油泵后试车,故障现象消失。

3. 典型案例三:正时带老化跳齿导致点火正时不对

【故障现象】

一辆奥迪 100C3V6 轿车行驶中突然熄火,再也不能起动。

【检修】

经初步检查,发动机无高压火。用"电眼睛"检测仪调出故障码为霍尔传感器开路。拔下霍尔传感器插头,分别检查其正极线、负极线以及 S 信号线到 ECU MH 的电路均正常。更换霍尔传感器后,发动机仍无高压火,再测故障码依旧。该车采用无分电器直接点火系统,ECU MPI 必须同时接收到霍尔传感器信号和点火正时传感器信号,两信号共同识别 3 缸的点火正时,MPI 才释放出点火和喷油信号。如果缺少其中一个信号,发动机便不能点火工作。检查与点火有关的转速传感器和点火正时传感器,也未发现异常。当检查正时带时,发现左侧凸轮轴的正时标记不对,错了两个齿。再看正时带,已经因使用时间过长而老化,从而造成在行驶过程中错齿。更换 1 根新的正时带,重新校正点火正时,发动机顺利起动。该车由于凸轮轴正时错位,使 ECU MPI 在点火时未检测到霍尔传感器信号。该故障被存放到 MPI 的内部存储器,经解码器解码得到霍尔传感器开路信号。

4. 典型案例四:底盘部分有异响

【故障现象】

一辆装备了 4 缸电喷发动机,行驶里程 2 万 km 的车辆在行驶过程中底盘部分有异响。

【检修】

经试车,发现此车低速行驶在颠簸路段上时,车辆下部不时传出"咯噔、咯噔"的声音,热车行驶时,声音尤为明显。根据以往的经验,此种声音为部件松旷后相互撞击所发生的。在进行了检查后,初步确认为右侧转向拉杆球节松旷,故更换了新的转向拉杆球节。重新进行试车时,发现异响依然存在。检查了此车悬架部位的螺栓与螺母的紧固程度,也未发现问题。

接着,检查此车前部减振器、下臂尺与前驱动轴,均属正常。再次试车,在将车跑热后,低速行驶在颠簸的土路上,感觉此车车身左右晃动时异响最为明显,而且声音依然在转向机附近。把车架在四柱桥上,让一人帮助晃动车身,另一个人站在车下触摸部件,感觉转向机随异响有同样频率的振动。于是,将转向机解体,发现转向齿条有磨损,且与衬套配合间隙过大。所以当车辆晃动时,齿条与衬套相互碰撞,导致了异响的产生。

在更换了转向机后,试车一切正常,故障被排除了。

小结:对于那些由其内部损坏而引起的故障,尽管比较难排除,但只要耐心地逐步分析排除,就能比较快地找出故障进行维修。

5. 典型案例五：离合器异响

【故障现象】

一辆普通型桑塔纳轿车制动时前轮有类似敲鼓的密集噪声，且缓踩制动踏板声音小，急踩制动踏板声音大。

【检修】

询问车主得知，此车前不久刚换了前轮制动器的摩擦片，随后便出现这种故障现象。拆检前轮制动器发现，摩擦片表面很不平整，有许多大小不一的凹坑，很明显不是原厂配件。由于摩擦片质量不合格，在摩擦片与制动盘的摩擦工作中，摩擦片表面产生脱落现象，形成凹坑。至于噪声，可能是凹坑中的空气，在制动盘与摩擦片之间的摩擦工作中，由于高温导致体积膨胀，就像许多的气球不停地爆破，再经过车身与悬架的传递，就形成类似敲鼓的密集噪声。怀疑是离合器从动盘的质量问题，将摩擦片重新更换成原厂配件后，故障现象消失。

6. 典型故障六：自动变速器壳变形导致起动异响

【故障现象】

一辆三菱帕杰罗V73越野车行驶近2万km后起动发生异响，其征兆为V6型电控燃油喷射式发动机在刚起动时起动机无异常响声，但在发动机着火的一瞬间，起动机发出很强烈的齿轮撞击声。

该车采用电控无极变速器，在修理厂更换发动机飞轮齿圈后，故障暂时消除。但起动3~4次后，故障现象再次出现。

【故障原因分析】

根据常规分析认为，出现上述故障可能有以下几个方面的原因：

1）起动机单向离合器压力弹簧弹力不足。
2）起动机驱动齿轮或者发动机飞轮齿圈轮齿打坏。
3）起动机固定螺栓松动。
4）起动机起动齿轮与发动机飞轮齿圈间隙不当等。

【故障排除】

针对上述原因，逐项进行检查和调整，均未发现异常情况，特别在检查单向离合器压力弹簧时，为确保无误，将该起动机装在其他同型号车上试车，起动正常，从而排除了起动机自身故障的可能性。

由于该车采用减速型起动机，啮合间隙只能通过在起动机和自动变速器壳连接处的垫片来调整。在调整过程中，发现通过调整啮合距离无法消除其故障。但偶然在起动机与变速器一边的连接螺栓处加一个2mm左右的垫片时，故障消失。所以初步诊断为自动变速器壳变形，使起动机轴与发动机曲轴的不平行度太大导致起动机异响。随后，经过反复测试和修复变速器壳直至变速器壳平面的垂直度符合要求，装车后反复试车故障完全消除。

7. 典型故障七：双重压力开关损坏导致空调系统异常

【故障现象】

一辆三菱帕杰罗V97越野车几乎每年都要补充一次制冷剂，最近又刚刚补充过，但行驶不到两个星期，突然出现了空调不制冷现象。

【故障原因分析】

检修时起动发动机，打开A/C开关，同时鼓风机位置在HI档，结果有风送出，但不是冷风。观察压缩机无吸合作用。用导线直接把电磁离合器接到蓄电池上时，压缩机正常运转，接着出风口有冷风送出，而且冷气量正常。为了有效地确定故障原因，把压力表接到管路上，测量制冷系统压力。具体方法是关闭管路上的高压阀和低压阀，然后把蓝色的充注软管接到系统的低压阀上，红色的充注软管接到高压阀上。起动发动机并使压缩机运转。此时压力表读数高压为 1.48MPa、低压为 0.25MPa，环境温度为 28℃。

【故障排除】

从以上测量结果可知，制冷系统压力正常。导致压缩机不吸合的原因显然在控制电路上，且根据实践经验此时空调系统中的高电压双重压力开关出现故障的可能性极大。

为了进一步准确判断，在 A/C 开关接通时用导线跨接高电压双重压力开关的两个端子，空调压缩机吸合运转，这说明双重压力开关确实损坏了，更换后系统工作正常。

8. 典型故障八：闪光器故障

【故障现象】

一辆三菱帕杰罗越野车闭合危险警告灯开关时，左、右转向灯开关均不亮，但闭合左或右转向灯开关时对应的转向灯闪烁。

【故障原因分析】

该车具有危险报警功能，正常情况下当闭合危险警告灯开关时，应同时接通左、右转向灯电路。此时蓄电池电源经过熔丝→危险警告电路熔丝→危险警告闪光器→危险警告开关→左、右转向灯泡→搭铁→蓄电池负极形成回路。在危险警告闪光器的作用下，左、右转向灯灯泡均亮，表明左、右转向灯泡正常。因此只能是危险警告灯开关、危险警告闪光器、危险警告电路熔丝之间的连线有故障。

【故障排除】

将试灯的一端搭铁，另一端先后接触危险警告电路熔丝的前、后试灯均亮，说明熔丝完好，检查危险警告闪光器的前线端试灯也亮，说明连接都正常，这就可能是危险警告闪光器或开关有故障。

为了快速查处故障，将危险警告闪光器短接然后闭合开关，左、右灯都亮，因此判断是闪光器损坏，更换后恢复正常。

9. 典型案例九：电子调节器安装不当

【故障现象】

一辆本田雅阁轿车充电指示灯在行车中突然亮起，车主将其送到一家修配厂检修，确定为发电机电压调节器损坏。由于时间较紧，修理人员在经车主同意后，为其车发电机装上外置式的外搭铁电压调节器。竣工后试车正常，然而车主开车走了不久，发动机突然熄火。车主检查熔断器，发现 ECU 的一个 7.5A 的熔丝烧断。换上仅有的一个 15A 的熔丝，打开点火开关，此熔丝立即烧断，车辆也无法起动。

【检修】

经过检查，发电机的电压调节器已经被烧坏。其原因是电压调节器位置安装不当，距离发动机排气管太近。这样，由于电压调节器散热困难加之排气管高温，导致其内部磁场晶体管击穿短路，使磁场失控而致使发电机输出电压异常升高。对电压调节器修理后，再查找电控单元熔丝烧坏的原因。拆解 ECU 检测，发现 ECU 的电源稳压二极管已被击穿短路。将此二极管更换，装复 ECU，重新更换被烧断的 7.5A 熔丝后试车，一切正常。能够对车上元器件进行改动，并不是坏事，但要多方面考虑，以免引起重大损失。

10. 典型案例十：电刷磨损严重导致充电性能异常

【故障现象】

一辆三菱653柴油汽车，已累计行驶12万km，以前一直运行正常，但近期出现起动困难迹象。驾驶人对蓄电池进行补充充电后，情况有所好转。但半月后再次出现难以起动现象，最后起动车辆时起动机不转，发动机毫无反应。

【故障分析与处理】

经检查，蓄电池存电充足，电路各接线均正常。用螺钉旋具跨接起动机电源，起动机运转正常。上述现象表明起动机本身工作良好，故障出在起动机控制电路上。检查起动机继电器，发现起动时继电器搭铁端（该端的连接导线包扎在电缆线束总成内）呈开路状态。将此端直接搭铁，打开电源开关，起动机运转正常，发动机顺利起动，故障消除。

经进一步查找故障原因，发现该车起动继电器的搭铁端导线是通过交流发电机的磁场绕组搭铁的。解体检查交流发电机，发现电刷磨损严重，弹簧压力不足，集电环与电刷接触不良。更换一组交流发电机电刷后，起动机故障彻底排除。

【经验总结】

本例故障虽然简单，但却很有借鉴意义，即排除起动机故障不能仅局限于起动系统，而应依据电路控制原理检查与其相关的充电系统。

知识小贴士

真皮座椅越来越脏，该如何清理坐垫

好的真皮座椅可以直接擦拭，而非真皮的就要用毛刷子或者吸尘器1周清洗1次。座椅上的污点可用中性的洗涤剂擦拭，再用干抹布擦。要注意，抹布一定要拧干。

知识小贴士

打开发动机舱盖以后你们看见了多少种颜色

现代的管理已经进入了颜色管理的时代，凡是标有黄色的代表操作者，就是驾驶人有责任检查的设备或者装置，如机油尺就是黄色的。如果标有红颜色，若不是维修人员，不要去动它。例如，散热器盖上面标有红色，如果自己贸然打开，里面的热水就会喷出来，一不小心就会造成伤害。如果是标有黑色的器件，这个可以检查，但是最好不要检查。例如，制动油壶的盖，上面标有黑色，请不要打开，因为制动油壶大部分是塑料的，打开制动油壶后可能会失去制动效用，容易发生事故，所以建议不要打开。

大家回忆一下，自动变速器油是什么颜色？一般有两种：一种标有红色；另外一种标有黄色。

任务工单

（一）任务实施的环境

汽车维修4S企业、汽车实训中心。

（二）任务实施的步骤

1）到4S企业现场参观学习车辆维修客户的接待与车辆预检的工作内容。

情境三 汽车维修车辆服务

2）6个人为一组在汽车实训中心进行模拟训练。

3）熟练、有效地完成车辆预检部分的工作内容。

（三）技能训练及相关实践知识

技 能 训 练

【训练任务】 通过本次参观学习、角色扮演活动，应具备解决客户常见问题的能力并掌握车辆预检的工作内容，能轻松应对客户的询问，展示维修业务接待的专业素养。

【训练建议】 角色扮演时要经常进行角色互换，带动整个团队的解决问题能力的提升。

【评价建议】 可用如下技能训练评价表对学生的操作技能进行评价。

车辆预检技能训练评价表

学生姓名						
团队名称						
团队成员						
测评日期			测评地点			
测评内容	1. 分析解决客户常见问题的能力 2. 车辆预检工作的完成情况 3. 预检/问诊表的填写 4. 任务训练时语言及仪态的规范性					
考评标准	内　　容	分值/分	自　评	互　评	师　评	
	与客户交流时语言及仪态的规范性	20				
	分析解决客户常见问题的能力	30				
	车辆预检工作的完成情况	40				
	预检/问诊表的填写	10				
	合　　计	100				
最终得分（自评30%+互评30%+师评40%）						
说明：测评满分为100分，60~74分为及格，75~84分为良好，85分以上为优秀。60分以下的学生，需重新进行知识学习、任务训练，直到任务完成达到合格为止。						

任务二　汽车维修业务派单

学习目标

通过本任务的学习，应掌握车辆委托书的制订流程、维修工单的填写、车间派工的基本要求、车间派工的工作流程以及车间派工的工作标准等，具备从事汽车维修业务接待的软件

151

操作及协调派工的能力。通过学习和训练，学生应能够：
- 熟练地掌握车辆委托书的制订流程。
- 能让客户事先了解维修费用、维修方案及零件库存情况，并决定是否予以认可。
- 熟练地使用售后管理软件进行维修工单的开具。
- 协同客户进行车辆维修委托书的签订。
- 能够准确、合理地进行车间派工。

任务分析

汽车维修业务派单是整个业务接待中非常核心的一个环节，在这个环节要完成的重要任务是既能够熟练地掌握业务派单的软件操作技能，又要具备和客户进行良好沟通的能力，保证在客户满意的基础上为企业赚取更多的利润。

相关知识

一、维修委托书（维修工单）的使用

1. 维修委托书的使用目的

维修委托书的使用目的主要有以下5点：

1）提高客户对特约店的信赖度。
2）帮助车间技术人员更好地检测推断，提高工作效率。
3）帮助检查人员更好地实施检查，避免返修。
4）提高客户的满意度，提高特约店的服务收益。
5）避免不必要的纠纷。

2. 对客户的好处

维修委托书的使用，对客户的好处主要有以下3点：

1）客户的需求能够得到完全的理解。
2）客户能够事先了解维修费用、维修方案、零件库存等情况，并决定是否予以认可。
3）减少额外工作需要获得客户认可时，与客户打电话的次数。

因为服务顾问预检以后有可能会发现其他的问题。如果发动机漏油，需要把车顶起来预检，这时候会看见排气系统、减振系统、轮胎状况，有问题时服务顾问需要及时告诉客户，因为客户看不见车底的情况。使用委托书就能够减少再联系的次数。

3. 对企业的好处

维修委托书的使用对企业的好处主要有以下3点：

1）增加每个维修单的销售工时数。
2）增加每个维修单所销售的零部件数。
3）增加利润。

二、维修委托书的制订

1. 签订车辆维修委托书的流程

1）服务顾问应把检查结果向客户说明，共同确认维修项目。在预检作业结束后，服务

顾问应将预检中发现的故障用简单易懂的语言向客户说明，根据对故障原因的判断向客户提供维修方案，并说明维修原因及重要性，说明此项维修的好处及不进行此维修会产生的危害，要表现出对客户及其爱车的关怀，具体开列作业内容和所需零部件的名称、数量，并填入维修委托书。确认维修项目时必须先向客户进行项目提示，确保无遗漏。

维修项目是指需要车间进行派工维修的作业项目，如图 3-1 所示。

诊断记录 | 维修项目 | 需求配件 | 领用配件 | 附加项目 | 建议维修项目 | 其他信息

序号	项目代码	项目名称	工种	账类	工时	工时单价	优惠前工时金额	工时*单价	折扣	优惠后工时金额	保险比例	项目类别	项目状态
1	AC118X-C-X	机油，检查泄漏	机电	C	0.2	120	24	☑	0	24	0	一般维修	待派
2	AC123X-C-X	燃油泵供油压力，检查	机电	W	0.4	80	32	☑	0	32	0	一般维修	待派
3	A0113A-T-X	排气岐管螺母紧固	机电	P	0.4	120	48	☑	0	48	100	一般维修	待派
4	A0117X-A-X	制动踏板高度，检查调整	机电	I	0.3	80	24	☑	0	24	0	一般维修	待派

图 3-1　维修项目

建议维修项目是指为保证车辆的正常使用，建议客户维修的工时项目，如图 3-2 所示。当客户同意维修后，可转为正式的维修项目；如果客户暂时不同意维修，则将相应的项目打印在结算单中，以作提醒。

诊断记录 | 维修项目 | 需求配件 | 领用配件 | 附加项目 | 建议维修项目 | 其他信息

序号	项目代号	项目名称	工种	帐类	工时	工时单价	工时金额	备注
1	B0210H-R-X	正时链的拆除和更换	机电	C	1	120	120	
2	AC149X-R-X	后桥润滑油，更换	机电	C	1	120	120	

图 3-2　建议维修项目

2）确认所需零件库存。零件出库表记录完成后，服务顾问应委托配件管理员对零件进行查询。

需求配件是指提供维修过程所需要领用的配件，如图 3-3 所示。在需求配件中录入需求信息后，会生成预留出库单，并会减少相应需求配件的可售数，其需求数会增加相应数量。

诊断记录 | 维修项目 | 需求配件 | 领用配件 | 附加项目 | 建议维修项目 | 其他信息

序号	配件编码	配件名称	车型	账类	需求数量	单位	销售单价	折扣	保险比例	优惠后金额
1	6470-3101Y012B	轮芯盖(高)	70#	C	1	件	30	0	0	30
2	0222-13-470B	汽油滤清器	70#B	C	2	件	30	0	0	60
3	99283-1000	管夹(软管)	通用	C	1	件	2	0	0	2

图 3-3　需求配件情况

在本环节要注意以下重点：

① 零件部门与维修部门随时要进行良好的合作和沟通。

② 随时关注缺货零部件到货时间，对紧急订货进行跟踪。

③ 到货后优先维修待料车辆。

④ 不能确保到货日期时，应先与客户联系。

⑤ 无库存件时，到货后及时通知客户。

⑥ 每天核对零件到货情况。

服务顾问若发现有配件库存短缺，应立即同客户联系，决定是否通过调拨或订货的方式予以解决。如果客户同意，应将配件到货期及价格告知客户，并确认修理是否进行。如果客户取消作业，应将配件从配件出库表中取消，送走客户，并表示歉意，同时取消维修委托书。

3) 确定工作内容后开车辆维修估价单。

> 价格估算要点：确定作业项目；列出需用的零件和油脂类；确定维修工时费；确认需用零件的库存；计算估价总金额。

① 价格估算的意义：给客户一个交车时间和费用的范围；给客户更透明的空间，增加客户的安心感和信赖感。

② 估算完工时间。

首先要确认车间的工作忙碌情况，可以通过作业电子看板来判断；其次，预计作业时间（包括洗车检验）；最后，了解和考虑客户取车要求（必要时调整）。

③ 作业电子看板，如图3-4所示。

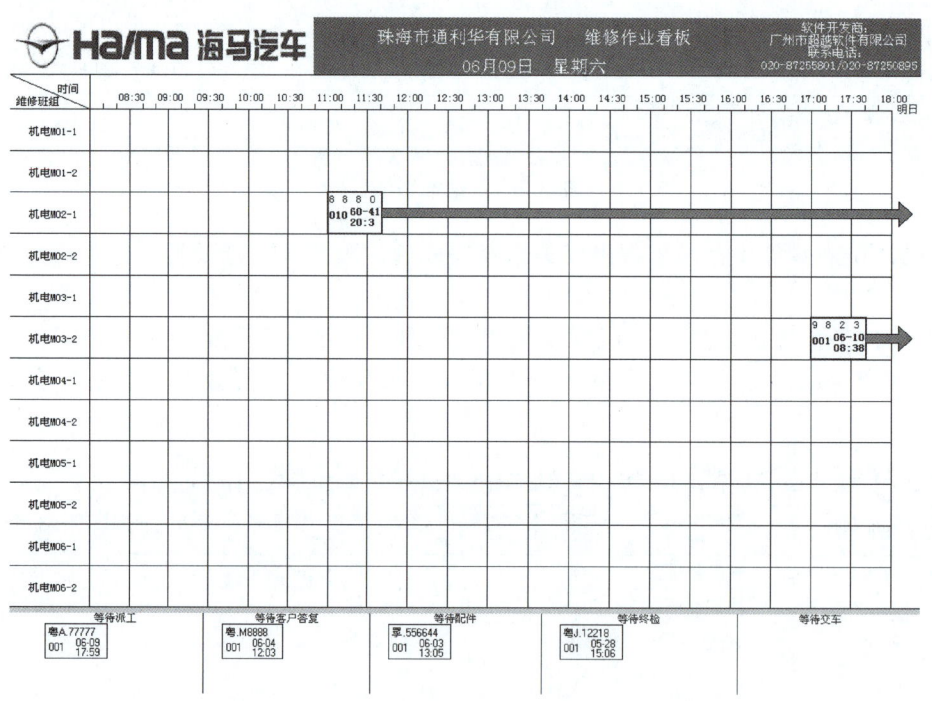

图3-4 作业电子看板

当车间调度对相应维修委托书派工后，该维修委托书的维修项目所占用的作业资源能够通过作业电子看板体现出来，并且能够通过看板快速地了解到该车辆在车间的作业进程，方便服务顾问和客户了解车间作业情况。

4) 软件系统中生成维修委托书。服务顾问打印出维修委托书，请客户签字授权进行维修作业。打印维修委托书前，服务顾问应仔细检查接车修理单是否填写完整，再次向客户复述一遍，以确定所有项目都齐全无误。待确认客户完全理解了维修委托书的内容后，可以征求客户的意见："您还有什么问题，如果没有问题，请您在这里签字"，完成授权。

5）引领客户至休息室或送客户离开。

① 安排客户到休息室休息。可以使客户在等待时感觉到舒服、有事可做，同时对维修服务企业的修理工作放心，不必经常向服务顾问询问修理情况。

② 用合适的方式安排客户离开。注意：如果服务顾问向客户建议使用临时替代车，应确保临时替代车是准备好的并随时可以使用。

2. 维修委托单签订时的几点注意事项

1）服务顾问应引导客户在维修委托书的"客户签字"栏确认，并将客户联交客户保存，作为客户完工接车的依据。

2）当开具维修委托书时，如果有其他客户来临，服务顾问应主动与后来的客户打招呼，或委托其他接待人员接待，然后继续完成当前的工作。

3）服务顾问应根据检查的结果，估算完工时间，并依据零部件手册、零部件价格表对作业费用估价，快速而准确地制作报价单。

4）服务顾问应按维修费用计算标准进行估价，与实际费用误差不得超过10%，并在维修委托书上注明是否属于索赔性质。

5）服务顾问应向客户清楚无误地解释将进行的维修项目、估计的交车时间、每项料件的价格、预计总费用、客户的相关信息（如姓名、联系方式等）、付费方式等。

三、软件操作：维修委托书的制订

1. 开维修委托书的3种情况

开维修委托书的3种情况如下：

1）没有建立资料的客户。

2）已经建立资料的客户。

3）本店库存车。

第1种情况操作如下：

操作一：客户管理—客户资料维护—输入客户名称、联系电话、客户类别、属性、客户等级、性别、籍贯、民族、移动电话、家庭电话、邮编、地址—车籍档案维护—选择品牌、车系、车型、外观、内饰颜色及VIN—使用性质—车牌号—保存。

操作二：维修委托书界面—VIN处输入后6位VIN（或车主名称、车牌号）调出客户和车辆信息—输入行驶里程、预计交车时间—报修人描述—输入报修人姓名、报修人电话、报修人地址—保存。

第2种情况操作如下：

维修委托书界面—VIN处输入后6位VIN（或车主名称、车牌号）调出客户和车辆信息—输入行驶里程、预计交车时间—报修人描述—输入报修人姓名、报修人电话、报修人地址—保存。

第3种情况操作如下：

维修委托书界面—VIN处输入后6位VIN调出车辆信息—输入行驶里程、预计交车时间—报修人描述—输入报修人姓名、报修人电话、报修人地址—勾选库存车维修—保存（库存车维修不能填写车主信息）。

2. 维修委托书功能介绍

1）维修委托书中维修工时分为客户账、保险账、内部账、索赔账 4 类；维修的备件信息必须对应不同的工时账类进行添加。

2）维修委托书中附加项目可按专营店不同的实际情况按账类进行维护。

3）维修委托书中车辆存在服务活动，系统会给出注释提示。

4）维修委托书中添加的附加信息可以在工单、结算单中打印出来。

5）维修委托书中实现了工单折扣授权控制。

6）维修委托书打印一式三联，分别为"客户联""车间联"和"财务联"。

3. 维修委托书使用方法与填写规范

1）单号、服务顾问和时间。

"单号"栏：在委托书右侧，用于填写维修委托书顺序号，格式为"月份（2 位数）+日期（2 位数）+当日顺序号（3 位数）"，如"1217088"。

"服务顾问"栏：填写负责此维修委托书一对一服务的服务顾问名字或代码，见表 3-2。

"开单时间"栏：填写服务顾问接待客户的具体时间，格式为"月-日 时：分"，采用 24h 制，如"12-17 13：30"。

"约定取车时间"栏：填写双方约定的提车具体时间，格式为："月-日 时：分"，采用 24h 制，如"12-17 15：30"。

维修委托书（客户联 & 服务顾问联）样式见表 3-2。

2）车主信息。

"客户姓名"栏：填写车主或当前使用者的姓名。

"联系电话"栏：填写车主或联系人的有效联系电话。

"电子邮箱"栏：填写车主或使用者有效的电子邮箱，如"mazda@sina.com"；若客户不能提供则可以不填写。

"联系地址"栏：填写车主或使用者可以收到信件的详细地址和邮编。

3）车辆信息。

表 3-2 维修委托书（客户联 & 服务顾问联）样式   单号：

服务顾问		开单时间								约定取车时间					
客户姓名		VIN													
联系电话		牌照号码													
电子邮箱		发动机号								车型					
联系地址															
交修前车辆状况 □备胎　□随车工具 □千斤顶　□轮芯盖 □点烟器　□烟灰缸 □三角牌 □灭火器 □防盗锁 □脚垫＿＿张 □CD碟＿＿张 行驶里程：										维修授权					
									客户签字						
										结算取车					

（续）

	维修技师	工时	维修内容	工费（保修）	工费（客户）
1					
2					
3					
4					
			工时费用小计/元		

	配件(A类)和辅料(B类)名称或代码	类别	材料费用（保修）	材料费用（客户）
1				
2				
3				
4				
		材料费用小计/元		
其他				

"VIN"栏：填写完整的17位车辆识别代号，如"LH16CHH0X3H022047"。

"牌照号码"栏：填写完整的车辆行驶证上的号码，如"粤 A-12345"。

"发动机号"栏：填写完整的发动机号码，如"FP112071"。

"车型"栏：填写车辆号，如"HMC7180、HMC7161"等。

4）交修前车辆状况。

"交修前车辆状况"栏：随车附件和物品的确认，在相应名称前"□"中使用"√"或"×"标志"有"或"无"；燃油箱剩余燃油量的确认，使用线条在相应图中标志；车身外观有缺陷时，使用"×"号在车辆轮廓图相应位置标志可能存在的外覆盖件钣金、油漆等损伤情况。

"行驶里程"栏：填写车辆进厂时的里程数值和单位，如 6000km。

5）维修项目信息。

"维修技师"栏小框：车间调度在此填写对应维修班组的代码；代码为3位，第1位代表工种、第2~3位代表班组，M代表机电工种，B代表钣金工种，P代表油漆工种；如"M01、B02、P03"等。

"维修技师"栏大框：维修班组长完成维修项目作业和自检后，在此签字确认。

"工时"栏：服务顾问填写对应的维修项目所需的标准作业时间，参照最新版本的品牌生产商工时定额标准，以"h"为单位。

"维修内容"栏：用客户的语言描述车辆故障现象、需要进行维修的项目等。

"工费"栏：填写人工费用，工费＝工时单价×工时，属于保修性质的填写在"费用

（保修）"栏，属于客户付费性质的填写在"工费（客户）"栏。

"工时费用小计"栏：填写以上各个维修项目的工费之和，区分保修或客户付费性质。

6）材料信息。

"配件（A类）和辅料（B类）名称或代码"栏：填写维修作业所需材料的名称或代码。

"类别"栏：填写"A"或"B"以区分配件或辅料属性。

"材料费用"栏：填写各项材料费用明细，格式为"单价×数量=单项金额"。如"200×2=400"；区分"保修"和"客户付费"性质，填在对应栏内。

"材料费用小计"栏：填写以上各项材料费用之和，区分保修和客户付费性质。

7）其他。

"其他"栏：记录相关备注信息，如果客户不同意维修的项目、外委维修费用、拖车费用或检测费等。

8）质量检验。

"质检"栏：质检员对各维修技师所完成的维修项目进行质量检验后在此处签字确认。

维修委托书（财务联 & 维修车间联）样式见表3-3。

表3-3 维修委托书（财务联 & 维修车间联）样式

				销售服务店	维修工单		
服务顾问		开单时间			约定取车时间		
		VIN					
		牌照号码					
		发动机号			车型		

交修前车辆状况
□备胎　　□随车工具
□千斤顶　□轮芯盖
□点烟器　□烟灰缸
□三角牌
□灭火器
□防盗锁
□脚垫____张
□CD碟____张
行驶里程：

维修授权

客户签字

结算取车

	维修技师	工时	维修内容	工费（保修）	工费（客户）
1					
2					
3					
4					

(续)

			工时费用小计/元		
	配件(A类)和辅料(B类)名称或代码	类别	材料费用(保修)		材料费用(客户)
1					
2					
3					
4					
			材料费用小计/元		
其他					
质检		结算	费用总计/元	保修	客户

9）核价。

"结算"栏：负责核价的结算员在此签字。

10）费用。

"费用总计"栏：所有发生费用的总计，区分保修和客户付费性质。

11）客户签字。

"客户签字"之"维修授权"栏：客户签字代表客户确认维修委托书上的维修项目和费用估算并进行委托/授权维修。

"客户签字"之"结算取车"栏：客户签字代表客户对维修结果和实际结算费用的确认。

12）维修委托书（维修车间联）背面样式见表3-4。

表3-4 维修委托书（维修车间联）背面样式

销售服务店 维修工单	
第一次质量检验报告	质检员
返修后质量检验报告	质检员

"第一次质量检验报告"和"质检员"栏：质检员填写第一次质量检验情况并签字。

"返修后质量检验报告"和"质检员"栏：出现返修情况时由质检员填写返修后的再次质量检验情况并签字。

"备注"栏：填写其他相关信息。

4. 维修委托书制订的操作步骤

下面以一款比较通用的软件系统具体讲述第 2 种情况（已经建立资料的客户）下的维修委托书的建立：通过"VIN、车主姓名、车牌号"选出客户信息，填写完"行驶里程"等必填项目，单击保存生成"维修工单号"如图 3-5 所示。

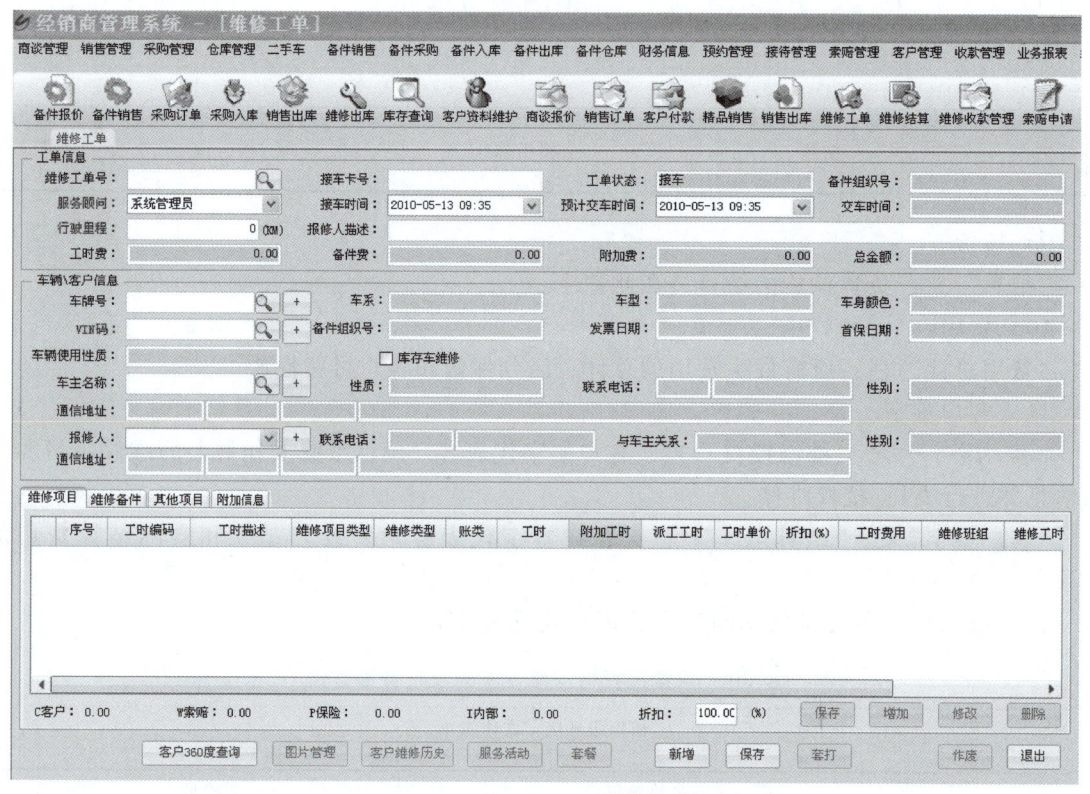

图 3-5　生成维修委托书号

单击已生成的维修委托书界面右下角增加按钮，添加"维修项目"，选择"维修项目类型""维修类型""工时描述"及"维修班组"后单击保存。可连续输入维修项目，如图 3-6 所示。待维修委托书中维修项目信息单击保存完毕后，单击增加，添加备件信息，选择"工时编码"，确认备件信息及数量后单击"保存"，如图 3-7 所示。

维修委托书中"维修备件"信息单击保存完毕后，单击"其他项目"填写其他项目信息后单击"保存"，添加该工单的其他项目，如图 3-8 所示。

待维修委托书中其他信息保存完毕后，单击"附加信息"标签页填写附加信息后单击"保存"，添加该维修委托书的附加信息，如图 3-9 所示。

检查维修委托书信息无误后，单击"保存"，生成维修信息完整的维修委托书，如图 3-10 所示，打印维修委托书。

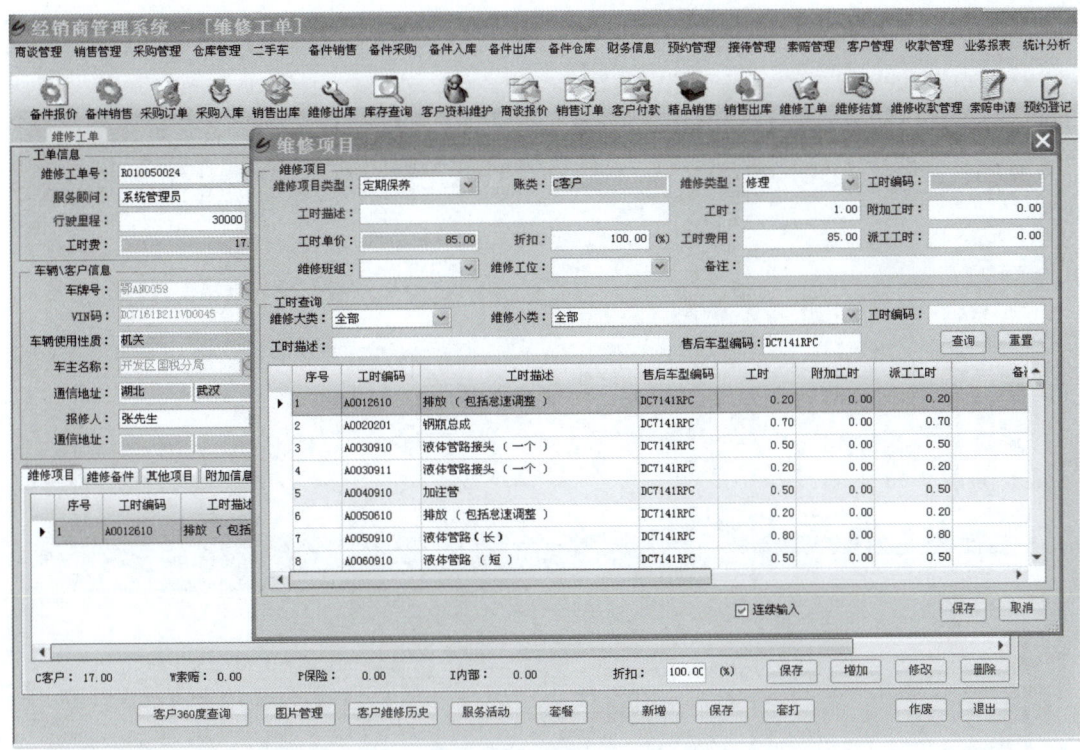

图 3-6　添加维修项目

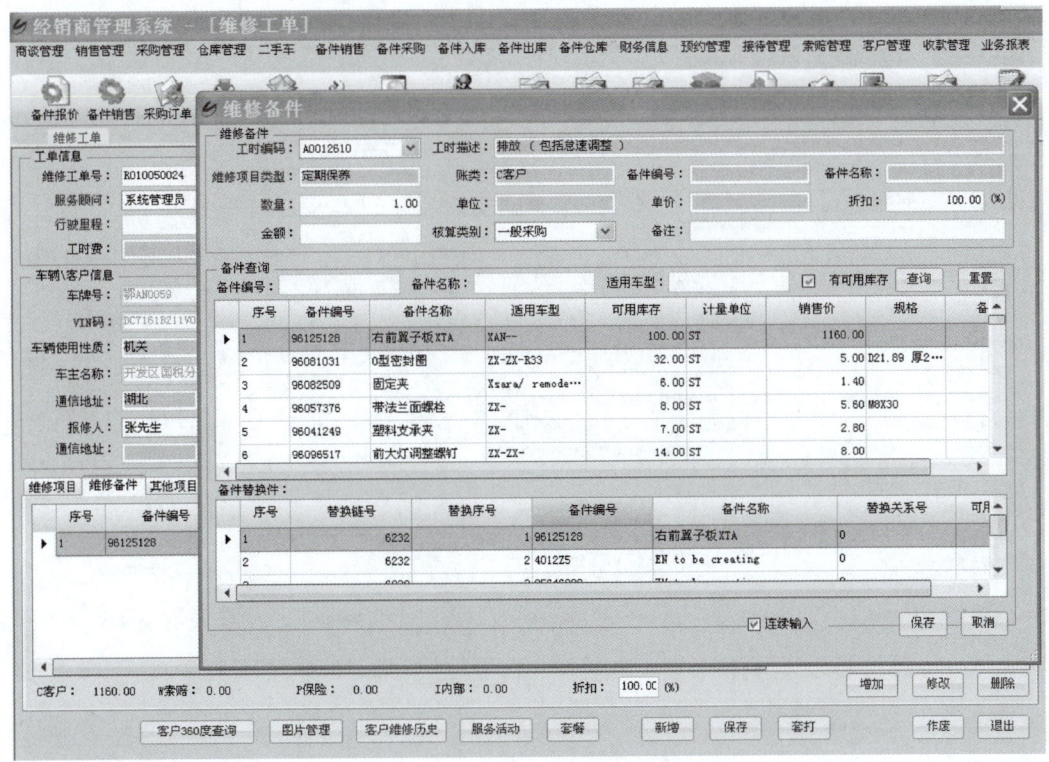

图 3-7　添加维修备件

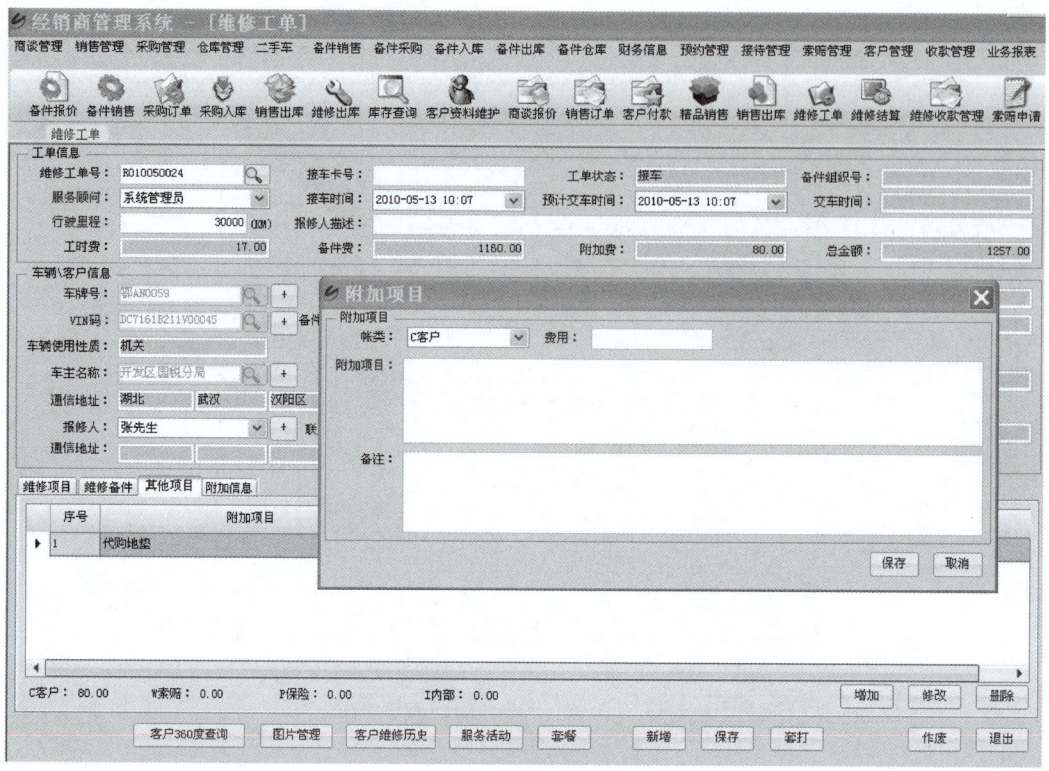

图 3-8　添加其他项目

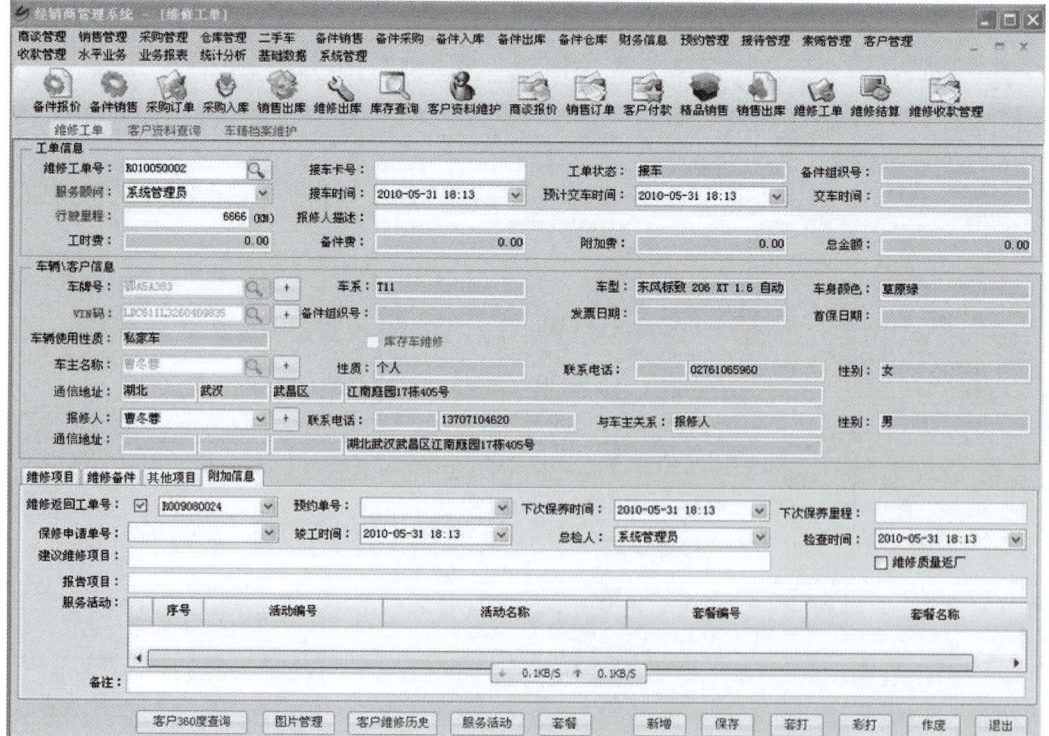

图 3-9　添加附加信息

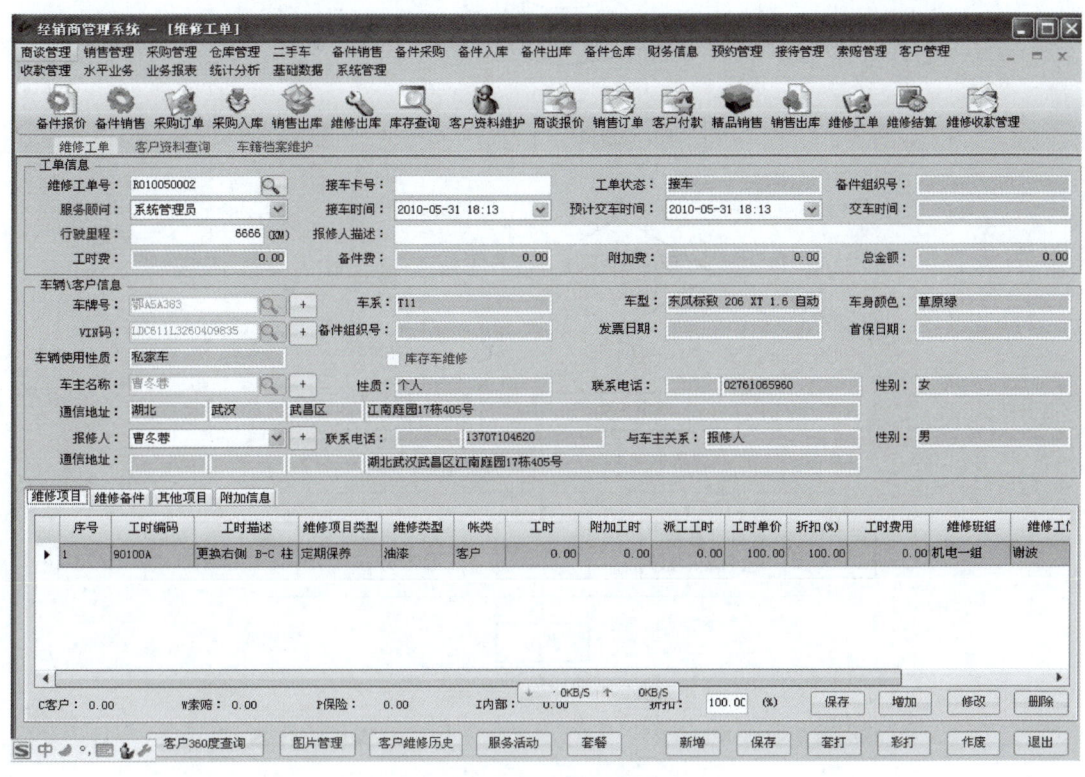

图 3-10　生成维修委托书

四、维修工的协调

1. 派工的基本要求

1）服务接待过程中所确定的服务项目，以"委托维修派工单"形式交车间主管或调度员安排车辆维修工作。

2）确保维修任务分配均衡。合理利用可用维修时间，不应出现同工种不同班组工作量差异过大现象。

3）以下工作应该予以优先安排：

① 与产品活动有关的工作（如公司统一组织的车辆召回、服务活动等）。

② 返修工作。

③ 预约回厂服务工作。

④ 质量保修工作。

4）掌握专营店维修工厂总体可利用的维修工作时间；掌握各维修班组可利用的维修工作时间，保证均衡安排工作。

5）掌握相关维修班组及个人的技术水平。

6）了解维修工作类别、工作复杂程度及标准作业时间妥善地进行派工。

2. 派工工作流程

派工工作流程如图 3-11 所示。

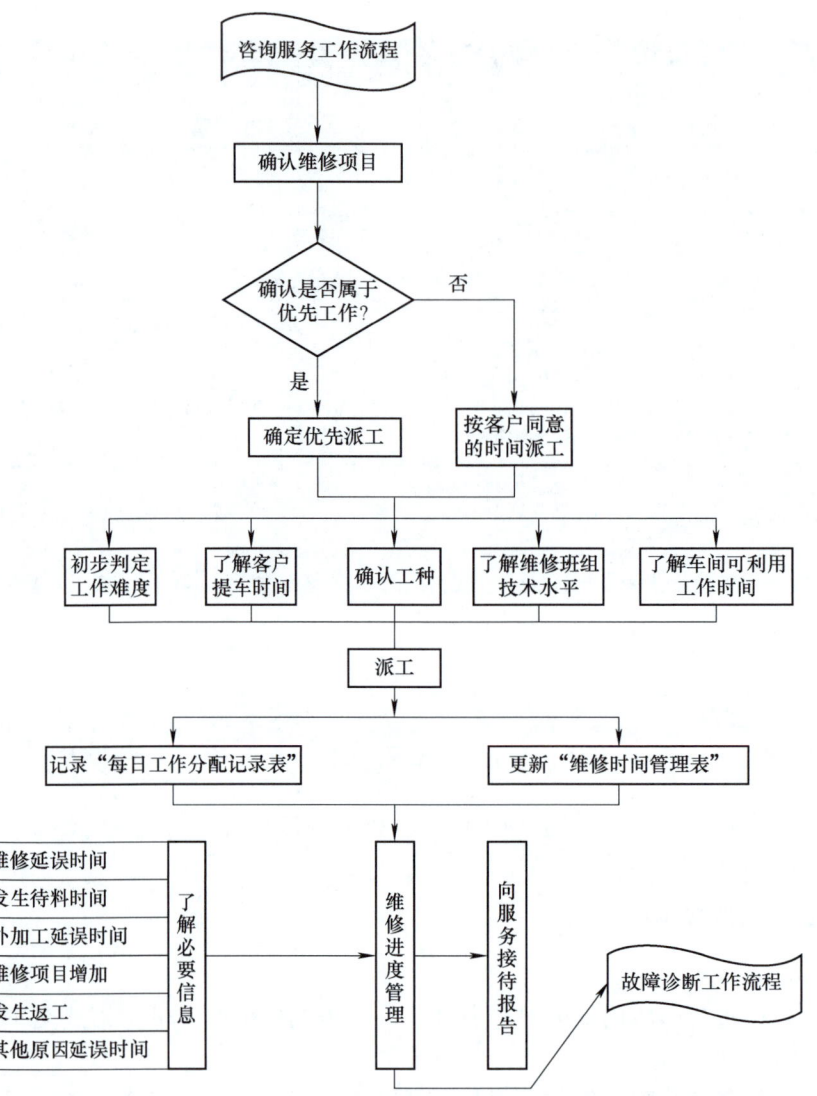

图 3-11 派工工作流程

3. 派工工作标准

派工工作标准见表 3-5。

表 3-5 派工工作标准

工作项目	工作方法·标准·要求	管理工具	责任人
确认服务项目	1. 根据服务代表填写的委托维修派工单了解具体的维修服务项目	委托维修派工单	车间主管
	2. 根据"领料单"了解需要在仓库领用的零件	领料单	车间主管
	3. 初步确定每项工作所需要的工作时间	维修工时定额标准	车间主管
判断是否属于优先工作	1. 优先工作 1）专营店必须对优先工作优先派工 2）优先工作指的是本标准所列举的工作类型	委托维修派工单	车间主管
	2. 一般工作：按照与客户商定的时间安排工作	委托维修派工单	车间主管

(续)

工作项目	工作方法·标准·要求	管理工具	责任人
确定工种	1. 根据"委托维修派工单"的服务项目确定维修类别	委托维修派工单	服务顾问 车间主管
	2. 维修类别分为 1) 大类：一般维修、保修、返修、其他 2) 小类：PDI、一保、二保（以上3种仅适用于保修类别）、定期维护、年检、机电维修、钣金、油漆	委托维修派工单	服务顾问 车间主管
	3. 车辆的维修可能包括上述类别中的1种或几种，如果包含2种或2种以上维修类别，则应如实在"委托维修派工单"的"维修类别"上进行标记	委托维修派工单	服务顾问 车间主管
初步判定工作难度	根据客户同意的维修项目，根据经验，初步判定工作的难度	委托维修派工单	车间主管 调度员
了解客户的提车时间	1. 要把按时交车作为派工考虑的重点之一	委托维修派工单	车间主管
	2. 根据客户同意的交车时间和工作时间，安排工作，确保按时交车	委托维修派工单	服务顾问
了解维修班组的技术水平	1. 在了解维修项目所属工种后，车间主管或调度员应掌握能够完成具体维修项目的班组	委托维修派工单	车间主管 调度员
	2. 使用"维修技师技能评价表"评价维修技师技能水平	维修技师技能评价表	车间主管
车间可利用工作时间	1. 使用"预约服务管理表"了解当天的预约情况	预约服务管理表	车间主管 调度员
	2. 使用"每日工作分配记录表"掌握各维修班组当日已经分配的工作量（工时）	每日工作分配记录表	
	3. 了解各维修班组剩余可利用的工作时间（工时）	每日工作分配记录表	
更新维修时间管理表	完成派工及完工后或发生待料、延误、返工等情况时，应立即更新"维修时间管理看板"	维修时间管理表	车间主管 服务顾问
跟踪维修进度	1. 根据每个"委托维修派工单"的完工时间，向维修班组长了解工作进展情况	委托维修派工单	车间主管 调度员 服务顾问
	2. 根据每个待料的"委托维修派工单"的到货时间，向零件部了解零件进货情况	委托维修派工单	
	3. 根据每个外加工项目的完工时间，向外加工公司了解工作进展情况	维修时间管理表	
	4. 根据每个洗车（包括清洁室内）的完工时间，向洗车班组长了解工作进展情况	维修时间管理表	
	5. 了解在终检时发生返工的情况	维修时间管理表	
	6. 了解由其他原因造成影响维修进度的情况	维修时间管理表	
	7. 如果上述1~5项有延误的可能性时，由调度员向服务代表报告。同时，重新测算完成时间，并更新"委托维修派工单"及"维修时间管理看板"	委托维修派工单 维修时间管理表	

4. 派工时间安排表的管理和填写规范

1）派工时间安排表（样表）见表3-6。

表3-6 派工时间安排表（样表）

①____年____月____日

序号	客户姓名	车牌号	服务顾问	维修班组	维修作业时间⑥									车辆状态⑦						
					9	10	11	12	13	14	15	16	17	18	维修	零件	返工	待同意	终检	清洁	交车
1	②	③	④	⑤			⑮ 3h ⑯ 2h								⑧	⑨	⑩	⑪	⑫	⑬	⑭
2																					
3																					
4																					
5																					
6																					
7																					
8																					
9																					
10																					

2）使用和管理方法。

① 本表由车间主管或调度员负责填写和更新。

② 维修时间进度和车辆状态的异动，车间主管或调度员必须及时通知服务顾问。

3）填写规范。

① 年、月、日：填写当天日期。

② 客户姓名：完整填写客户全名。

③ 车牌号：完整填写车辆牌照号码。

④ 服务顾问：填写车辆对应的服务顾问姓名。

⑤ 维修班组：填写负责维修的维修班组名称。

⑥ 维修作业时间：此栏目反映维修预计完成时间和实际完成时间。具体填写方法参见第⑮、⑯条说明。

⑦ 车辆状态：反映车辆最新所处的工作状态。具体填写方法参见第⑧、⑨、⑩、⑪、⑫、⑬条的说明。

⑧ 维修：反映车辆处于维修状态。处于维修状态填写"○"，否则填写"—"。

⑨ 零件：反映维修零件状态。如果待料填写"○"，否则填写"—"。

⑩ 返工：发生返工时填写"○"，否则填写"—"。

⑪ 待同意：如果发现有推荐的维修项目且正在征求客户同意填写"○"，否则填写"—"。

⑫ 终检：如果车辆正在进行终检填写"○"，否则填写"—"。

⑬ 清洁：如果车辆正在进行内外清洁填写"○"，否则填写"—"。

⑭ 交车：车辆完成所有服务项目正在交车或交车完毕填写"○"，否则填写"—"。交车前必须完成所有服务项目且⑧、⑨、⑩、⑪、⑫、⑬的状态必须全部为"—"。

⑮ 3h：以双箭头虚线表示承诺交车时间段，并在虚线上部标志时间，h 代表小时数（当天可交付车辆维修）。3D：以双箭头虚线表示承诺交车时间段，并在虚线上部标志时间，D 代表天数（不能当天交付的车辆维修）。

⑯ 2h：以双箭头实线表示实际完成维修时间段，并在实线上部标志时间，h 代表小时数（当天可交付的车辆维修）。2D：以双箭头实线表示实际完成维修时间段，并在实线上部标志时间，D 代表天数（不能当天交付的车辆维修）。

5. 每日工作分配记录表的管理和填写规范

1）每日工作分配记录表（样表）见表 3-7。

2）使用和管理方法。

① 本表由车间主管或调度员负责填写。

一般维修维护：使用"维修班组每日工作分配记录表（一般维修维护）"。

钣金油漆维修：使用"维修班组每日工作分配记录表（钣金油漆维修）"。

② 由车间主管或调度员负责管理和记录，保存期为 3 年。

3）填写规范。

① 年、月、日：填写当天日期。

② 维修班组：完整填写维修班组名称，如"机修一班""钣金三组"等。

③ 工位号：填写车辆维修所在的工位号码。

④ 车牌号：完整填写车辆牌照号码。

⑤ 派工单号：根据"委托维修派工单"上的"派工单号"填写。

⑥ 客户姓名：完整填写客户全名。

⑦ 工作类别：根据"委托维修派工单"选择维修类别，并画"√"表示。

表 3-7 每日工作分配记录表（样表）

①___年___月___日

序号	维修班组	工位号	车牌号	派工单号	客户姓名	工作类别⑦					工作时间⑧											承诺时间⑨	完成时间⑩
						保修	维护	年检	机修	电修	上午					下午							
											8	9	10	11	12	13	14	15	16	17	18		
1	②	③	④	⑤	⑥																		
2																							
3																							
4																							
5																							

⑧ 工作时间：实际完成维修任务需要的时间。具体填写时，填车辆进厂开始维修时的时间，并对应在相应的时间栏位中，如车辆 8：25 进厂，则在 "8" 的栏位下填写 "8：25"；车辆完成维修时的填写方法同上。

⑨ 承诺时间：承诺的交车时间，根据 "委托维修派工单" 内容填写，格式：××（时）：××（分）。

⑩ 完成时间：实际完成维修的时间，格式：××（时）：××（分）。

6. 维修技师技能评价表的管理和填写规范

1）维修技师技能评价表（样表）见表 3-8、表 3-9。

表 3-8 为初期使用的工具，以掌握维修技师的技术能力现状。上面是个例子作为参考，可以根据具体情况对内容进行增加。

表 3-9 在第 2 阶段使用，用于对维修技师的技术能力进行全面的评价。

表 3-8 维修技师技能评价表一

（××年上/下半年度）　　　　　　　　　　×××专营店

	维修技师姓名					
工作经验	新车 PDI					
	定期维护					
	发动机一般维修					
	底盘一般维修					
	MT 大修					
	AT 大修					
	发动机大修					
	空调维修					
	电器一般维修					
	CONSULT 诊断					
	计算机四轮定位仪					
技术培训情况	U13 新车					
	ECCS 发动机					
	空调					
	AT					
	N-STEPI					

评价（车间主管）_____　　　　　　审批（服务经验）_____

表 3-9　维修技师技能评价表二
（××年上/下半年度）　　　　　　　　　×××专营店

序号	姓名	出生年月	所属班组	岗位名称	技术等级	岗位工作时间	专营店工作时间	返修率⑨		技术特长	技术培训情况⑪						综合评定⑫
								上半年度	本半年度		N-STEP1 技师	N-STEP2 发动机	N-STEP2 底盘	N-STEP2 电器	N-STEP3 发动机	N-STEP3 底盘	
1	②	③	④	⑤	⑥	⑦	⑧			⑩							
2																	
3																	
4																	
5																	
6																	
7																	
8																	

评价（车间主管）_____　　　　　　　　审批（服务经理）_____

2）使用和管理方法。

① 由专营店车间主管按照本标准的要求每半年进行 1 次考核评价，并对技术等级的评价结果进行记录。

② 对维修技师的技术等级的评价，需要考虑以下因素：本岗位工作经验、专营店岗位工作经验、返修率、培训情况、行业管理部门颁发的技术等级资格等。

③ 综合评定级别分为：A、B、C、D、E，其意义分别如下：

A——高级维修技师，经过 N-STEP1~3 的培训，优秀的故障诊断能力和维修能力，半年度返修率低于 1%。

B——中级维修技师，经过 N-STEP1~2 的培训，良好的故障诊断能力和维修能力，半年度返修率低于 3%。

C——初级维修技师，经过 N-STEP1 的培训，一定的故障诊断能力和维修能力，半年度返修率低于 5%。

D——一般维修工，一年以上维修工作经验，一定的维修能力，半年度返修率低于 8%。

E——学徒工。

3）填写规范。

"维修技师技能评价表一"：初期的评定方法："○"代表可以单独工作，"△"代表有班组长指导可以工作，"×"代表不可以。

"维修技师技能评价表二"：

①（××年上/下半年度）：填写年度，如"26 年下半年度"。

② 姓名：完整填写维修技师姓名。

③ 出生年月：填写维修技师出生年月，格式：××（年份）-××（月份），如"88-18"。

④ 所属班组：填写该维修技师所属的维修班组，如"电工三班"。

⑤ 岗位名称：填写维修技师的工作岗位名称，如"机修""钣金"等。

⑥ 技术等级：根据由行业管理部门颁发给维修技师的技术等级资格证书填写，如"中级维修技师""高级维修技师"等。

⑦ 岗位工作时间：填写维修技师从事现岗位的时间（精确到年），如"5年"。

⑧ 专营店工作时间：填写维修技师在专营店从事现岗位的时间（精确到年）。

⑨ 返修率：将维修技师上半年度的返修率填写在"上半年度"栏位下；将本半年度返修率填写在"本半年度"栏位下。

⑩ 技术特长：填写维修技师的技术专长，如："钣金修复""自动变速器"等。

⑪ 技术培训情况：反映维修技师参加公司组织的技术培训情况。所列培训课程如果培训合格则画"√"表示；如果参加但不合格则画"○"表示；如果未参加则画"×"表示。

⑫ 综合评定：根据评定结果，填写A、B、C、D或E。

⑬ 评价（车间主管）：车间主管签名确认。

⑭ 审批（服务经理）：服务经理签名批准。

任务工单

（一）任务实施的环境

汽车仿真软件实训室。

（二）任务实施的步骤

1）利用售后服务管理软件制作维修报价单。

2）制作车辆维修委托书。

3）角色扮演：请客户签字确认后模拟车间派工。

（三）技能训练及相关实践知识

技 能 训 练

【训练任务】 通过本次上机操作、角色扮演活动具备售后服务管理的软件操作技能和良好的协作能力。

【训练建议】 请反复训练、模拟各种情况下的制单、派工。

【评价建议】 可用如下技能训练评价表对学生的操作技能进行评价。

汽车维修业务派单技能训练评价表

学生姓名			
团队名称			
团队成员			
测评日期		测评地点	
测评内容	1. 维修报价单的制作 2. 车辆维修委托书的制作 3. 业务派单		

（续）

内容		分值/分	自评	互评	师评
考评标准	与客户交流时语言及仪态的规范性	20			
	制作维修报价单的准确性和完整性	20			
	制作车辆维修委托书的准确性和完整性	40			
	车间派工的合理性	20			
	合　计	100			

最终得分（自评30%+互评30%+师评40%）

说明：测评满分为100分，60~74分为及格，75~84分为良好，85分以上为优秀。60分以下的学生，需重新进行知识学习、任务训练，直到任务完成达到合格为止。

任务三　汽车维修及质量检验

学习目标

通过本任务的学习，应懂得汽车维修工作流程及质量检验的基本方法，具备对维修工作中出现的增项或者延时等特殊情况进行快速处理的能力。通过学习和训练，学生应能够：

➡ 熟悉汽车维修工作流程及要素。
➡ 快速处理维修增项。
➡ 熟悉车辆性能检验的内容。
➡ 熟悉汽车售后服务质量检查工作流程及要素。
➡ 合理处理维修质量与维修延时的解释问题。

任务分析

汽车维修及质量检验是汽车售后服务企业运营的重要环节，如何保证正常运营，减少客户投诉，与汽车维修的质量好坏有直接关系。作为汽车维修业务接待必须明确汽车维修质量检验的重要性，熟悉汽车维修的整个流程及维修过程，并正确处理因汽车维修质量与维修延时带来的纠纷。

知识小贴士

汽车维修和质量检验环节是汽车维修工作流程中的重要环节，作为汽车维修企业的业务接待人员必须对工作流程了如指掌。以广汽本田汽车公司为例，该公司的十三步售后服务标准流程如图3-12所示。

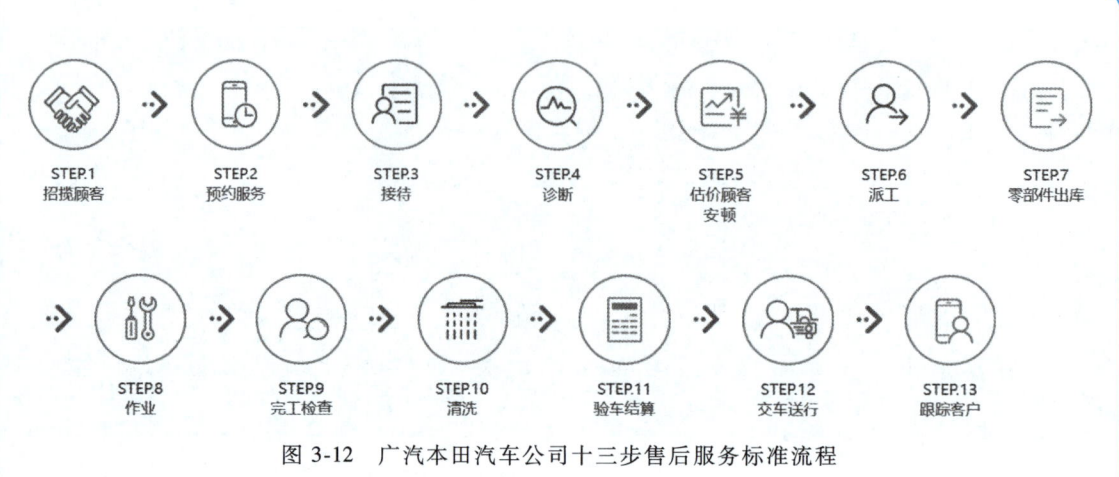

图 3-12　广汽本田汽车公司十三步售后服务标准流程

相关知识

一、汽车维修工作流程及要素

1. 汽车维修工作总流程

汽车维修服务顾问作为一家维修企业专业化形象的代言人，对汽车维修工作流程必须非常清晰，每个企业都会对汽车维修服务顾问的服务流程进行规范，提高劳动效率，进而优化客户的满意度和忠诚度。大型汽车维修企业根据自身特点一般会制订一个标准化的汽车维修工作总流程，如图 3-13 所示。在总流程的基础上，根据不同的维修作业项目制订不同的维修工作流程，一般分为大修作业、零件修理、小修作业和总成修理 4 个工作流程。

1）大修作业工作流程。

大修作业工作流程如图 3-14 所示。

2）零件修理工作流程。

零件修理工作流程如图 3-15 所示。

3）小修作业工作流程。

小修作业工作流程如图 3-16 所示。

4）总成修理工作流程。

总成修理工作流程如图 3-17 所示。

2. 汽车维修工作的要素

（1）正确使用工具

1）拆装总成、零件、部件连接螺栓及各种轴、轴承、齿轮等时，使用合适工具，不允许用錾子剔打或用电、气焊切割，也不允许用活扳手代替锤子敲打。若必须用锤子击打时，应垫以软金属冲棒或衬板，以防损伤零件或基体。

情境三 汽车维修车辆服务

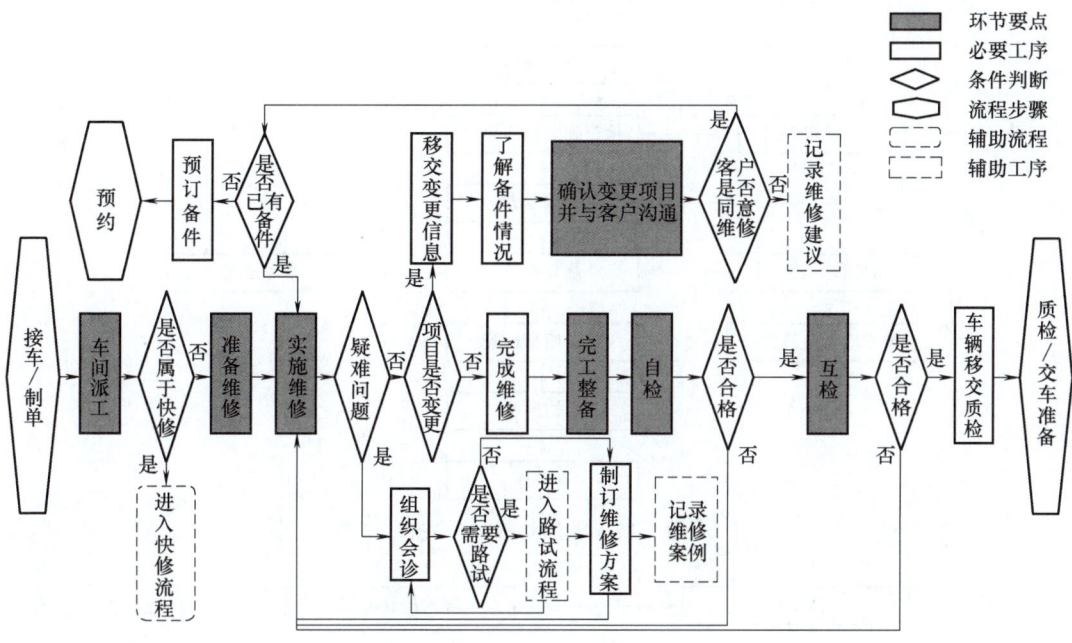

图 3-13 汽车维修工作总流程

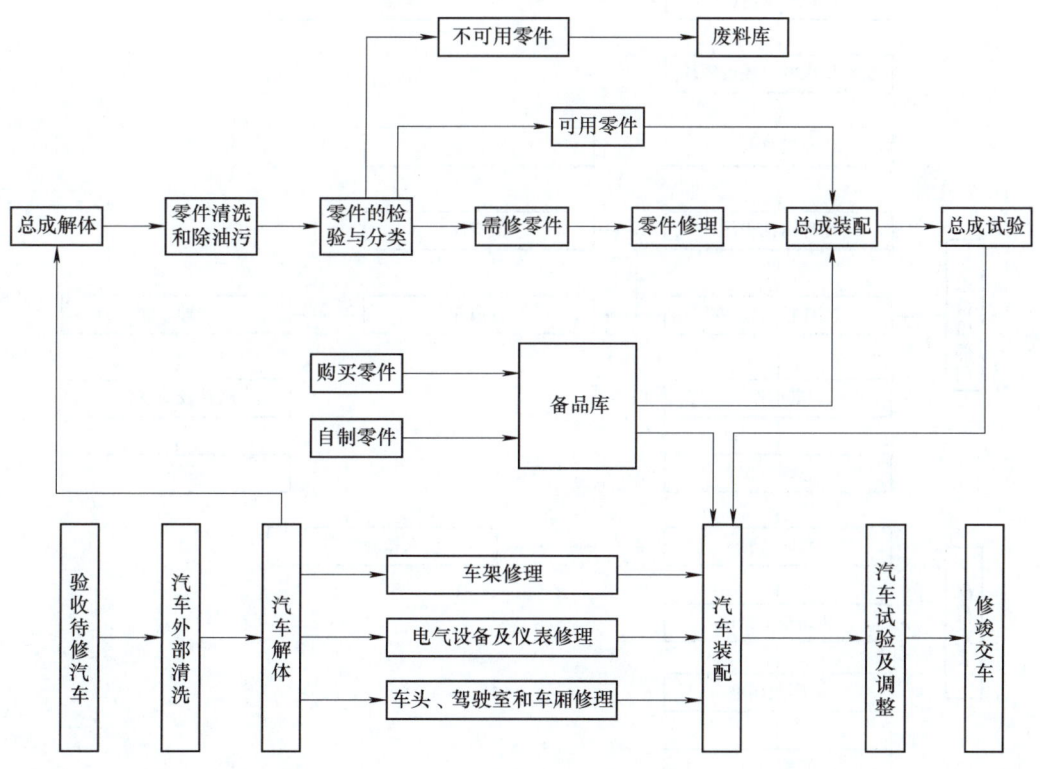

图 3-14 大修作业工作流程

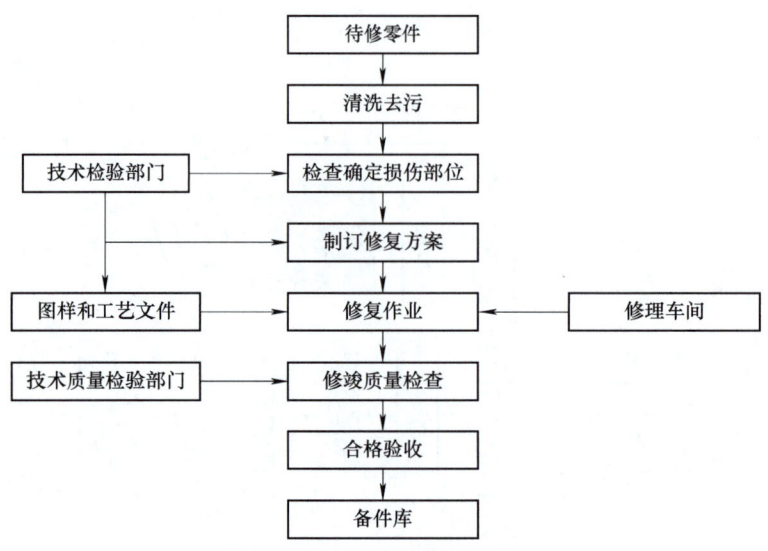

图 3-15 零件修理工作流程

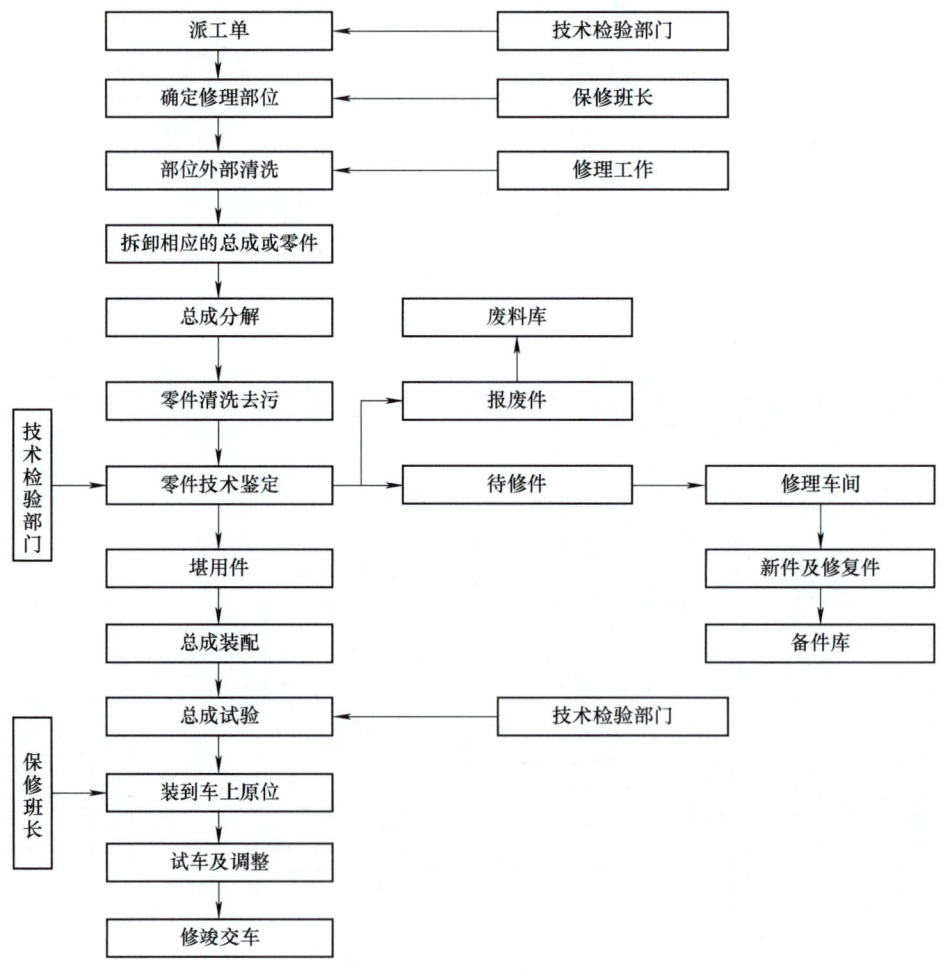

图 3-16 小修作业工作流程

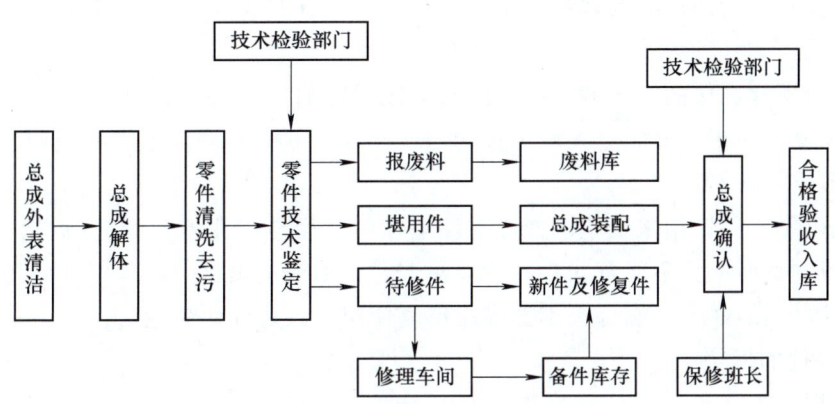

图 3-17　总成修理工作流程

2) 拆装机件时，避免损伤机件工作表面。能够使用拉压工具进行分解和装配的机件，应使用拉压工具，不得硬砸或乱敲击。

3) 在对汽车电控系统进行诊断的时候，要正确使用诊断仪。在关闭点火开关的前提下连接诊断插座，再打开点火开关和诊断仪，在使用过程中不得直接拔下诊断插头，使用完毕后，关闭诊断仪和点火开关，然后再拔下诊断插头。

(2) 总成或零件分解　分解时，应做标记。

1) 解体各总成、零部件时，对偶合件、旋转件和不能互换的零件均应在拆散之前检查原来有无装配记号，没有的应重新做标记（如对高速汽车的轮胎与轮辋安装位置做记号），以防装错而破坏了原配合或平衡状态。

2) 有安装方向要求的，应看好原方向或做上标记，以防装反。例如，活塞、气缸垫、连杆等，做记号非常重要。

(3) 零件清洗

1) 清洗滚动轴承时，清洗液的温度不应过高。

2) 下列机件不能用碱性溶液清洗：橡胶件、油封、非金属摩擦片等；各种胶木齿轮和塑料零件、铝合金、锌合金等件。

机件经化学溶液清洗后，应用净水反复冲洗，以洗净表面化学溶液。总成、零件清洗后，应用干净拭布擦净或用压缩空气吹干。

3) 零件清洗后，应防止碰伤精加工表面，不急于装配的应涂上保护层，以防锈蚀。

4) 油管、气管的内部应彻底清洗干净，以保证管路畅通。安装管接头时，不允许缠绕棉纱等物，以防堵塞管道。

(4) 螺栓（母）的紧固

1) 有力矩要求的螺栓，应按修理或使用说明书规定的力矩或拧紧操作要求拧紧。

2) 装复螺栓、螺母时，按需要加装与螺栓直径相一致的垫圈，垫圈内径不能过大。

3) 装复螺栓的长度应适当，不能露出过长或旋入部分过短，应将螺孔内的油、水、杂物清理干净后，再拧上螺栓。

4）技术要求较高部位处的螺栓、螺母，应仔细检查其螺纹状况及自锁能力好坏，不能任意用其他螺栓、螺母代替。

5）用数个螺栓连接的结合面，在装配时应按规定的先后次序、分数次且用不同的力矩拧紧，无特殊要求的，一般应交叉对称且均匀地拧紧，不要先将某个螺栓（母）一次拧紧，以防零件变形或结合不紧。

6）锁止可靠。用锁销来锁止的螺栓应注意锁销直径与锁孔内径配合适当，将锁销的一片扣在螺母的方平面上，不能弯扣在螺栓端头上。若用铁丝锁紧时，应按方向将锁线拉紧并锁好。镀铜或自锁的螺栓、螺母，不能多次反复使用，以防锁止失效。

（5）连接件的拆卸

1）拆卸螺纹连接件时，应注意螺纹的旋向，对于多螺栓连接件，还应注意其拆卸顺序。双头螺栓可在螺杆上拧紧两螺母，然后用扳手拆卸。对于生锈的螺栓可采用反复进退法、锤子敲击法、煤油浸泡法或喷灯加热法等进行拆卸。拆卸螺纹连接件时，不能随便增加接力杆，以防螺栓被拧断。出现断头螺栓时，若其断头高出基体，可将高出端锉成方形或焊上一个螺母将其拧出；若断头在机体内，可在螺栓端部钻一个小于螺栓直径的孔，然后敲入一方冲或攻反扣螺纹后用丝锥或反扣螺栓将断头螺栓拧出。

2）过盈配合件的拆卸，应尽量采用拉压器等专用工具拆卸。无专用工具时，可垫软金属或木块进行敲击拆卸。不允许用锤子直接敲击零件表面，以防零件被敲坏。

3）拆卸铆接件时，一般在修理中不拆，若出现铆钉松动或需要更换铆接零件，可将铆钉钻掉或錾去。

（6）油封、衬垫的安装

1）注意转轴与油封孔的同轴度，衬垫的材料和厚度均要符合要求，以防松旷或密封不良。另外，油封的选择应符合要求。

2）密封衬垫厚度要适当，使安装完毕之后，既能完成封油作用，又能使有关零件不出现松旷或变形。

二、追加维修项目处理

1. 工作内容

业务部接到车间关于追加维修项目的信息后，服务顾问应立即与客户进行电话联系，征求对方对增项维修的意见；同时，应告诉客户由增项引起的工期延期。得到客户明确答复后，立即转达到车间。如果客户不同意追加维修项目，服务顾问可口头通知车间并记录通知时间和车间受话人；如果客户同意追加，服务顾问开具"维修追加项目单"，见表3-10，立即交车间主管或调度，并记录交单时间。

2. 工作要求

服务顾问咨询客户时要礼貌，说明追加项目时要从技术上做好解释工作，事关安全时要特别强调利害关系；要冷静对待此时客户的抱怨，不可强求客户，应当尊重客户的选择。

表 3-10　维修追加项目单

维修追加项目单						业字 002
公司标志　公司电话：××						No. 00001

客户资料	名称：		地址：		电话：	
	进厂日期：　年　月　日　时				客户联系人：	
	车牌号码：				出厂编号：	

追加项目内容						
序号	维修项目		维修收费	序号	零件名称	单价　金额

追加维修费合计：　　　　追加材料费合计：　　　　追加费用总计：

客户意见：

客户（或电话咨询业务员）签名：

加项征询客户时间：	客户答复时间：
征询业务员签名：	业务员答复车间时间：
车间申请追加项目时间：	车间申请人签字：

工作手册

一汽大众确认变更项目并与客户沟通操作标准

服务顾问根据变更的维修项目估时、估价，并完成维修项目变更申请表。

对于在店等待的客户，服务顾问携带维修项目变更申请表前往通知客户，按照项目变更内容，使用 FFB 方法（F＝项目，F＝功能，B＝好处）向客户逐项解释，并征询客户意见，必要时可以引导客户前往现场查看。

对于不在店等待的客户，服务顾问用客户期望的方式与其沟通；按照任务委托书中项目变更内容，使用 FFB 方法逐项做出解释，并征询客户意见；同时，服务顾问通过电话录音或其他有效方式留下客户意见的证明。

对于已经确认备件缺货的变更项目，服务顾问在向客户逐项解释的同时，明确告知客户备件缺货状态和备件预计到货时间。

与客户确认完所有项目维修意见之后，服务顾问将所有项目及客户意见向客户复述一遍。

对于在店等待的客户，请客户在维修项目变更申请表中签字确认；对于不在店等待的客户，通知客户来店取车时补签新开具的任务委托书。

服务顾问向客户礼貌道别。

对于客户不同意维修的项目，服务顾问做好记录，并随后记录至 DSERP 系统的"建议维修项目"中。

> 服务顾问将任务委托书和维修项目变更申请表交还原维修技师；服务顾问重新交代任务后，由维修技师继续维修。
>
> 对于客户同意维修、备件缺货的项目，服务顾问通知备件计划订货员，由备件计划订货员在 DSERP 系统填写备件订货需求表。
>
> 服务顾问了解备件订货信息后，将客户信息和预订的维修项目信息通知客服（服务）专员；在备件到货后，由客服（服务）专员通知客户并预约维修时间（主动预约中分类筛选客户中的"特定维修项目客户"类别）。

三、车辆维修及质量检验

1. 进厂检验

维修车辆进厂后，检验员应记录驾驶人对车况的反映和报修项目，查阅车辆技术档案，了解车辆技术状况，检查车辆整车装备情况，然后按照《汽车维护、检测、诊断技术规范》（GB/T 18344—2016）的要求择项进行维修前的检测，确定附加作业项目，并把检验、检测的结果填写在"检验签证单"上。未经检验签证的车辆，作业人员应拒绝作业。

2. 过程检验

在维修作业的全过程中，都要进行过程检验。过程检验实行维修工自检、班组内部互检及厂检验员专检相结合的办法。过程检验的主要内容：零件磨损、变形、裂纹情况；配合间隙大小；有调整要求的调整数据；重要螺栓、螺母拧紧力矩。对涉及转向、制动等安全部件更需严格进行检查。对不符合技术要求的部件，应进行修复、更换，以确保过程作业的质量。过程检验的数据由检验员在"检验签证单"上完整记录。未经过程检验签证的车辆，厂检验员有权拒绝进行竣工检验。

3. 竣工检验

竣工检验由检验员专职进行，必须严格按《汽车二级维护竣工出厂技术条件》逐项进行检验签证，必要时进行路试。竣工检验的结果应逐一填写在"检验签证单"上。未经竣工检验合格的车辆不得送检测站检测，不得出厂。

4. 检验标准

1)《汽车维护、检测、诊断技术规范》（GB/T 18344—2016）。
2)《机动车安全技术检验项目和方法》（GB 38900—2020）。
3)《机动车运行安全技术条件》（GB 7258—2017）。

四、汽车售后服务质量检查工作流程及要素

1. 汽车售后服务质量检查工作流程

汽车维修质量检验是一个过程，一般包括以下工作步骤：

1) 明确汽车维修质量要求。根据汽车维修技术标准和考核汽车技术状态的指标，明确检验的项目和各项目的质量标准。

2) 测试。用一定的方法和手段测试维修车辆或总成的有关技术性能参数，得到质量特性值的结果。

3) 比较。将测试得到的反映质量特性值的数据与质量标准要求作比较，确定是否符合汽车维修质量要求。

4)判定。按比较的结果判定维修车辆或总成的质量是否合格。

5)处理。对维修质量合格的车辆发放"出厂合格证",对不合格的维修车辆查找原因。记录所测得的数值和判定的结果并进行反馈,以便促使各维修工序改进质量。

交车前的检验检查表见表3-11。

表3-11 交车前的检验检查表

模式	
底盘识别号码	
发动机编号	
长途驾驶	km
车主	
检查日期	
检查地点	
检查人	
车身颜色	

使用的符号					
√	好	A	需要调整	T	需要再次拧紧
C	需要清洁	L	需要补充润滑油、冷却液等	X	需要再次维修

检查程序

1. □ 连接深色电流插接器

车身

2. □ 包装薄膜
3. □ 外部件
4. □ 车门锁止系统和车门铰链的操作
5. □ 车门后视镜、车窗和天窗的操作

发动机舱盖下

6. □ 机油油位
7. □ 制动器主缸液位
8. □ 离合器主缸液位
9. □ 清洗器液位
10. □ 蓄电池情况及连接件
11. □ 动力转向液位
12. □ 电子配线

车辆下

13. □ 轮胎及备用轮胎压力
14. □ 悬架系统
15. □ 转向杆系及开口销
16. □ 车身下部

路试前

17. □ 座椅调整装置及座椅背部锁栓
18. □ 阻风门系统及锁定开关
19. □ 怠速控制把手
20. □ 仪表板控制
21. □ 仪表、量表、报警灯和指示灯
22. □ 空调、加热器和除霜器系统
23. □ 刮水器和清洗器
24. □ 行车制动器和驻车制动器的操作
25. □ 离合器操纵机构
26. □ 座椅安全带、肩带和卷收器的操作

路试

27. □ 发动机性能及排气
28. □ 各系列的变速器
29. □ 制动器
30. □ 转向控制
31. □ 振动和抖动
32. □ 电气设备

路试后

33. □ 怠速转速
34. □ 点火正时
35. □ 散热器冷却液液位
36. □ 软管、液体管道和发动机舱盖下的连接件
37. □ 手动变速器油和分动器(4WD)油油位
38. □ 自动变速器油油位
39. □ 发动机、变速器、转向器盒及防泄漏差速器
40. □ 前、后差速器油位
41. □ 软管、液体管道和车辆底部的连接件

最后步骤

42. □ 前照灯对光
43. □ 仪器
44. □ 外部件及内部件
45. □ 车主说明

2. 检验员工作质量考核标准

1）考核标准有 3 个指标：检验工作量、检验准确率和检验记录完整率与及时率。

2）"检验工作量"指标。它是指月度（25.5 天）检验总车次与检验总成件次之和。一般公司定为 200 车次。当实际检验车次少于 200 车次时，以实际为准。

3）"检验准确率"指标。

$$检验准确率 = \frac{被检出的正确车次}{被检的总车次} \times 100\%$$

一般公司检验准确率定为 97%。

4）"检验记录完整率与及时率"指标。"检验记录完整率"主要考核填写记录时有无漏填项目。

$$检验记录完整率 = \frac{检验单总数}{不完整记录的检验单数} \times 100\%$$

"检验记录及时率"主要考核检验单是否在规定的时间内。

五、维修质量解释与维修延时的处理

1. 维修质量问题

修竣车辆交付使用后，遇到客户返厂咨询或要求返修索赔损失时，服务顾问要态度诚恳，尤其是对一些计较或蛮不讲理的客户，应虚心倾听并认真做好记录，然后根据情况分析判断，找出问题的原因。若是维修方面的原因，服务顾问应向客户深表歉意，并及时做出相应的处理；若是配件或客户操作上的原因，应解释清楚，给客户一个满意的答复。切不可一口否定自己的过错，这样势必会影响企业的正常经营。

2. 维修延时的处理

对于完工时间，在部门间的协作规定中，应该有这样的规定：维修技师根据维修工单的完工时间推算，如果不能按时完工应及时提醒服务顾问，当天取车的至少提前半小时、隔天取车的最好提前 1 天说明。服务顾问应该根据维修工单表明的完工时间，及时向车间控制室询问工作进度。在估算维修工期，即预定交车时限时，应考虑周到，并留有余地，如待料、维修技术或因其他紧迫任务需暂停某些车的修理等因素都要考虑进去。因为时限一经确定，就要尽一切努力来完成，否则，对客户和修理厂都会带来一些不必要的损失。如果不能按时交车，服务顾问必须主动提前向客户说明原委并道歉。

任务工单

（一）任务实施的环境

模拟的汽车维修车间工作环节。

（二）任务实施的步骤

任务实施的步骤是从接待员接车到完工检查（参见图 3-12）。

（三）技能训练及相关实践知识

技 能 训 练

【训练任务】 初步诊断估价及估时。

情境三　汽车维修车辆服务

【训练建议】　团队独立完成。
【评价建议】　可用如下技能训练评价表对学生的操作技能进行评价。

汽车维修流程设计技能训练评价表

学生姓名						
测评日期			测评地点			
测评内容						
考评标准	内　　容		分值/分	自　评	互　评	师　评
	汽车维修流程		30			
	初步诊断		20			
	估价		20			
	估时		30			
	合　　计		100			
最终得分（自评30%+互评30%+师评40%）						

说明：测评满分为100分，60~74分为及格，75~84分为良好，85分以上为优秀。60分以下的学生，需重新进行知识学习、任务训练，直到任务完成达到合格为止

任务四　汽车质量担保

学习目标

通过本任务的学习，应了解现行汽车质量担保政策，掌握汽车三包索赔的内容，具备从事汽车金融与保险服务、保险车辆理赔服务等工作的能力，通过学习，应能够：
➡ 了解汽车质量担保政策。
➡ 掌握汽车三包理赔内容。
➡ 熟悉汽车金融与保险服务项目。
➡ 正确处理被保险车辆理赔。

任务分析

汽车质量担保是汽车售后服务中的一个重要辅助环节，主要体现在汽车质量担保政策、汽车三包索赔、汽车金融与保险服务、被保险车辆理赔服务等项目，通过分析汽车质量担保服务，有助于汽车售后服务质量的提高。

相关知识

一、汽车质量担保政策

汽车质量担保政策主要包括新车质量担保、备件质量担保和汽车维修质量担保。汽车同其他产品一样都有质保期，也称为质量担保期。汽车厂家一般会给出行驶时间和行驶里程两

个质保期的限定条件，且以先到者为准。质保期限通常为 3 年或 2 年，也有个别汽车制造商延长至 5 年乃至 8 年。

为了明确家用汽车产品修理、更换、退货（以下统称三包）责任，保护消费者合法权益，国家市场监督管理总局令第 43 号公布修订的《家用汽车产品修理更换退货责任规定》（以下简称"三包规定"）对三包责任进行了具体的规定，自 2022 年 1 月 1 日起施行。

> **知识小贴士**
>
> **汽车质量担保三包责任**
>
> 汽车质量担保"三包责任"是指家用汽车产品生产者、销售者和修理者在质量保证期内，因汽车产品质量问题，承担对汽车产品进行修理、更换和退货的活动及责任。质量保证期包括包修期、三包有效期和易损耗零部件的质量保证期。
>
> 三包责任由销售者依法承担。销售者依照国家三包规定承担三包责任后，属于生产者责任或其他经营者责任的，销售者有权向生产者、其他经营者追偿。

1. 新车质量担保

"三包规定"第十八条规定，家用汽车产品的三包有效期不得低于 2 年或者行驶里程 50000km，以先到者为准；包修期不得低于 3 年或者行驶里程 60000km，以先到者为准。第十九条规定，家用汽车产品在包修期内出现质量问题或者易损耗零部件在其质量保证期内出现质量问题的，消费者可以凭三包凭证选择修理者免费修理（包括免除工时费和材料费）。修理者能够通过查询相关信息系统等方式核实购买信息的，应当免除消费者提供三包凭证的义务。第二十条规定，家用汽车产品自三包有效期起算之日起 60 日内或者行驶里程 3000km 之内（以先到者为准），因发动机、变速器、动力蓄电池、行驶驱动电机的主要零部件出现质量问题的，消费者可以凭三包凭证选择更换发动机、变速器、动力蓄电池、行驶驱动电机。修理者应当免费更换。

汽车三包

> **知识小贴士**
>
> **"三包规定"中的汽车免费更换或者退货情形**
>
> 1）家用汽车产品自三包有效期起算之日起 7 日内，因质量问题需要更换发动机、变速器、动力蓄电池、行驶驱动电机或者其主要零部件的，消费者可以凭购车发票、三包凭证选择更换家用汽车产品或者退货。销售者应当免费更换或者退货。
>
> 2）家用汽车产品自三包有效期起算之日起 60 日内或者行驶里程 3000km 之内（以先到者为准），因质量问题出现转向系统失效、制动系统失效、车身开裂、燃油泄漏或者动力蓄电池起火的，消费者可以凭购车发票、三包凭证选择更换家用汽车产品或者退货。销售者应当免费更换或者退货。
>
> 3）家用汽车产品在三包有效期内出现下列情形之一，消费者凭购车发票、三包凭证选择更换家用汽车产品或者退货的，销售者应当更换或者退货：
>
> ① 因严重安全性能故障累计进行 2 次修理，但仍未排除该故障或者出现新的严重安全性能故障的。
>
> ② 发动机、变速器、动力蓄电池、行驶驱动电机因其质量问题累计更换 2 次，仍不能正常使用的。

③ 发动机、变速器、动力蓄电池、行驶驱动电机、转向系统、制动系统、悬架系统、传动系统、污染控制装置、车身的同一主要零部件因其质量问题累计更换 2 次，仍不能正常使用的。

④ 因质量问题累计修理时间超过 30 日，或者因同一质量问题累计修理超过 4 次的。

发动机、变速器、动力蓄电池、行驶驱动电机的更换次数与其主要零部件的更换次数不重复计算。

4）家用汽车产品符合"三包规定"规定的更换条件，销售者无同品牌同型号家用汽车产品的，应当向消费者更换不低于原车配置的家用汽车产品。无不低于原车配置的家用汽车产品，消费者凭购车发票、三包凭证选择退货的，销售者应当退货。

2. 责任免除

包修期内家用汽车产品有下列情形之一的，可以免除经营者对下列质量问题承担的三包责任：

1）消费者购买时已经被书面告知家用汽车产品存在不违反法律、法规或者强制性国家标准的瑕疵。

2）消费者未按照使用说明书或者三包凭证要求，使用、维护家用汽车产品而造成的损坏。

3）使用说明书明示不得对家用汽车产品进行改装、调整、拆卸，但消费者仍然改装、调整、拆卸而造成的损坏。

4）发生质量问题，消费者自行处置不当而造成的损坏。

5）因不可抗力造成的损坏。

3. 新旧三包规定区分

新三包规定指现国家市场监督管理总局令第 43 号公布的《家用汽车产品修理更换退货责任规定》，于 2022 年 1 月 1 日起实施。旧三包规定指原国家质量监督检验检疫总局令第 150 号公布的《家用汽车产品修理、更换、退货责任规定》，于 2013 年 10 月 1 日起实施。自 2022 年 1 月 1 日（含）起销售交付的家用汽车产品适用"新三包规定"。根据车辆销售交付日期不同分别适用"新、旧三包规定"，新、旧三包规定区分见表 3-12。

表 3-12 新、旧三包规定区分

区分	新三包（2022）	旧三包（2013~2021）
免费包修（包修期内）	免费修理（包括免除工时费和材料费）	相同
60 日或 3000km 更换总成	因发动机、变速器、动力蓄电池、行驶驱动电机的主要零部件出现质量问题的	因发动机、变速器的主要零部件出现质量问题的
代步车/交通费用补偿	因质量问题单次修理时间超过 5 日（包括等待修理零部件时间）的，修理者应当自第 6 日起为消费者提供备用车，或者向消费者支付合理的交通费用补偿；另有约定的按约定方式执行	相同
三包凭证出示	修理者能够通过查询相关信息系统等方式核实购买信息的，应当免除消费者提供三包凭证的义务	无

(续)

区分		新三包(2022)	旧三包(2013~2021)
修理记录存档		修理者应当建立修理记录存档制度。修理记录保存期限不得低于6年。修理记录应包含"消费者质量问题陈述"。消费者因遗失修理记录或者其他原因需要查阅或者复印修理记录,修理者应当提供便利	修理者应当建立并执行修理记录存档制度。书面修理记录应当一式两份,1份存档,1份提供给消费者
免费退换车	7日内退换车	因质量问题需要更换发动机、变速器、动力蓄电池、行驶驱动电机或者其主要零部件的	无
	60日或3000km退换车	因质量问题出现转向系统失效、制动系统失效、车身开裂、燃油泄漏或者动力蓄电池起火的	因质量问题出现转向系统失效、制动系统失效、车身开裂、燃油泄漏的
有偿退换车	2年或50000km退换车	因严重安全性能故障累计进行2次修理,但仍未排除该故障或者出现新的严重安全性能故障的	相同
		发动机、变速器、动力蓄电池、行驶驱动电机因其质量问题累计更换2次,仍不能正常使用的	发动机、变速器因其质量问题累计更换2次,仍不能正常使用的
		发动机、变速器、动力蓄电池、行驶驱动电机、转向系统、制动系统、悬架系统、传动系统、污染控制装置、车身的同一主要零部件因其质量问题累计更换2次,仍不能正常使用的	发动机、变速器、转向系统、制动系统、悬架系统、传动系统、车身的同一主要零部件因其质量问题累计更换2次,仍不能正常使用的
		因质量问题累计修理时间超过30日,或者因同一质量问题累计修理超过4次的	因质量问题累计修理时间超过35日,或者因同一质量问题累计修理超过5次的(只换车,不退车)
	消费者退换车补偿系数n	≤0.5%	0.5%~0.8%
赔偿消费者损失		车辆登记费用、扣除相应折旧后的加装、装饰费用;销售者向消费者收取的相关服务费用	无
退换车办理时效		无论是否符合条件,当消费者提出时需要10个工作日内答复;如符合退换车条件的,需要20个工作日内完成(消费者原因造成延迟除外)	10个工作日内做出书面答复,15个工作日内向消费者出具更换家用汽车产品证明

4. 汽车维修质量担保

交通运输部2023年修正实施的《机动车维修管理规定》,其中第三十六条机动车维修实行竣工出厂质量保证期制度中有明确规定:汽车和危险货物运输车辆整车修理或总成修理质量保证期为车辆行驶 20 000 km 或者100日;二级维护质量保证期为车辆行驶5000km或者30日;一级维护、小修及专项修理质量保证期为车辆行驶2000km或者10日(质量保证期中行驶里程和日期指标,以先达到者为准。机动车维修质量保证期,从维修竣工出厂之日起计算)。

二、典型车型汽车三包责任政策

1. 北京现代汽车三包责任规定

1）整车质量保证范围：适用于消费者在中华人民共和国境内（不含香港特别行政区、澳门特别行政区及台湾地区）购买和使用的由北京现代汽车有限公司生产的汽车。在下文所描述的质量保证期限内，如因质量问题（产品设计、制造、原材料缺陷）而引起车辆故障或损坏的，北京现代将提供对该故障或损坏的质量保证服务（"质量保证免责条款"规定的项目除外），并承担由此产生的零配件更换费用、维修工时费用和其他经北京现代确认的合理费用（例如质量问题引起的施救费用、合理的家用汽车交通补偿费用等）。

2）整车质量保证期限：自 2022 年 1 月 1 日起，针对为生活消费需要而购买和使用的家用性质汽车，根据车型不同，按照自交付之日起 3 年或 10 万 km、5 年或 10 万 km，以先到者为准执行。针对为公务、商务需要而购买和使用的非营运性质汽车，根据车型不同，整车质量保证期将按照自购车发票开具之日起 3 年或 10 万 km、5 年或 10 万 km，以先到者为准执行。针对营运类性质（指从事以盈利为目的的道路运输经营活动的车辆）汽车，整车质量保证期将按照自购车发票开具之日起 1 年或 10 万 km，以先到者为准执行。

3）免费首保：为保证消费者能享受北京现代厂家赠送的"免费首保"服务，消费者可在新车登记上牌后在手机应用市场搜索"北京现代"下载"北京现代 App"，手机号注册完成后，在"爱车"页面完成车辆绑定。"免费首保"卡券会在 3~5 个工作日后下发至车主 App 账户（在 App "我的"—"我的卡券"中查看），根据维护周期凭有效期内卡券到店获得 1 次免费基础维护服务。

4）特殊零部件质量保证期：3 年或 10 万 km，以先到为准。多媒体音响及导航系统、传动带类、空气净化器、离合器压盘和分离轴承（手动变速器）、制动盘、喷油器、橡胶类、漆面、玻璃（前后风窗、车窗、天窗）、智能手环、排气管及消声器、活性炭罐、车身及底盘件腐蚀、车门框黑饰带［限沐飒（ix35升级版）及之后上市车型，如有配备］。

5）易损耗零部件质量保证期：6 个月或 5000km，以先到为准，包括机油滤清器、刮水器刮片；1 年或 2 万 km，以先到为准，包括空气滤清器、制动衬片、火花塞、燃油滤清器、离合器片（手动变速器）、遥控器电池、灯泡、12V 蓄电池、轮胎、空调滤清器、熔断器及普通继电器单元（不含集成控制单元）、昂希诺"钢铁侠版"专属车身印花（如有配备）。

6）售后配件质量保证期：售后配件指北京现代品牌车辆在北京现代授权经销商处更换（消费者自费或质量保证期及范围内免费更换）的"纯正配件"。北京现代摩比斯汽车配件有限公司为北京现代汽车授权经销商提供"纯正配件"。售后配件质量保证期政策见表 3-13。

表 3-13 售后配件质量保证期政策

区分	类别	政策
客户自费更换	非易损耗零部件	自更换之日起 1 年或 2 万 km，以先到为准
	易损耗零部件	自更换之日起 3 个月，无里程数限制
质量保证期及范围内更换		持续至所更换零部件的剩余质量保证期结束

7）质量保证免责条款。

① 因消费者未按使用说明书或本保证书要求正确使用、维护、修理、检查而造成损坏的。

② 因使用不当燃油造成损坏的。

③ 无法确认车辆的生产日期、购车日期、行驶里程、发动机号码的。

④ 由于使用不当、人为损坏、意外事故（如车祸等）、不可抗力造成的损坏。

⑤ 没有使用纯正配件，或使用非使用说明书推荐标准的机油、变速器油、防冻液、空调制冷剂等各类油液造成损坏的。

⑥ 北京现代各车型使用说明书中明示不得改装、调整、拆卸，但消费者自行改装、调整、拆卸而造成损坏的。

⑦ 非北京现代汽车装配的任何装置或附件，以及其造成的任何损坏。

⑧ 电镀件、漆膜、橡胶覆盖件与软性内饰由于正常暴露和使用而发生的外观变化。

⑨ 发生质量问题，消费者自行处置不当而造成损坏的。

⑩ 按使用说明书规定已达到或超过正常维护周期需要消费者自费更换的配件。

⑪ 因特殊情况下使用（如赛车、军事行动等），及消费者擅自改变汽车用途，用于出租、租赁或者其他经营目的的，视为自动放弃包修权利。

⑫ 公认为非质量问题的非常轻微的感觉，或者仅在非常特殊的操作中才会出现的感觉。

不认为会影响汽车质量或功能的很小的噪声或振动。

不超过北京现代汽车规定限值的板件缝隙。

不采用特殊的放大手段便不可见的漆膜、镀层和饰面的外观产品质量问题。

由砂石或其他形式的碰撞造成的外部损伤和锈蚀，由昆虫、树液、焦油、酸雨、表面划伤、凹陷、冰雹或雷击、工业排放物与污染物、不当的使用（正常的使用方法见使用说明书）造成的漆膜损伤。

⑬ 家用汽车产品无有效发票和三包凭证，又不能证明其所购汽车产品在三包有效期内的。

2. 比亚迪汉动力蓄电池的三包责任规定

（1）终身保修　目前比亚迪汉的动力蓄电池质保政策是首款个人车主（非营运）三电终身质保，而整车质保政策是整车质保周期为 6 年或 15 万 km，比亚迪新能源汽车核心零部件的保修期为 8 年或 15 万 km，电芯则享有终身质保。比亚迪为三电系统提供终身质保，这在所有新能源车企中是非常少见的。

（2）动力蓄电池更换　根据比亚迪的三包规定，只有在动力蓄电池衰减异常的情况下，才能免费更换动力蓄电池。动力蓄电池衰退的标准，比亚迪还没有给出一套官方的计算方法，国家也没有相关的规定。目前业内最流行的说法是降低了 30% 以上给予免费更换，比亚迪规定动力蓄电池的动力衰减达到 20% 时，可以免费申请更换动力蓄电池。

（3）免责规定　比亚迪汉的三电系统有终身保修免责条款。有下列情况之一的，比亚迪将拒绝承担终身保修。

1）车辆所有权变更，即不是第一车主（新车购买发票中的买方）。

2）车辆用于非家庭用途（如公务、运营、比赛等）。

3）未按照用户手册在维护期内到授权服务店进行维护。

4）原厂纯备件不用于维修。

情境三　汽车维修车辆服务

5）未注册比亚迪云服务和迪粉汇。
6）车辆连续任意 12 个月总里程超过 30000km。
7）未在比亚迪授权服务店进行事故维修。
8）动力蓄电池容量因为自然使用而正常衰减。
9）人为或意外碰撞、洪水、火灾和事故造成了 3 个电力系统相关部分的维护。

中国品牌

> **比亚迪作为电动汽车公司季度营收首超特斯拉**
>
> 　　2024 年 10 月，比亚迪公布三季报，第三季度营业收入 2011 亿元，同比增长 24%。特斯拉公布的 2024 财年第三季度财报显示，特斯拉营收达到 251.82 亿美元，同比增长 8%。这是比亚迪作为电动汽车公司季度营收首超特斯拉。

三、汽车三包索赔

1. 汽车三包相关规定

　　汽车产品的使用性能、安全性能以产品的国家标准、行业标准为依据；没有国家标准、行业标准的，以产品的企业标准和使用说明等明示的质量状况为依据；产品的企业标准和使用说明等明示的质量状况高于国家标准、行业标准的，以汽车产品的企业标准和使用说明等明示的质量状况为依据。

　　生产者应当为家用汽车产品配备中文产品合格证或者相关证明、产品一致性证书、产品使用说明书、三包凭证、维修维护手册等随车文件。随车提供工具、附件等物品的，还应当附随车物品清单。

知识小贴士

> **三包凭证包括的内容**
>
> 1）产品品牌、型号、车辆类型、车辆识别代号（VIN）、生产日期。
> 2）生产者的名称、地址、邮政编码、客服电话。
> 3）销售者的名称、地址、邮政编码、客服电话、开具购车发票的日期、交付车辆的日期。
> 4）生产者或者销售者约定的修理者（以下简称修理者）网点信息的查询方式。
> 5）家用汽车产品的三包条款、包修期、三包有效期、使用补偿系数。
> 6）主要零部件、特殊零部件的种类范围，易损耗零部件的种类范围及其质量保证期。
> 7）家用纯电动、插电式混合动力汽车产品的动力蓄电池在包修期、三包有效期内的容量衰减限值。
> 8）按照规定需要明示的其他内容。

2. 修理商的义务

1）修理商应当具有交通行政主管部门核发的相关资格证书，并应当具备必要的服务场所、设施、设备、维修工艺技术文件和专业人员。
2）修理商应当与制造商或者经销商订立代理修理合同。代理修理合同应当约定制造商或者经销商提供技术资料、技术培训、维修用零部件、维修费、备用车、拖运费及补偿费等。

3）包修期内修理者用于修理的零部件应当是生产者提供或者认可的合格零部件，并且其质量不得低于原车配置的零部件质量。

4）修理者应当建立修理记录存档制度。修理记录保存期限不得少于 6 年。

5）修理记录应当包括送修时间、行驶里程、消费者质量问题陈述、检查结果、修理项目、更换的零部件名称和编号、材料费、工时及工时费、车辆拖运费用、提供备用车或者交通费用补偿的情况、交车时间、修理者和消费者签名或者盖章等信息，并提供给消费者 1 份。消费者因遗失修理记录或者其他原因需要查阅或者复印修理记录时，修理者应当提供便利。

6）包修期内家用汽车产品因质量问题不能安全行驶的，修理者应当提供免费修理咨询服务；咨询服务无法解决的，应当开展现场服务，并承担必要的车辆拖运费用。

7）修理商应当保持维护和修理所需的零部件、总成的合理储备，确保维护和修理工作的正常进行，避免因缺少零部件、总成而延误维护、修理时间。

3. 追偿与争议的解决

1）经销商承担三包责任后，可以依据与制造商、供货商之间订立的书面产品买卖合同或者相关法律规定，依法向制造商、供货商追偿。

制造商或者经销商与修理商订立代理修理合同，因修理商的原因给消费者造成损失的，制造商或者经销商承担三包责任后，依照代理修理合同向修理商追偿。

2）在三包有效期内，进口商按本规定向消费者承担三包责任后，凭检验检疫机构出具的检验证书，向境外供货商追偿。

3）经销商、修理商、制造商破产、兼并、分立、变更的，其三包责任按国家有关法律、法规执行。

4）消费者因产品三包问题与经销商、制造商、修理商发生争议时，可向消费者组织和当地质量技术监督部门指定的质量投诉处理机构申请调解，必要时向国家市场监督管理总局相关部门申请调解。上述机构或组织应当积极受理。

当地质量投诉处理机构、消费者组织应当将受理的投诉信息按规定格式向国家市场监督管理总局相关部门反馈。上述机构或组织在受理和调节争议过程中发生的费用由争议双方根据责任承担。

5）经销商、制造商、修理商未按本规定承担三包责任的，消费者可向产品质量监督管理部门质量申诉处理机构申诉，由产品质量监督管理部门责令改正。

消费者与修理商因修理汽车产品发生争议时，可向交通行政管理部门申请调解，交通行政管理部门应当积极受理。

经销商、制造商、修理商对消费者提出的修理、更换、退货要求故意拖延或者无理拒绝的，由产品质量监督管理部门、交通行政管理部门依据有关法律、法规的规定给予行政处罚，并予以公告。

6）消费者因三包问题与经销商、制造商、修理商发生纠纷，可以依照《中华人民共和国仲裁法》的规定，与经销商、制造商、修理商达成仲裁协议，向仲裁机构申请裁决；没有仲裁协议或者仲裁协议无效的，可以向人民法院起诉。

7）需要进行质量检验或者鉴定的，可以委托依法设立并被授权的国家汽车产品质量检验机构或省级以上质量技术监督部门指定的鉴定组织单位进行质量检测或者鉴定。

4. 汽车索赔

目前关于汽车质量问题的纠纷主要集中在关于轮胎、灯泡等易损件方面，而按照国内一些汽车厂家的规定，新车可以索赔，维修时更换的零部件也可以索赔。但前提条件是这个零部件必须是在厂家的特约维修站购买并安装的，并且汽车生产厂家对零部件也规定了1年左右的保修期，但是车辆上的灯泡、制动片、"三滤"、轮胎等易损件在正常磨损范围内是不予赔偿的。

（1）索赔注意事项　为避免因汽车质量问题而引起索赔纠纷，在购买新车后应告知客户注意以下事项：

1）认真阅读使用说明书。汽车是一种特殊商品，结构复杂，专业技术强，不同的车型性能特点各不相同，说明书中有正确使用车辆的方法，车主应该严格按照说明书的操作方法使用车辆。

2）新车购买后，应该到汽车经销商或售后服务站，咨询更多的汽车质量担保信息。

3）汽车质量担保期内，不要做没有经过汽车生产厂家认可的改装，因为改装容易导致人为因素的故障发生，而汽车厂家不认可这种索赔。

4）定期维护汽车是车主享受质量担保的重要前提，不同车型要求的维护里程、时间、形式有可能会不同。如果车主的维护是严格按照要求到指定汽车服务站进行的，在质量担保期内对享受质量担保是非常有利的。

从汽车首次领取正式行驶证、零部件购买之日起1年内或者2年内，在此期间车辆出现质量问题，车主有权向该车的售后服务站提出索赔，服务站应对其故障立即进行诊断并排除，损坏的零部件根据技术要求进行修复或更换。

（2）索赔步骤

1）报告申请。审核完索赔报告（表3-14）后，需退回零件的，将零件发回通知单回传，确认收到后自行保管（涉及运费的，须主管以上签名确认）。

表 3-14　索赔报告

	店名简称		索赔员及电话	
车辆信息	用户名称		客户电话	
	车型		行驶里程	
	底盘号		发动机号	
	购车日期		出厂日期	
	车牌号		接待日期	
	变速器号		后桥/分动器号	
	用户地址			

用户提出质量问题：

用户签名：

（续）

原因分析：
鉴定员签名：
换件情况（名称及数量）：
索赔部处理意见：

2）接收退货件。

① 按"零件发回通知单"上的零件编码、数量进行核对，收集相关附带的索赔资料并签名确认。

② 若没有零件发回通知单，则抄下查核。

③ 退回件归类集中存放在索赔区域。

3）计算机存档。在退回件记录中输入相关信息（如日期、退回单位、零件号、数量、原因）。

4）通知业务。

① 将零件发回通知单交业务人员进行销账。

② 相关的索赔资料交由索赔员。

5）验收退回件。根据索赔报告件中的描述核对退回零件，并做记录。

6）零件上架。

① 退给零件仓库主任确认是否有使用价值。

② 将退货件按原料位放回（包装有损、开封过的须整理，加封后上架）。

（3）索赔争议处理

1）协商解决。当所购车辆出现非人为因素的质量问题时，购车人首先应该找汽车经销商协商解决，能够在友好协商的前提下达成双方都满意的处理结果是处理这类纠纷的首选方案。

2）消协调解。如果汽车经销商不愿意协商解决，那购车人可以到汽车经销商所在地的消费者协会投诉，让消协出面协调双方解决。

3）法院起诉。如果消协不能让纠纷双方达成调解协议，而且汽车经销商根本就不愿意承担任何责任，购车人最后的解决途径便是向汽车经销商所在地的法院起诉。

汽车4S店都会与两到三家汽车保险公司进行合作，客户在4S店中购买合作品牌的保险，车辆出险时将回到4S店进行维修。汽车维修服务顾问负责接待的客户类型中有一部分客户是事故车辆，因此汽车维修服务顾问还要了解一些汽车保险与理赔的相关知识。

四、汽车金融与保险服务

1. 汽车金融

目前，汽车消费信贷业务与普通的销售汽车业务相比，只适用于我国少部分有信誉、但缺乏一次性支付购买能力的人，所以需要主办者（经销商、银行、保险部门）的工作细致周全，在宣传前期应为咨询人提供"购车须知"。

须知内容包括：业务概述，购车人应具备的条件和所需提供的资料，业务操作流程和注意事项的说明。

（1）购车方式　贷款购车人先付不少于车款×-%的资金，余款向银行申请最长不超过×年的专项资金贷款，并由经销商提供贷款担保。

（2）贷款购车人所具备的条件

1）具有×市×××区的城镇户口、固定住所。

2）25~60周岁的自然人。

3）能提供贷款人认可的质押、抵押或第三方保证。

4）有稳定职业、稳定收入，具备按期偿付车款本息的能力。

5）愿意接受贷款人认为必要的其他条件。

（3）贷款购车人应提供的资料　它包括①本人身份证；②户口本；③驾驶证件；④住房证；⑤两张1寸近照；⑥收入、劳资证明；⑦停车泊位证。

注：所有资料需原件及3套复印件；共同购车人及担保人也应提供购车人资料中的①、②、④、⑥项。

（4）操作流程

1）到各经销点和咨询网点咨询。

2）将所提供资料交经销商初审。

① 选定车型、与经销商签订购车合同。

② 将首付款存入指定账户，并向银行提交"汽车消费贷款申请"。

③ 按贷款合同规定，按期直接向银行归还贷款本息。

④ 经销商办理车辆入户手续并交付车辆。

⑤ 办理保险、抵押登记、公证等手续。

⑥ 银行受理、批准，并签订贷款合同。

（5）其他事项

1）车辆保险须在指定的保险公司办理。

2）公证费用由购销双方共同承担，一家一半。

3）购车人尚需按贷款年限，一次性交纳担保费。其费率标准以贷款额为基数，1年期为1%，2年期为2%，3年期为3%。

4）实行一条龙服务，但办理车辆入户的一切费用由购车人承担，用户尚需交纳代理服务费每辆×元。停车泊位证明需用户自己办理。

知识小贴士

银行与金融公司车贷比较

汽车虽不再被人们视为奢侈品，但对于普通消费者来说，买车还是一笔较大的开销。其实，在想买车的群体中，一些人是暂时不具备一次性付款能力的，另一些人虽然手头有足够的资金，但却不想全用来买车。对于这些不能或者不想全额付款买车的消费者，申请汽车贷款不失为合适的选择。

1. 汽车贷款两途径——银行 VS 汽车金融公司

汽车金融公司总体费用低；部分银行车贷需要担保。

传统汽车贷款是通过银行来实现的，而随着汽车金融公司在国内的出现，消费者在贷款买车时多了一种选择。以市场价格为 107 700 元的丰田威驰 1.5 手动基本型为例，我们首先从直观上感觉一下两种贷款途径的不同所在。

注：一般银行指工商银行、建设银行等从事汽车信贷业务的银行，贷款利率以贷款时的实际利率为准。

从表 3-15 中我们可以看出，在首付款额均为购车款 40%的前提下，选择丰田汽车金融公司贷款购买这辆威驰首付交纳的费用要明显少于选择银行时要交纳的费用。月还额方面，汽车金融公司要高于银行，所以选择银行在月供上会相对少交一些。但整体计算下来，某些情况下选择汽车金融公司的人花的钱会少一些。

个人购车向银行贷款一般需要找担保公司做担保，交纳一定的手续费，用房屋或财产做抵押。

向汽车金融公司贷款的好处是非本地户口的人也可以办理贷款，且不用交手续费、抵押费、律师费等费用。

表 3-15 银行与金融公司车贷比较

项目	丰田汽车金融/元	银行/元
首付 40%	43080	43080
购置税	9205	9205
保险（全险）	约 4000	约 4000
验车上牌	400	500
担保费		1292
抵押费		150~200
家访费		150~250
律师费		200~300
验资费		200~300
续保押金		1000
首付合计	56685	59777~60127
月还额（3 年限）	2002	1950
月还额（5 年限）	1295	1236

2. 申请汽车贷款流程

（1）通过银行来申请车贷　一般有以下一些步骤：

1）购车人到经销商处选定车型，与经销商签订购车合同。

2）购车人持购车合同到担保公司提交个人身份的相关证明，签订担保合同，同时购车人到银行进行面签。

3）银行放款，购车人将购车首期款支付给经销商，提车并办理验车上牌等手续。

4）购车人按期还款。

（2）担保公司介入　这是向银行借款买车程序中一个特别的环节。

1）购车人向担保公司咨询，索取资料。

2）购车人提出担保申请，填写担保申请表，签订保险投保承诺书，保险公司收取担保费，双方签订担保抵押合同。

3）担保公司资信调查部对购车人初审。

4）担保公司风险控制部派人员家访复审，核实购车人所提供和填写材料的真实性。

5）担保公司将购车人的申贷资料提交银行。

对于贷款申请者的信用考察主要通过家访和收入证明这两个方式。担保金额通常为贷款金额的1%~1.5%，价格越高的汽车，一般来说担保金额相对要高一些。消费者在进行车贷担保时最好提供尽量多的资产证明，如房产证明、存款证明、收入证明等，相关的证明越多，贷款审批的成功率就越高。

（3）汽车金融公司放贷　关键在于考察个人信用。

通过丰田汽车金融公司办理车贷需要经过以下几个步骤。

1）购车人选定车型，提交贷款申请。

2）汽车金融公司受理申请，安排家访，进行实地调查，并收集相关文件。

3）经汽车金融公司核准后，购车人交付首付款和购置税，交验车辆，经销商协助购车人办理汽车上牌和抵押登记等手续。

由于通过汽车金融公司申请汽车贷款的程序比较简单，一般情况下整个过程只需2~3天购车人就可以拿到车，方便快捷。在整个申贷的过程中，消费者的个人信用是决定其能否顺利申请到贷款的重要因素。申贷者的学历、收入、工作、住所甚至有无汽车驾驶执照等都影响到其信誉度。信誉度越高，贷款就越为顺利。

另外，汽车金融公司的服务因为与汽车厂商有着"血缘之亲"，服务都比较规范。

3. 贷款比例及年限

汽车金融公司的首付比例较低　目前，多数银行规定最低首付款为全车售价的40%，贷款年限一般有3年和5年两种选择，最长不超出5年。而汽车金融公司在贷款比例的要求上显得较为宽松。比如丰田汽车金融（中国）有限公司对于信誉度非常好的客户可以承诺首付款为全车售价的20%，缓解了购车人的资金压力。汽车金融公司的贷款年限也多分为3年和5年这两种。

目前，大众汽车金融（中国）有限公司可以提供弹性信贷和标准信贷这两种服务。弹性信贷的特点是通过不超过贷款额25%的弹性尾款，使购车人的月付金额明显低于传统信贷的月付金额。在合约到期时，弹性信贷可以为消费者提供多种选择：一次性结清弹性尾款，获得完全的汽车所有权；或对弹性尾款再申请为期12个月的二次贷款；或在售车经销商的协助下，以二手车置换新车。以上3种选择都属于不用担保公司等第三方介入整个汽车信贷消费过程的业务模式，弹性信贷的最大特色是灵活性强。

标准信贷的特点也是避免了第三方的介入，通过汽车金融公司来进行贷款。通常标准信贷的最低首付金额为购车款的30%，还贷时间最长为5年。

4. 外地户口也能申请车贷

什么样的人才可以申请汽车贷款呢？在这个问题上，银行和汽车金融公司的规定相差不大，最大的不同之处是，通过汽车金融公司，外省户口的消费者在一定条件下可以申请汽车贷款。而目前银行批贷时还要考虑到申贷人的户口因素，外省户口者想申请下车贷比较困难。

5. 车贷利率和其他费用

银行利率低；金融公司无杂费。

银行的车贷利率依照银行利率确定，而汽车金融公司的利率通常要比银行现行利率高出一些。例如，大众汽车金融（中国）有限公司30%首付5年期的车贷利率比银行高出3个百分点左右。

银行的汽车消费贷款利率按照中国人民银行规定的同期贷款利率计算，其对于贷款利率变动的规定是：在贷款期间如遇利率调整时，贷款期限在1年（含）以下的，按合同利率计算；贷款期限在1年以上的，实行分段计算，于下一年年初开始，按相应利率档次执行新的利率。

2. 汽车保险服务

保险公司承保业务的流程大体相近，大致经历：保户投保，包括保户填写投保单，交纳保费；保险公司承保、签订保险合同，包括核保、出具保单、出具保费的收据；保险标的发生损失，保户向保险公司提出索赔；保险公司查勘；属于保险责任，保险公司支付赔偿、不属于保险责任，保险公司拒绝赔偿；续保等。

（1）保险投保

1) 投保人投保过程中应注意的问题。由于各家保险公司推出的汽车保险条款种类繁多，价格不同，因此投保人在购买汽车保险时应注意如下事项：

① 合理选择保险公司。投保人应选择具有合法资格的保险公司营业机构购买汽车保险。汽车保险的售后服务与产品本身一样重要，投保人在选择保险公司时，要了解各公司提供服务的内容及信誉度，以充分保障自己的利益。

② 合理选择代理人。投保人可以通过代理人购买汽车保险。选择代理人时，应选择具有执业资格证书、展业证及与保险公司签有正式代理合同的代理人；应当了解汽车保险条款中涉及赔偿责任和权利义务的部分，防止个别代理人片面夸大产品保障功能，回避责任免除条款内容。

③ 了解汽车保险内容。投保人应当询问所购买的汽车保险条款是否经过国家金融监督管理总局批准，认真了解条款内容，重点条款的保险责任、除外责任和特别约定，被保险人权利和义务，免赔额或免赔率的计算，申请赔偿的手续、退保和折旧等规定。此外，还应当注意汽车保险的费率是否与国家金融监督管理总局批准的费率一致，了解保险公司的费率优

惠规定和无赔款优待的规定。通常保险责任比较全面的产品，保险费比较高；保险责任少的产品，保险费较低。

④ 根据实际需要购买。投保人选择汽车保险时，应了解自身的风险和特征，根据实际情况选择个人所需的风险保障。对于汽车保险市场现有产品应进行充分了解，以便购买适合自身需要的汽车保险。

⑤ 购买汽车保险的其他注意事项。

A. 对保险重要单证的使用和保管。投保人在购买汽车保险时，应如实填写投保单上规定的各项内容，取得保险单后应核对其内容是否与投保单上的有关内容完全一致。对所有的保险单、保险卡、批单、保费发票等有关重要凭证应妥善保管，以便在出险时能及时提供理赔依据。

B. 如实告知义务。投保人在购买汽车保险时应履行如实告知义务，对与保险风险有直接关系的情况应当如实告知保险公司。

C. 购买汽车保险后，应及时交纳保险费，并按照条款规定，履行被保险人义务。

D. 合同纠纷的解决方式。对于保险合同产生的纠纷，投保人应当依据在购买汽车保险时与保险公司的约定，以仲裁或诉讼方式解决。

E. 投诉。投保人在购买汽车保险过程中，若发现保险公司或中介机构有误导或销售未经批准的汽车保险等行为，可向保险监督管理部门投诉。

2）保险公司或代理人应提供合理的保险方案。在开展汽车保险业务的过程中，保险公司或代理人应从加大产品的内涵、提高保险公司的服务水平入手，在开展业务的过程中为投保人或被保险人提供完善的保险方案。

① 保险方案制订的基本原则。

A. 充分保障的原则。它是指保险方案的制订应建立在对于投保人的风险进行充分和专业评估的基础上，根据对于风险的了解和认识制订相应的保险保障方案，目的是通过保险的途径最大限度地分散投保人的风险。

B. 公平合理的原则。它是指保险人或代理人在制订保险方案的过程中应贯彻公平合理的精神。所谓合理性就是要确保提供的保障是适用和必要的，防止提供不必要的保障。所谓公平主要应体现在价格方面，包括与价格有关的赔偿标准和免赔额的确定，既要合法，又要符合价值规律。

C. 充分披露的原则。它是指保险人在制订保险方案的过程中应根据保险最大诚信原则的告知义务的有关要求，将保险合同的有关规定，尤其是可能对于投保人不利影响的规定，要向投保人进行详细的解释。以往汽车保险业务出现纠纷的重要原因之一就是保险公司或代理人出于各种目的的考虑，在订立合同时没有对投保人进行充分的告知。

② 制订保险方案前的调查工作。在制订保险方案之前，应对投保人或潜在被保险人的情况进行充分的调查，根据调查结果进行分析是制订保险方案的必要前提。

调查的主要内容有：

A. 了解企业的基本情况，包括企业的性质、规模、经营范围和经营情况。

B. 了解企业拥有车辆的数量、车型和用途，了解车况、驾驶人素质情况、运输对象、车辆管理部门等。

C. 了解企业车辆管理的情况，包括安全管理的目标，对于安全管理的投入、安全管理的实际情况、以往发生事故的情况以及分类等。

　　D. 了解企业以往的投保情况，包括承保公司、投保险种、投保的金额、保险期限和赔付率等情况。

　　E. 了解企业投保的动机，防止逆向投保和道德风险。

　　③ 保险方案的主要内容。保险方案是在对投保人进行风险评估的基础上提出的保险建议书。第一，应当包括从专业的角度对投保人可能面临的风险进行识别和评估。第二，在风险评估的基础上提出保险的总体建议。第三，应当对条款的适用性进行说明，介绍有关的险种并对条款进行必要的解释。第四，对保险人及其提供的服务进行介绍。其具体内容有保险人情况；投保标的风险评估；保险方案的总体建议；保险条款以及解释；保险金额以及赔偿限额的确定；免赔额以及适用情况；赔偿处理程序以及要求；服务体系以及承诺；相关附件。

　　（2）保险承保

　　1）填写投保单。投保人购买保险，首先要提出投保申请，即填写投保单，交给保险人。投保单是投保人向保险人申请订立保险合同的依据，也是保险人签发保单的依据。投保单的基本内容有投保人的名称、厂牌型号、车辆种类、号牌号码、发动机号码及车架号、使用性质、吨位或座位、行驶证、初次登记年月、保险价值、车辆损失险保险金额的确定方式、第三者责任险赔偿限额、附加险的保险金额或保险限额、车辆总数、保险期限、联系方式、特别约定、投保人签章。

　　2）核保。核保是保险公司在业务经营过程中的一个重要环节。核保是指保险公司的专业技术人员对投保人的申请进行风险评估，决定是否接受这一风险，并在决定接受风险的情况下，决定承保的条件，包括使用的条款和附加条款、确定费率和免赔额等。

　　① 核保的意义主要体现在以下 4 个方面。

　　一是逆选择，排除经营中的道德风险。在保险公司的经营过程中始终存在一个信息问题，即信息的不完整、不精确和不对称。尽管最大诚信原则要求投保人在投保时应履行充分告知的义务。但是，事实上始终存在信息的不完整和不精确的问题。保险市场信息问题，可能导致投保人或被保险人的道德风险和逆选择，给保险公司经营带来巨大的潜在的风险。保险公司建立核保制度，由资深人员运用专业技术和经验对投保标的进行风险评估，通过风险评估可以最大限度地解决信息不对称的问题，排除道德风险，防止逆选择。

　　二是确保业务质量，实现经营稳定。保险公司是经营风险的特殊行业，其经营状况关系社会的稳定。保险公司要实现经营的稳定，关键一个环节就是控制承保业务的质量。但是，随着国内保险市场供应主体的增多，保险市场竞争日趋激烈，保险公司在不断扩大业务的同时，经营风险也在不断增大。其主要表现为为了拓展业务而急剧扩充业务人员，这些新的工作人员业务素质有限，无法认识和控制承保的质量；保险公司为了扩大保险市场的占有率，稳定与保户的业务关系，放松了拓展业务方面的管理；保险公司为了拓展新的业务领域，开发了一些不成熟的新险种，签署了一些未经过详细论证的保险协议，增加了风险因素。保险公司通过建立核保制度，能将展业与承保相对分离，实行专业化管理，严格把好承保关。

三是扩大保险业务规模,与国际惯例接轨。我国加入 WTO 以后,国外的保险中介机构正逐步进入中国保险市场;同时,我国保险的中介力量也在不断壮大,现已成为推动保险业务的重要力量。在看到保险中介组织对于扩大业务的积极作用的同时,也应注意到其可能带来的负面影响。由于保险中介组织经营目的和价值取向的差异以及人员的良莠不齐,保险公司在充分利用保险中介机构进行业务开展的同时,也应对保险中介组织的业务加强管理,核保制度是对中介业务质量控制的重要手段,是建立和完善保险中介市场的必要前提条件。

四是实现经营目标,确保持续发展。在市场经济条件下,企业发展的重要条件是对市场进行分析,并在此基础上确定企业的经营方针和策略,包括对企业的市场定位和选择特定的业务和客户群。在我国保险市场的发展过程中,保险公司要在市场上争取和赢得主动,就必须确定自己的市场营销方针和政策,包括选择特定的业务和客户作为自己发展的主要对象,确定对各类风险承保的态度,制订承保业务的原则、条款和费率等。这些市场营销方针和政策实现的主要手段是核保制度,通过核保制度对风险选择和控制的功能,保险公司能够有效地实现其既定的目标,并保持业务的持续发展。

② 核保的主要内容主要体现在 7 个方面。

一是投保人资格。对于投保人资格进行审核的核心是认定投保人对保险标的拥有保险利益,汽车保险业务中主要是通过核对行驶证来完成的。

二是投保人或被保险人的基本情况。投保人或被保险人的基本情况主要是针对车队业务的。通过了解企业的性质、是否设有安保部门、经营方式、运行主要线路等,分析投保人或被保险人对车辆管理的技术管理状况,保险公司可以及时发现其可能存在的经营风险,采取必要的措施降低和控制风险。

三是投保人或被保险人的信誉。投保人与被保险人的信誉是核保工作的重点之一。对于投保人和被保险人的信誉调查和评估逐步成为汽车核保工作的重要内容。评估投保人与被保险人信誉的一个重要手段是对其以往损失和赔付情况进行了解,那些没有合理原因,却经常"跳槽"的被保险人往往存在道德风险。

四是保险标的。对被保险车辆应尽可能采用"验车承保"的方式,即对车辆进行实际的检验,包括了解车辆的使用和管理情况,复印行驶证、购置车辆的完税费凭证,拓印发动机与车架号码,对于一些高档车辆还应当建立车辆档案。

五是保险金额。保险金额的确定涉及保险公司及被保险人的利益,往往是双方争议的焦点,因此保险金额的确定是汽车保险核保中的一个重要内容。在具体的核保工作中应当根据公司制订的汽车市场指导价格确定保险金额。对投保人要求按照低于这一价格投保的,应当尽量劝说并将理赔时可能出现的问题进行说明和解释。对于投保人坚持己见的,应当向投保人说明后果并要求其对于自己的要求进行确认,同时在保险单的批注栏上明确。

六是保险费。核保人员对于保险费的审核主要分为费率适用的审核和计算的审核。

七是附加条款。主险和标准条款提供的是适应汽车风险共性的保障,但是作为风险的个体是有其特性的。一个完善的保险方案不仅解决共性的问题,更重要的是解决个性问题,附加条款适用于风险的个性问题。特殊性往往意味着高风险,所以,在对附加条款的适用问题上更应当注意对风险的特别评估和分析,谨慎接受和制定条件。

3) 接受业务。保险人按照规定的业务范围和承保的权限,在审核检验之后,有权做出承保或拒保的决定。

4）缮制单证。缮制单证是在接受业务后填制保险单或保险凭证等手续的程序。保险单或保险凭证是载明保险合同双方当事人权利和义务的书面凭证，是被保险人向保险人索赔的主要依据。因此，保险单质量的好坏往往直接影响汽车保险合同的顺利履行。填写保险单的要求：单证相符，保险合同要素明确、数字准确、复核签章、手续齐备。

（3）保险理赔　保险理赔是指保险人在保险标的发生风险事故导致损失后，对被保险人提出的索赔要求进行处理的过程。保险理赔应遵循"重合同、守信用、实事求是、主动、迅速、准确、合理"的原则，以保证保险合同双方行使权利与履行义务。

> 保险理赔的程序如下：
>
> 1）接受损失通知。保险事故发生后，被保险人应将事故发生的时间、地点、原因及其有关情况，在规定的时间内通知保险人，并提出索赔要求。
>
> 发出损失通知书是被保险人必须履行的义务。被保险人发出损失通知的方式可以是口头方式，也可以是函电等其他方式，但随后应及时补发正式的书面通知，并提供必备的索赔凭证，如保险单、出险证明书、损失鉴定书、损失清单、检验报告等。
>
> 2）审核保险责任。保险人收到损失通知书后，应当立即审核该索赔案件是否属于保险责任范围，其审核的主要内容为损失是否发生在保险单的有效期内，损失是否由所承保的风险所引起，损失的车辆是否是保险标的，请求赔偿人是否有权提出索赔等。
>
> 3）进行损失检查。保险人审核保险责任后，应派人到出险现场进行查勘，了解事故情况，分析事故损害原因，确定损害程度，认定索赔权利。
>
> 4）赔偿给付保险金。保险事故发生后，经过核查属实并估算赔偿金额后，保险人应当立即履行赔偿给付的责任。

五、保险车辆索赔服务

1. 报赔

发生交通事故后，投保人应妥善保护好现场，并及时向保险公司报案，路面事故同时还要报请交通部门处理，非路面交通事故（如车辆因驾驶原因撞到树上或墙上）的，应由居委会出具证明材料。

2. 核定

1）保险公司接到报案后，会派人到现场查勘或到交通部门了解出险情况，同时对车辆进行定损，估算修理费用，并通知车主到保险公司指定修理商修理事故车辆。若车主要求自行修理，应办理自修手续，修理费若超出定损费用，将由车主自行支付超出部分费用。

2）对第三者责任的索赔，应由保险公司对赔偿金额依法确定，并依据投保金额予以赔付。对于投保人与第三者私下谈定的赔偿金额，保险公司可拒绝赔付。

3. 赔付规定

1）全部损失。

① 被保险车辆发生全部损失后，如果保险金额等于或低于出险当时的实际价值，将按保险金额赔偿。

② 被保险车辆发生全损后，如果保险金额高于出险当时的实际价值，将按出险时的实

际价值赔偿。

2）部分损失。

① 被保险车辆局部受损失，其保险金额达到承保时的实际价值，无论保险金额是否低于出险时的实际价值，发生部分损失均按照实际修理费用赔偿。

② 被保险车辆的保险金额低于承保时的实际价值，发生部分损失按照保险金额与出险当时的实际价值比例赔偿修理费用。

3）被保险车辆损失最高赔偿额以保险金额为限。

4）被保险车辆按全部损失赔偿或部分损失一次赔款等于保险金额全数时，车辆损失险的保险责任即行终止。但被保险车辆在保险有效期时，不论发生一次或多次保险责任范围内的损失或费用支出，只要每次赔偿未达到保险金额，其保险责任依然有效。

5）被保险车辆发生保险事故遭受全损后的残余部分，应协商作价归被保险人，并在赔款中扣除。

> 注意：发生交通事故的被保险车辆，车辆损失险和第三者责任险在符合赔偿规定的金额内实行绝对免赔率，即保险人根据事故鉴定结论对被保险人实行部分赔偿。被保险人在事故中负全部责任的免赔20%，负主要责任的免赔15%，负同等责任的免赔10%，负次要责任的免赔5%。

因此可见，并非出事故，保险公司就全部赔偿，事故中的责任大小与被保险人所得到的赔偿金额是相关联的。若此项投保了不计免赔险，即可在任何情况下享受100%赔偿。

4. 赔付时间

在车辆修复或自交通事故处理结案之日起3个月内，保户应持保险单、事故处理证明、事故调解书、修理清单及其他有关证件到保险公司领取赔偿金。保险公司支付赔款一般在10天以内。赔款必须在1年内领取，否则将视为放弃。

5. 争议

投保人若与保险公司发生争议不能达成协议，可向经济合同仲裁机关申请仲裁或向人民法院提起诉讼。

任务工单

（一）任务实施的环境

模拟的汽车售后跟踪服务环节。

（二）任务实施的步骤

任务实施的步骤是贷款买车服务。

（三）技能训练及相关实践知识

技 能 训 练

【训练任务】 通过对汽车销售企业的金融服务的调查，分析个人贷款买车的流程及最佳的选择方式以及新车的三包索赔服务。

【训练建议】 团队独立完成。

【评价建议】 可用如下技能训练评价表对学生的操作技能进行评价。

贷款买车服务技能训练评价表

学生姓名					
测评日期		测评地点			
测评内容	1. 汽车金属服务——个人贷款购车 2. 汽车三包项目 3. 汽车索赔流程				
考评标准	内　　容	分值/分	自　评	互　评	师　评
	汽车金融服务体制的分析	30			
	贷款买车的决策	20			
	汽车三包项目的研究	20			
	汽车索赔流程的业务操作	30			
	合　　计	100			
最终得分（自评30%+互评30%+师评40%）					
说明：测评满分为100分，60~74分为及格，75~84分为良好，85分以上为优秀。60分以下的学生，需重新进行知识学习、任务训练，直到任务完成达到合格为止。					

参 考 文 献

[1] 金加龙. 汽车维修业务接待［M］. 3版. 北京：电子工业出版社，2025.
[2] 张红英. 事故车查勘与定损［M］. 北京：机械工业出版社，2021.
[3] 曾鑫. 汽车保险与理赔［M］. 3版. 北京：人民邮电出版社，2021.
[4] 马涛，范海飞. 汽车维修业务接待［M］. 3版. 北京：人民交通出版社，2020.